CORAGEM
para viver

© 2015 por Marcelo Cezar
© iStock.com/rajchertluk

Coordenadora editorial: Tânia Lins
Assistente editorial: Mayara Silvestre Richard
Coordenação de arte e comunicação: Marcio Lipari
Capa e projeto gráfico: Jaqueline Kir
Diagramação: Rafael Rojas
Preparação e revisão: Mônica d'Almeida

1ª edição — 3ª impressão
5.000 exemplares — maio 2015
Tiragem total: 20.000 exemplares

CIP-Brasil — Catalogação na Publicação
(Sindicato Nacional dos Editores de Livros, RJ)

C418r

    Cezar, Marcelo
    Coragem para viver / Marcelo Cezar. - 1 ed. - São Paulo :
Vida & Consciência, 2015.
    416 p.

    ISBN 978-85-7722-427-2

    1. Aurélio, Marco (Espírito). 2. Romance espírita. 3. Obras
psicografadas. I. Título.

15-20342
                         CDD-133.93
                         CDU-133.7

Índices para catálogo sistemático:
1. Romance espírita : Espiritismo

Este livro adota as regras do novo acordo ortográfico (2009).

Vida & Consciência Editora, Gráfica e Distribuidora Ltda.
Rua Agostinho Gomes, 2.312 — São Paulo — SP — Brasil
CEP 04206-001
editora@vidaeconsciencia.com.br
grafica@vidaeconsciencia.com.br
www.vidaeconsciencia.com.br

Dedico este livro à amiga Ana Cristina Vargas, que, com o auxílio dos amigos espirituais Layla, José Antônio, Georges e Ricardo, com generosidade, paciência e carinho, tem empregado seu tempo para sanar minhas dúvidas, me ajudado a rever conceitos espirituais e a fermentar meu gosto pela vida. Sentimento de gratidão não se mede, se expressa. Muito obrigado.

Antes de mais nada...

Ao longo de séculos de civilização, o debate sobre uma importante questão abordada neste livro tem gerado mal-estar à sociedade. A psiquiatria e a psicologia tratam o tema com seriedade e certa sutileza, auxiliando, com propriedade, pessoas que perderam alguém que se matou.

Matar-se é um ato de desespero? Matar-se é um ato de coragem? Matar-se é um ato de covardia? Embora a religião, a moral e as filosofias em geral condenem o suicídio por ser contrário às leis da Natureza, em princípio, ninguém tem o direito de abreviar voluntariamente a vida.

Conforme o tempo passa, o suicídio ainda perturba e é capaz de suscitar debates calorosos, com uma imensa bancada dos que o condenam e um pequeno grupo dos adeptos do niilismo, ou seja, daqueles que acreditam que a vida não tem sentido algum e, portanto, o defendem.

Na história da Humanidade, dependendo do contexto, matar-se foi considerado algo, digamos, aceitável e também absolutamente reprovável.

Na Roma Antiga, os soldados que retornavam derrotados das batalhas eram obrigados a se matar. A Bíblia não usa o termo, contudo, Judas Iscariotes e Sansão se mataram. Embora as escolas do cristianismo vejam o suicídio como pecado, há uma bela passagem em Romanos (8: 38-39) que afirma: "... nem a morte, nem a vida será capaz de nos separar do amor de Deus".

A Igreja Católica, na Idade Média, influenciada por pensadores, como Santo Agostinho e São Tomás de Aquino, também considerava o suicídio pecado, até porque naquela época quem se matava não tinha o direito de ser enterrado e era jogado ao ar livre, no lixo, deixado para ser devorado por animais noturnos. A Igreja resolveu, à época, matar dois coelhos com uma só cajadada: desestimular a prática e evitar situações constrangedoras, como mal cheiro, ou pedaços de corpos espalhados pelas ruas.

Nos dias atuais, tanto o Ocidente como o Oriente olham para o suicídio como algo ultrajante, embora haja algumas seitas religiosas modernas que o cultuem, como a Ordem do Templo Solar, fundada em Genebra. Mesmo que a prática seja considerada degradante, existe a autoimolação — ato de atear fogo a si mesmo —, procedimento de resignação comum em certas sociedades, como no caso da Índia, onde esposas, em certas localidades, ainda se atiram na pira crematória do marido. E, no tocante à autoimolação, esta voltou à moda, recentemente, quando dezenas de pessoas atearam fogo em si mesmas em protestos durante a Primavera Árabe, em 2010.

Nota-se que o suicídio, portanto, sempre foi uma questão de aceitação ou não aceitação, com um dedo imenso de julgamento, de condenação, de discriminação apontado duramente àquele que o comete.

Afinal, por que não se tem esse direito? O homem não é livre para pôr fim a seu sofrimento e suas angústias? Diante de tanta discussão, o Espiritismo surgiu para mostrar, na prática, ou seja, por meio de exemplos, o que

6

de fato acontece com quem dava cabo da própria existência. E, em todos os casos observados, a história nunca foi tão animadora, seja nos casos relatados em livros, seja nos casos de que eu, como doutrinador, participei em sessões mediúnicas no centro espírita onde trabalhei por anos.

Se abrir *O Livro dos Espíritos* e for direto para as questões que tratam do suicídio — Livro Quarto, Capítulo 1, perguntas 943 a 957 —, notará que Allan Kardec tratou do tema com extrema perspicácia. Kardec era professor, sabia como elaborar as perguntas aos espíritos. E, se atentar bem para as respostas, deduzirá que não há julgamento, crítica ou condenação. De modo algum.

O Espiritismo não condena quem pratica o suicídio. O Espiritismo simplesmente mostra que o ato de matar-se não vai resolver o problema do indivíduo, porquanto a vida continua. A pessoa só matou o corpo físico; o espírito continua vivo; e, como Kardec enfatiza, o suicídio, grosso modo, causa ao indivíduo decepção e desapontamento.

Isto posto, quem de fato está ligado ao Espiritismo, ou a alguma corrente espiritualista, tem como princípio básico o não julgamento. Ser espírita ou espiritualista é ser caridoso; ser caridoso é praticar o amor a si e ao próximo, pois caridade é o amor em ação; daí que não cabe, nesse escopo, julgamento, condenação, crítica ou maledicência.

A ideia, que muitos ainda conservam na mente, de que toda pessoa que se mata vai purgar no umbral, vai ficar presa ao corpo em decomposição pelo tempo que deveria ainda viver na Terra, vai sofrer horrores no Vale dos Suicidas e afins é muito relativa, pois cada caso é um caso. Não se pode, de forma alguma, generalizar.

Muitas pessoas impressionaram-se sobremaneira, principalmente no meio espírita, com o clássico *Memórias de um suicida*, de Yvonne do Amaral Pereira. Realmente o livro foi um marco na literatura espírita, quando lançado, em 1954. E, de lá para cá, parece que *Memórias* tornou-se o roteiro oficial para todos aqueles que se suicidam. Ora, por mais que o livro seja um alerta e uma espécie de assertiva às questões de Kardec, são experiências relatadas por um espírito em particular. Camilo Cândido Botelho vivenciou aquilo. Foram as experiências dele transmitidas à médium. Foi um alerta, sem dúvida alguma, mas foi o que ele vivenciou.

No entanto, aquilo ficou cristalizado na cabeça de muita gente, da mesma forma que muitos acreditam que, ao morrer em paz com a consciência, irão para a Colônia Nosso Lar, por ela ser muito famosa, como se houvesse uma única cidade no mundo espiritual. Também não é assim. É como um estrangeiro acreditar que em nosso país só exista São Paulo ou Rio de Janeiro, ignorando os — quase — cinco mil e seiscentos municípios existentes. Cada caso é único e devemos respeitar a dor e o sofrimento de todos, voltando a dizer, sem julgamento, crítica ou condenação.

Não estamos aqui para passar a mão na cabeça e afirmar que o suicídio seja uma boa saída. Não sabemos. Não estamos na pele de uma pessoa em desespero ou em profundo estado de depressão. Não podemos criticá-la.

Hoje vivemos num mundo em que pessoas se matam por uma ideologia. Homens estouram bombas no próprio corpo para defender uma crença religiosa; outros reivindicam a eutanásia; alguns não abrem mão da ortotanásia; pessoas que se alimentam mal e levam uma vida sedentária não se importam com as doenças que surgem no corpo; diabéticos se empanturram de doces, não tomam medicação, entram em coma e morrem. Tudo isso é suicídio, ou não?

É por essa razão que Marco Aurélio trouxe, por meu intermédio, esta história. Para reflexão. O conceito de suicídio e a maneira como ele é encarado depois que o indivíduo deixa o corpo físico e retorna ao mundo espiritual estão muito mais ligados ao conjunto de crenças e atitudes do que à moral humana.

Na verdade, o que importa é como você se vê, quais são suas crenças acerca de vida, morte, suicídio, eutanásia, ortotanásia, ataque suicida e morte por doença. A sua maneira de crer é o que vai determinar como você vai encarar a vida pós-morte e se comportar no mundo astral.

Obviamente, quem comete o suicídio, de maneira fria e violenta, não está em seu melhor juízo. Como tenho acompanhado em inúmeros trabalhos assistenciais a desencarnados, o suicídio em sua forma tradicional — enforcamento, envenenamento, tiro, atirar-se de uma ponte ou da sacada de um prédio, jogar-se sobre as rodas de um trem — é como comprar uma passagem de avião, mas cujo destino não será Bali, Bahamas, Nova York ou Paris. A primeira escala vai ser um lugar bem ruinzinho, pode acreditar.

Em todo caso, cada um é livre para fazer o que quiser de sua vida. Só estamos, eu e Marco Aurélio, relatando experiências que nos são passadas, casos reais de pessoas que viveram na Terra e querem transmitir a história de vida delas, ajudando você, de uma forma ou de outra, a fazer escolhas mais acertadas. Só isso.

Estamos vivendo um momento mágico da existência. É a primeira vez na história da Humanidade que você tem a chance de cuidar verdadeiramente de si, não ter vergonha nem medo de se colocar em primeiro lugar, de ser dono da sua própria vida, de conduzir o seu destino. Por mais que tente destruir a sua vida, matar-se, a vida vence, porque ela é eterna. Você sempre vai estar vivo. Queira ou não. Acredite ou não.

Não adianta ficar nervosinho, birrento, com raiva do mundo e querer parar tudo. O mundo não vai ser como você sonhou. As pessoas não vão ser como você as idealizou. Eu sei. É duro quando tudo desmorona à nossa frente e o castelo de areia desaba. Dá vontade de pôr fim em tudo. Já senti isso.

Mas quer saber? A melhor maneira de seguir em frente é a aceitação. Aceite que o mundo é assim mesmo e as pessoas são do jeito delas. E, principalmente, o mais importante: aceite você do jeitinho que você é. Seja seu amigo. Seja sua melhor amiga. Trate você como trata a sua melhor amiga. Conseguiu imaginar a cena? Pois comece a tratar você desse jeito agorinha mesmo!

Por isso, se você está triste, depressivo, desiludido, seu grande amor morreu, não encontra emprego, está sem grana e com um monte de contas para pagar, está com a corda no pescoço, com a conta do banco no vermelho, perdeu a guarda do filho, levou um pé da esposa, foi traída, descobriu uma doença grave, está se sentindo gordo, feio... enfim, se você acha que a vida acabou... não acabou, não. Eu estou aqui com a minha energia de contentamento, com a minha alegria contagiando você neste exato momento. Eu e o Marco Aurélio.

Vamos, reaja! A vida é o dom mais precioso que existe. Coloque a sua força para fora. Chame o guerreiro, a lutadora que há dentro de você. Traga à tona esse bicho adormecido, louco para despertar, cheio de garra, força e coragem, que vai ajudar você a conseguir todas as coisas boas da vida. Tem um banquete enorme para você desfrutar aí fora.

Você nasceu para brilhar. Do seu jeito, da sua maneira. Não se compare a ninguém, não se iluda com as ideias do mundo. Vá atrás dos seus objetivos, dos seus sonhos, por mais estapafúrdios e loucos que sejam. Deixe a sua alma lhe mostrar o que ela quer. E, pensando assim, a ideia de morrer vai sumir. Assim, num piscar de olhos. E você vai se encher de vida. Vai se contagiar de vida!

Se tiver um amigo, uma pessoa querida que esteja muito triste, em depressão, passe ou transmita o teor deste texto para ele, ou para ela. Vamos juntos destruir essa onda de negatividade e criar um grande elo de alegria e contentamento.

Acredite em nós. Não desperdice a oportunidade. Tudo, absolutamente tudo na vida tem jeito. Tudo se resolve. Vai por mim. Eu estou com você. Meu mentor também está torcendo e vibrando por você. Vamos juntos vencer o desânimo e viver, viver e viver. Com muita alegria no coração!

Um caloroso abraço, cheio de vida.

Marcelo Cezar & Marco Aurélio
São Paulo, 30 de janeiro de 2015.

1

As nuvens estavam carregadas, pesadíssimas, entre o cinza e o chumbo, anunciando chuva iminente. Das fortes. Estava para cair um aguaceiro digno de causar enchente e travar a cidade, como de costume. Era meio da tarde e, no entanto, parecia início de noite, de tão escuro que estava o céu. Escuro também estava o raciocínio de Valdir.

Era como se as nuvens refletissem o teor de seus pensamentos conturbados. A cabeça latejava, doía, ele estava cego de raiva. Mal conseguia dirigir. Respirou fundo, teve um lampejo de consciência.

"Os motoristas e pedestres não têm nada a ver com os meus problemas", pensou, com o raciocínio um pouco menos embaçado pela raiva. Deu nova fungada, aspirou bastante ar e teve forças para chegar até a rua onde morava.

Valdir largou o carro no meio da calçada, e a irritação voltou com força. Estava tão possesso que nem subiu o vidro do motorista. Saiu meio trôpego, alcançou a porta de casa e, ao entrar, bateu-a com força. Noeli desceu as escadas com os dedos nos lábios:

— Chiii! Não faça barulho! Rafael acabou de pegar no sono — em seguida, sem dar chance de ele falar, perguntou, preocupada: — Por que chegou tão cedo? Que cara é essa? O que aconteceu?

— O que fiz para merecer isso? — indagava ele em tom baixo, porém irritadiço, enquanto o corpo tentava se equilibrar, tamanho nervosismo. Valdir tremia da cabeça aos pés.

Uma lágrima escorreu pelo canto do olho e ele respirou fundo. Apalpou o bolso da camisa, apanhou o maço de cigarros e, mãos trêmulas, tirou um cigarro e acendeu. Saltou uma baforada para o alto. Jogou-se no sofá.

— Não sei o que fazer!

— O que foi dessa vez? — Noeli desceu o último degrau e sentou-se ao lado dele. Colocou delicadamente as mãos dele entre as suas.

— Estão geladas! Você está pálido.

Valdir apanhou o cigarro do cinzeiro e tragou com força.

— Mara apareceu na firma.

Noeli era uma moça firme, mas não conteve a surpresa. Levou as mãos à boca, indignada.

— Não posso crer! Mara? Foi até o escritório?

— Sim. Baixou lá, sem cerimônia. Você tinha de ver. Foi um vexame. A Cidinha, fofoqueira, foi quem atendeu. Fez questão de me chamar. Você não tem ideia, Noeli. Mara estava completamente fora de si, possessa, não falava coisa com coisa.

— Santo Deus! Foi pedir dinheiro...

— Dinheiro? Antes fosse.

— Como assim?!

Valdir não sabia como falar. Não tinha "jeito", não dava para enrolar Noeli. Tinha de ser direto, sem delongas. Noeli não tirava os olhos. Encarava-o sem piscar. Essa postura firme da companheira o deixava mais aturdido ainda. Deu nova tragada no cigarro, soltou uma baforada nervosa e disparou:

— Ela quer o filho de volta.

Noeli sentiu o pânico invadir-lhe o corpo. Os olhos pareciam querer saltar das órbitas. A saliva secou. Entretanto, continuou mantendo o mesmo tom de voz, sem desespero:

— Ela... Você está querendo dizer...

— Sim, querida — Valdir abraçou-a e repetiu num tom para lá de triste: — Ela quer o nosso Rafael de volta.

— Não tem como. Você está com a guarda dele.

É guarda provisória.

— Ela não gosta do menino, não nasceu para ser mãe — Noeli desvencilhou-se de Valdir e levantou-se num salto. — Ela não tem condições de criar uma criança, ainda mais um menininho que mal completou um ano de vida — procurou falar no mesmo tom equilibrado, embora o estômago quisesse revirar.

— Sei disso. É por essa razão que ela está fazendo esse jogo sórdido. Ela não quer o filho. Está fazendo tudo por dinheiro, por muito dinheiro.

— Não temos dinheiro, ela sabe.

— Minha mãe...

— Você não conversa com sua mãe há tempos, desde que se separou de Mara e decidiu viver comigo. Sua mãe nunca aprovou nosso relacionamento.

— Contudo, mamãe adora o Rafael.

— É verdade.

— Pois bem. Hoje vou até lá, conversarei com ela. Vou ver se pode me ajudar.

Noeli pensou por um instante.

— Não sei se é boa ideia procurar sua mãe. Ela vai lhe dar lição de moral, falar sobre nossas diferenças sociais, fazer sermão e deixá-lo mais nervoso.

— Não sei...

Noeli interrompeu o marido.

— Sua mãe consegue manipulá-lo. Infelizmente, tem de admitir.

Valdir sentiu as faces arderem. Noeli falava sem rodeios, era mulher franca, dizia a verdade, por mais dura que fosse. Ele a admirava por isso. Sentiu vergonha, contudo, teve de concordar:

— Tem razão. Minha mãe consegue me dominar. Sou um fraco.

— Não precisa ser dramático. É só assumir uma postura mais firme. Você não é mais o filhinho da mamãe. Tem mulher, filho, trabalha, tem uma casa para sustentar e morar. Tudo bem que adoraria receber mesada como seu irmão...

Ele a cortou, nervoso:

— Não sou meu irmão. Eu luto para ter o que é meu. Não quero dinheiro fácil.

— Sei disso. Mas a nossa situação não é das melhores. Não ganho muito bem no hospital. Você também não tem um salário tão bom. As despesas com Rafael estão aumentando.

— Vou dar um jeito — disse, entre dentes, para conter a raiva.

— Você é muito orgulhoso. Quer provar para sua mãe que é capaz?

Noeli percebeu os olhos injetados de fúria. Era melhor não cutucar onça com vara curta. O momento não era apropriado para esse tipo de discussão. O rumo da conversa estava sendo desviado. Procurou contemporizar:

— Vá até a casa de sua mãe. Converse com ela de igual para igual. Ela não é mais nem menos que você.

— Tem razão — tornou ele, sem muita convicção.

Noeli sabia que Valdir não se modificaria assim tão facilmente. Procurou mudar novamente de assunto. Foi rápida:

— Mara tem ideia de onde moramos?

— Não. Não sabe.

— Alguém do serviço poderia deixar escapar? A Cidinha...

Valdir deixou o nervosismo de lado. Como o assunto mudara e ele não era mais o foco, respondeu com certa amabilidade na voz:

— Cidinha é fofoqueira, mas não é má pessoa. Não faria uma loucura dessas. Sabe que, se Mara vier aqui com polícia e juizado, perderemos meu filho.

— *Nosso* filho — Noeli enfatizou. — Eu sou a mãe de Rafael. Desde que ele saiu de dentro dela, sou eu quem cuida, quem dá amor e carinho. Quando o tiraram do ventre dela, nem quis olhar para ele. Como pode agora querer...

Noeli recordou-se do parto, de pegar o recém-nascido nos braços ainda sujinho, todo melecado, como se tivesse saído dela. As cenas vieram rápidas e ela se emocionou. Começou a chorar. Valdir também deixou algumas lágrimas escapulirem e escorrerem pelo canto dos olhos.

— Calma. Tudo vai se resolver. Mara não vai nos tirar Rafael, não vai nos tirar a paz.

Noeli levantou as mãos para o alto.

— Deus nos ajude! Mara é filha de gente influente, de posses. Ela não pode estar querendo o filho a troco de dinheiro. Aí tem coisa.

— Você acha?

— Ela é jovem, bonita, tem dinheiro. Por que, de uma hora para outra, quer o filho? Não faz sentido.

— Arrependimento.

Noeli pensou um pouco.

— Pode ser. Talvez remorso. Estou tão aturdida que ainda não consegui raciocinar direito.

— O que me preocupa — acrescentou Valdir em tom de lamúria — é que meu supervisor foi bem claro: disse que, se Mara aparecer lá de novo, vai me demitir. Seu Décio tem idade, não quer confusão nem imagem negativa associada à companhia.

Noeli abraçou-o com força.

— Vamos nos acalmar. Eu vou ligar para minha prima Leda. Ela sempre me conforta em momentos difíceis.

Valdir assentiu. Beijou Noeli no rosto e acendeu outro cigarro.

— Por que essa mulher nos atormenta tanto? Sou tão bom... fiquei com o filho, deixei-a livre para viver com quem e como quisesse. Eu não entendo o porquê de ela vir atrás de nós.

— Já disse. Deve ser remorso.

— E precisava ter um ataque e baixar lá na porta da firma?

Valdir mal tragou e já apagou o cigarro no cinzeiro. Pigarreou e disse:

— Vou subir e tomar um banho, tentar me acalmar. Farei um lanche e vou até a casa de minha mãe.

— Faz um bom tempo que você não a vê. Não acha melhor ligar? E está para cair uma tempestade.

— Não. Se eu ligar, ela vai inventar uma desculpa. Conheço minha mãe. Preciso chegar lá e pegá-la de surpresa. E não estou nem aí para a chuva. Acho até bom que venha muita água, trovões, raios. Talvez, com esse aguaceiro, Mara recolha-se em seu mundo e nos deixe em paz por mais alguns dias.

— Tem seu irmão...

— Helinho é um playboyzinho que só quer saber de fazer limpeza de pele. É a vaidade em pessoa, além de ser o queridinho da mamãe.

— Ele é ardiloso.

— Você implica com o Hélio. Não sei o porquê.

Noeli passou as mãos pelos braços. Sentiu um arrepio, uma sensação ruim. Preferiu não comentar. Ela nunca simpatizara com Hélio, ou melhor, Helinho. Achava-o mimado e ardiloso, do tipo que sorria, mas, na verdade, estava sempre com intenções ruins, tramando, querendo levar vantagem a qualquer preço.

Para Noeli, Helinho não era uma pessoa de confiança. Angelita, a sogra, era uma mulher com quem ela não se dava muito bem, mais por uma questão de valores sociais. Percebia que, no fundo, Angelita gostava dela, porém não dava o braço a torcer. Era uma mulher presa à vaidade, contudo, era boa pessoa. Se tirasse a máscara de dondoca de sociedade, poderiam ser boas amigas. Mas...

Ela espantou os pensamentos com as mãos e sorriu.

— Está certo, Valdir. Suba enquanto eu lhe preparo um lanche.

Noeli aproveitou que estava sozinha e ligou para a prima.

— Leda vai me dar uma luz. Ela sempre me dá.

Discou e esperou.

Leda era uma mulher na casa dos quarenta, que saíra do país de repente alguns anos antes, durante os anos de chumbo, época em que a ditadura se tornara mais truculenta no país, no início da década de 1970. O marido, Rubens, jornalista, fora preso e interrogado. Exilado, tiveram de deixar o país às pressas.

Quando estava deixando a delegacia, Rubens escutou dois investigadores do Dops conversando sobre uma visita surpresa ao escritório de um empresário. Falavam de Mário Castillo. Rubens, horrorizado com o que vira ali dentro, não hesitou: avisou Mário do risco que ele poderia correr. Solicitou que queimasse documentos e se preparasse para o interrogatório. Em troca do ato generoso, Mário deu substancial quantia em dinheiro para Rubens e a esposa poderem ir embora sem uma mão na frente e outra atrás.

Essa soma ajudou o casal a se instalar confortavelmente no Chile, num primeiro momento. Com a morte de Salvador Allende, decidiram viver nos Estados Unidos, graças, ainda, ao dinheiro que Mário dera. Tempos depois, tal ato de generosidade teria um preço. Mário voltaria a procurar Rubens.

Nos Estados Unidos, Leda deu à luz uma menina, Sofia. Ela havia se separado recentemente e retornado ao país havia pouco tempo. Vivia num apartamento espaçoso que o marido deixara por conta do divórcio em troca da guarda da filha de doze anos. Fizeram um acordo. A família achou um absurdo, entretanto, a menina era unha e esmalte com o pai e também se afeiçoara à madrasta, Sarah. E, de mais a mais, Sofia nascera e crescera em solo americano, não tinha vontade de conhecer ou morar no Brasil.

Como os relacionamentos familiares acima da linha do Equador são menos dramáticos e mais soltos que os nossos, a despedida entre mãe e filha não foi emocionante. E sabe por quê? Porque Leda compreendeu as vontades da filha e... astuta e perspicaz, sacou que a menina tinha uma tendência altamente manipuladora. Sofia tinha um jeitinho hábil de manipular as pessoas para conseguir tudo o que quisesse e tornara-se especialista em manipular o pai. Ela era a princesinha de Rubens; o pai não notava, mas a menina fazia gato e sapato dele.

Leda percebeu tudo isso e muito mais. Viu o problema, o que ele poderia se tornar lá no futuro, caso não fosse discutido e reparado no momento, chamou Rubens para uma conversa; entretanto, ele considerou que ela estava sendo dura demais e, como não iria mais cuidar da menina, o problema na criação de Sofia, a partir daquele momento, não era mais dela. Leda sorriu, fechou o bico e ficou na dela.

No dia da despedida, Sofia abraçou a mãe e sussurrou em seu ouvido:

— Não adianta tentar convencer o papai a dar um jeito em mim. Eu não vou mudar. Você não vai me mudar. Ninguém nunca vai me mudar.

Depois, quando Rubens pegou na mão da filha e Leda passou pelo portão de embarque, a menina declarou, numa voz fingida:

— Vá com Deus, mamãezinha. Vou morrer de saudades!

Rubens ficou com os olhos rasos de água. A sua filha era uma menina para lá de especial.

"Pena que Leda não veja o tesouro que é a filha que temos!", pensou, enquanto Sofia sorria de maneira sinistra encarando Sarah de esguelha e imaginando maneiras as mais diversas de também manipular a madrasta.

Com o passar dos anos, Sofia percebeu que não conseguia, de jeito nenhum, manipular Leda, mesmo a distância. A amizade, claro, foi murchando, o contato entre as duas foi esfriando, e Sofia, ao atingir a adolescência, cortou os laços com Leda.

— Não quero mais saber de falar com essa feiticeira dos trópicos — ruminou.

Leda era uma mulher independente, bem-humorada, batalhadora e acreditava que a vida era muito curta para cultivar tristezas por muito tempo, e a alegria deveria fazer parte da maior parte de nosso dia a dia. Tinha uma mente bem positiva, não era religiosa, mas, durante o tempo em que vivera nos Estados Unidos, encantara-se por um pastor — nessa igreja específica chamado de ministro — que pregava ensinamentos da Bíblia aliados ao poder transformador do pensamento.

Leda amou os ensinamentos. Aquilo tinha tudo a ver com ela, que já estava habituada a leituras desse naipe. Já havia lido todos os livros de Catherine Ponder, por exemplo. Aliada a esse conhecimento, tinha uma intuição aguçadíssima! Se quisesse, poderia montar uma tenda e ler cartas, fazer adivinhações, tamanha sensibilidade. Mas Leda gostava de números. Adorava matemática. O barato de Leda eram equações, funções, polígonos e cálculos em geral. Lecionava a matéria em uma escola da prefeitura, não muito longe de casa.

Ela atendeu já dizendo:

— Noeli, o que está acontecendo?

A outra susteve a respiração por um tempo. Sorriu e respondeu:

— Eu a conheço há séculos, mas ainda me surpreendo!

— Sinto uma onda de preocupação. Em torno do menino. É a mãe biológica.

— Isso mesmo, Leda. Estou tentando ficar firme. Mas você conhece o Valdir. Ele é sentimental demais, cede muito rápido.

— Converse com Mara.

— Como?!

— Converse com Mara. Ela tem algo a lhe dizer.

— Jamais falaria com essa desnaturada. Ela não diz léu com créu. E ainda por cima, fiquei sabendo à boca pequena — Noeli baixou o tom de voz — que ela se droga.

— Deixe de ser julgamentosa e preconceituosa.

Noeli sentiu as faces arderem.

— Não sou preconceituosa.

— É, sim. Mara escolheu o caminho das drogas para fugir da realidade. Acredita que o mundo das ilusões seja o mundo ideal. Infelizmente, não percebe que a realidade é bela e maravilhosa. A ilusão não passa de um momento, de um flash criado pela mente perturbada, que sonha com um ideal, com aquilo que não queremos aceitar. Se Mara desse mais importância ao que sente, talvez pudesse trilhar outro caminho.

— Não acho que ela tenha recuperação.

— Todo ser humano pode se recuperar, mudar, escolher um novo caminho. O poder de escolha é muito forte. Infelizmente, muitos não se dão conta desse poder. Acreditam que não podem mudar, que o destino já está traçado. Mara, se quiser, pode mudar o rumo da vida dela. E só ela pode fazer isso, mais ninguém. Em todo caso, cada um é responsável por si. Como eu já lhe disse, desde que Rafael nasceu, você não conversou mais com Mara.

— Foi ela quem evitou contato. Nem quis ver o bebê — uma lágrima escorreu pelo canto do olho, enquanto Noeli falava.

- Esqueça, minha querida. Você sente raiva porque a julga.

— Nunca entregaria meu filho.

— Você nunca faria isso. Essa é a sua crença. Essa é a lei da sua vida. Mara tem outras crenças, outros motivos. E cada pessoa tem a própria escolha. Nada é certo ou errado. Tudo é escolha.

— É difícil para eu aceitar isso.

— Calma. Agora não vamos entrar nesse assunto — Leda mudou o tom de voz. Estava mais sereno, doce. Noeli, do outro lado da linha, abriu um sorriso e deixou-se levar pelas palavras: — Na vida, tudo é tão passageiro, tudo passa tão rápido! Não cultive cenas tristes nem se prenda a elas. O que importa é que está cuidando do Rafael.

Você é e sempre será a mãe dele. Este é o grande presente que a vida lhe deu. Agradeça e fique feliz por essa dádiva.

— Obrigada pelas palavras. Mesmo assim, não sei o que devo conversar com ela.

— Diga tudo o que sente: que você ama esse menino como se fosse seu filho, que seu sentimento maternal é tão forte, que você faria tudo por ele. Seja sincera, abra seu coração.

— Por que faria isso?

— Para limpar seu coração, para ficar em paz com Mara. E para que ela possa sentir a sua verdade e também se abrir com você.

— Ela não tem o que falar. Vai querer me enganar, vai fazer chantagem.

— É a sua cabeça que está imaginando. Não é a verdade. São suposições. Enquanto seu marido conversa com Angelita, aproveite e vá bater um papo com ela. Tenho certeza de que você vai ficar surpresa.

— Ei! Como sabe que Valdir vai conversar com Angelita?

Leda fez que não ouviu e continuou:

— Eu vou colocar todos vocês em um grande círculo de luz, vibrando para que o melhor, sempre o melhor, aconteça a todos. A vida sempre sabe o que faz. Não se esqueça disso. Agora, sossegue seu coração, beije seu filho e vá ao encontro de Mara.

— Eu vou sair. Valdir vai sair. Não posso deixar Rafael sozinho.

— Eu vou tomar conta dele. Daqui a uma hora estarei na sua casa.

— Está para cair uma chuva daquelas...

— E qual é o problema? Meu carro não é conversível. Não vou me molhar.

As duas riram. Noeli concluiu, num tom sincero:

— Obrigada, Leda. Muito obrigada.

Noeli desligou o telefone sentindo o peito mais leve. Voltou para a cozinha e terminou de preparar o lanche para Valdir.

2

Enquanto Valdir tomava seu banho e Noeli preparava um lanche apetitoso, num bairro ali próximo o clima era bastante tenso. Rodinei acabava de chegar do serviço, cansado por ter dobrado de turno, e não podia acreditar na cena.

— Que falta de vergonha é essa?

— Eles estão brincando, só isso — tentou contemporizar Celina, a esposa, numa submissão e apatia de fazer gosto.

Celina parecia um robô, uma boneca falante. Não tinha vontade própria, não sabia dar ordens, não educava as crianças. Tinha medo de se impor. Esperava Rodinei chegar em casa para que ele tomasse uma atitude. E ele ficava irritadíssimo com essa postura sem sal dela. Ele a encarou com desdém e raiva:

— Chama essa viadice de brincadeira? — ele vociferava e espumava de ódio. — Não sabe tomar conta dos filhos?

— Nem percebi. Estava fazendo a janta...

— Você não presta nem para educar seus filhos. Nem sei por que me casei com você. O que faz o dia todo? Dorme? Sonha?

Rodinei apertou o passo até as crianças, enquanto Celina tremia feito folha que sacode ao vento. Ela não conseguia nem chorar.

— Ele me trata como lixo, mas eu não gosto de interferir. Ele é o chefe da família, é o pai. Ele é quem deve dar as ordens. Eu sou só a esposa — falou entre dentes, arrastando-se na cozinha.

Ela foi até um cesto, apanhou uma cebola, colocou-a sobre a pia e começou a cortá-la em pedaços bem pequenininhos. Nem assim as lágrimas desciam. Era como se levar bronca fizesse parte do protocolo.

— Preciso ir logo com a mistura. Rodinei vai tomar banho e vai exigir a comida na mesa. Não posso me atrasar.

No quintal, Tales, dez anos de idade, e Júlia, quatro aninhos, brincavam de casinha. O que transtornava Rodinei era ver Júlia como o marido e Tales como a esposa. Tales usava vestido e colares, batom nos lábios. Júlia também estava com vestidinho, mas usava um boné. Eles brincavam e se divertiam com a maior naturalidade do mundo.

— Aceita mais um chá? — indagava Tales, numa voz naturalmente afeminada.

— Não, *brigado* — respondia Júlia, forçando a voz para um tom masculino.

— Estou cansada, vou me deitar e...

Rodinei deu um grito:

— Podem parar. Já!

Júlia colocou as mãozinhas entre as orelhas e fez cara de choro. Gritou pela mãe. Celina largou a cebola, passou as mãos no avental e correu até o quintal, pegando a filhinha no colo.

— Calma. Papai está nervoso. Não é nada.

Tales permaneceu estático, não movia um músculo.

— Eu já disse para você não usar vestido nem passar batom. Isso é coisa de maricas. Coisa de bichinha.

Tales levantou os ombros numa clara demonstração de "não estou nem aí".

— Se continuar a usar...

— Vai fazer o quê? — desafiou o menino.

Rodinei fez menção de tirar o cinto. Tales ergueu a sobrancelha:

— Vai me bater de novo? Vai me dar outra surra?

Celina tentou intervir:

— Não desafie seu pai. Ele está nervoso, chegou cansado do trabalho, cobriu dois turnos...

— E eu com isso? Ele que fique nervosinho com as negas dele — mostrou a língua, fazendo uma careta. — Uso vestido e passo batom. Eu gosto. E não adianta me bater. Quanto mais me bater, mais eu vou usar. E, se partir para cima de mim, eu arranho a sua cara. De novo.

Rodinei empurrou Celina e avançou sobre o menino. Ela tentou equilibrar-se para não cair com Júlia. Não teve tempo de se colocar entre o marido e o filho.

— Eu sou o dono desta casa. Aqui só tem um galo — gritou Rodinei, olhos injetados de fúria.

E desceu a mão no rostinho de Tales. Plaft. Celina tentava esconder o rosto de Júlia, que neste momento abria o berreiro. Ela voltou correndo para a cozinha, aflita, sem saber o que fazer. Era uma mulher passiva, submissa ao marido, obediente demais, completamente sem atitude. Entendia que Rodinei devia ser respeitado. Doía ver o filho apanhar, mas Tales desafiava o pai. Isso não era correto, pensava.

— Um filho nunca deve desobedecer ao pai — murmurou entre dentes. — Eu jamais levantei a voz para os meus pais. Tales não pode desafiar o Rodinei. Não é certo.

No quintal, depois dos tabefes, Tales, com o rostinho todo vermelho, avançou sobre o pai e arranhou o rosto de Rodinei com gosto.

— Desgraçado! — bramiu Rodinei.

— Maldito! — rebateu Tales. — E isso — aproveitou o momento de desatenção do pai e deu um chute com gosto, bem no meio da genitália — é para você nunca mais me bater.

Rodinei caiu no meio do quintal e urrou de dor.

— Vou levar você para o juizado de menores, para a Febem.

— Pode me levar para onde quiser, mas nunca mais vai encostar um dedo em mim. Nem você, nem ninguém. Pode me xingar de bichinha, de mariquinha, do diabo que me carregue, mas ninguém mais encosta o dedo em mim para me machucar. Eu sou livre para ser o que quiser.

Rodinei gemia de dor e, ao mesmo tempo, olhava com espanto para o filho. Tales tinha somente dez anos de idade e o desafiava como se fosse um adulto. Como podia ser tão valente?

O garoto passou por cima do pai, que se contorcia de dor, e começou a cantarolar:

— *Eu nasci assim, eu cresci assim, eu sou mesmo assim, vou ser sempre assim...*

Encarou Rodinei de maneira proposital, saiu do quintal às gargalhadas e entrou na cozinha. Júlia soluçava. Ele pegou a irmã dos braços da mãe.

— Não fique assim, Julinha. Está tudo bem. Vamos para o quarto.

— Seu supercílio está sangrando — observou Celina, preocupada.

— Eu pego o mercúrio no banheiro — tornou ele, agora numa voz fria. — Eu me viro. Vai lá até o quintal cuidar do traste do seu marido. E vai rápido porque pela cor das nuvens vai cair um toró daqueles. Ele pode pegar uma gripe, um resfriado. Coitado.

Celina sentiu um aperto no peito, mas não tinha o que dizer. Ela era fraca, não tinha essa força que seu filho, com apenas dez anos de idade, expressava com desenvoltura. Ela mordiscou os lábios e foi ajudar o marido, caído no quintal, ainda com as mãos entre as pernas.

Rodinei a empurrou e gritou:

— Saia daqui! Não preciso de você.

3

Valdir e Mara se conheceram em uma festa. Ela era linda, um mulherão, de fechar o comércio. Valdir, com complexos e problemas de baixa autoestima, sentiu-se o máximo. Adorava desfilar com Mara para tudo quanto era lado da cidade. Quando Mara botava saltos altíssimos e ficava um palmo mais alta do que ele, Valdir vibrava. Sentia-se o centro de todas as atenções.

Mara era filha de um político não muito famoso. Era desses políticos que se elegem para o cargo de vereador por vários mandatos. Mais nada. O velho não tinha carisma, era meio maria vai com as outras, estava sempre mudando de partido. Isso não era — e até hoje não é — bem-visto entre os nobres colegas do ofício. O lado bom é que ele tinha uma vida bem confortável e oferecia uma vida também confortável para Mara e outro filho.

Certo dia, a Câmara aprovou mudanças na legislação municipal, beneficiando, obviamente, as construtoras. Epaminondas, o pai de Mara, que havia articulado todo o processo com os colegas de bancada, simplesmente ganhou três apartamentos, semanas depois, em regiões nobres da cidade. Mara foi morar em um deles, com vista total para o parque do Ibirapuera.

O namoro estava indo meio morno. Valdir, inseguro, foi pedir ajuda ao irmão. Helinho conhecia tudo, todos e era descolado.

— Ah, sei lá!

— Queria impressioná-la, mostrar que estou por dentro das novidades.

— Leve-a jantar e dançar no Aeroanta.

Valdir agradeceu ao irmão.

— Hélio sempre sabe de tudo. Impressionante. Se esse é o lugar, então vamos — disse para si, enquanto dirigia para apanhar a namorada.

Mara já implicava com o carro.

— Não acha que, com tanta grana que sua família tem, não podia trocar esse Monza caindo aos pedaços por um modelo mais atual?

Valdir sentiu o rosto arder. Não de raiva, mas de vergonha.

— O dinheiro não é meu, é do meu pai.

— Mania de pensar tão pobre. O dinheiro é seu também. Você é filho. Um carro não custa uma fortuna.

— Estou juntando dinheiro. Logo vou trocar. Você vai ver.

Ela fez um bico e fez sinal com os dedos.

— Toca. Vamos para onde?

Ele riu com gosto.

— Nem imagina! Surpresa.

— Ótimo! Porque eu tenho uma surpresa para lhe contar também.

Valdir engatou e seguiram até a danceteria. Assim que chegaram, Mara fez nova cara de irritação.

— Aqui?!

— Não gostou? Foi indicação do Helinho.

Ela riu aliviada.

— Se Helinho sugeriu, não tem erro. Vamos nessa.

Entraram, acomodaram-se e, logo depois de fazer os pedidos, em meio ao som alto, Valdir só ouviu o essencial, pelos movimentos labiais de Mara: grávida.

Valdir, muito correto, meio bobinho, além de pertencer a uma família de posses, que dava muito valor aos comentários da sociedade, quis casar, dar festa para trocentos convidados. A mãe, por sua vez, até exigiu destaque em coluna de jornal e revista de celebridades, essas frescurinhas todas que fizeram e fazem parte do protocolo social.

A mãe dele, Angelita Gomez Castillo que — cabe aqui abrir um comentário básico, porém necessário —, dizia-se legítima portenha, nascida e criada no tradicional e elegante bairro de Recoleta, em Buenos Aires, era, na verdade, uma paraguaia nascida nos arredores de Assunção, que trabalhava nessas lojas de perfumes contrabandeados. Conheceu Mário, um agiota jurado de morte aqui em nossas terras, daí deu abrigo, escondeu o moço, também deu carinho, aconchego e ganhou barriga. Casaram-se, foram subindo os estados até chegarem a São Paulo, onde Valdir nasceu.

Mário trocou várias vezes de identidade, aproveitava a inflação maluca do país e a lentidão do Judiciário e escapava da Justiça. Meteu-se com lavagem de dinheiro, empresas de fachada, sócios laranja e golpes, muitos golpes na praça. Nasceu Helinho e ele queria ter uma vida, digamos, que lhe desse mais segurança, mais dinheiro, e pudesse ser encoberta por outras atividades.

Descobriu esquemas de corrupção para alimentar caixa dois de campanhas eleitorais e especializou-se na criação deles. O país acabava de abrir-se à redemocratização, um presidente havia sido eleito por voto popular depois de quase trinta anos e o terreno estava fresquinho para essa prática. Ficou amicíssimo de alguns políticos corruptos, porém bem relacionados. Resultado dessa amizade: Mário nunca foi preso.

Angelita não simpatizava com as atividades ilegais de Mário. Contudo, o dinheiro entrava aos borbotões e ela se deixava seduzir pela fortuna. Fingia que o marido mantinha uma atividade qualquer. Não se metia, não conversava a respeito, não tocava no assunto. Só checava a sua conta-corrente, todo santo mês. E levava vida de madame.

Valdir, quando tomou consciência de como o pai ganhava dinheiro e aumentava incrivelmente o patrimônio, resolveu seguir seu rumo e desligou-se dos entes queridos.

Helinho não. Decidiu seguir o mesmo caminho do pai, ou seja, especializou-se na arte da corrupção, tornou-se o braço direito de Mário nos negócios. Era o orgulho dos pais e o predileto de Angelita.

Mário sofrera um ataque cardíaco fulminante meses atrás e agora os negócios estavam nas mãos de Helinho. O rapaz cuidava dos negócios escusos, mas, para a sociedade, a família figurava como criadora de muitas cabeças de gado. Ele paparicava deus e o mundo, continuava amigo dos tais políticos, então ninguém questionava nada, ninguém chegava até Helinho. Tudo era festa e alegria.

Cabe também ressaltar que Helinho era um tipo bonito. Era talhado nos moldes do tipo latino, beleza rústica, ar sedutor. As mulheres ficavam enlouquecidas. Ele só pecava algumas vezes nas roupas — por vezes perdia a noção na combinação das cores — e nos acessórios. Exagerava um pouquinho nas correntes e pulseiras de ouro e carregava um pouco no perfume.

Hélio era ardiloso e muito, mas muito vaidoso. Adorava procedimentos estéticos, intervenções cirúrgicas de rejuvenescimento. Qualquer novidade que surgia, fosse uma microcirurgia para eliminar bolsas sob os olhos, um gel para reduzir gorduras localizadas, Hélio se aventurava a experimentar. E olha que ele ainda não tinha encostado na casa dos trinta anos de idade. Era um tanto maníaco com a aparência. Chegara a ponto de, recentemente, aplicar silicone no peito e nas nádegas para ficar com o tórax avantajado e o bumbum empinado. Não gostava muito de fazer exercícios físicos.

Valdir era bonitinho, um tipo comum. Altura mediana, corpo mediano, inteligência mediana, tudo mediano. Nunca se sentiu parte da família e fazia questão de lutar muito, sacrificava-se bastante para alcançar seus objetivos. Tinha um lado um tanto forte, que era o de lutar por suas convicções.

Por um lado até era bom, contudo, Valdir acreditava que a vida era muito dura. Como convivera com os trambiques do pai dentro de casa, tinha plena convicção de que somente os espertos se davam bem. Os que lutavam e batalhavam conseguiam as coisas, sim, mas de uma forma muito difícil.

Quando Mara estava no sexto mês de gravidez, ocorreu uma situação esquisita. Valdir chegou em casa e Mara discutia com Helinho.

— Eu abro o bico, conto tudo e...

Quando perceberam que Valdir entrou na sala, Helinho gaguejou:

— Essa doida... quer... quer dinheiro. Você se vira, meu irmão.

Valdir ficou sem entender. Indagou:

— Mara vai contar o quê?

Helinho não sabia o que responder. Subiu as escadas aos pulos. Mara, esperta, desviou o assunto e disparou:

— Preciso de grana para comprar cocaína e trocar de carro.

— É louca?

— Não.

— Caiu e bateu com a cabeça no asfalto? Só pode ser.

— Não estou para esse tipo de brincadeira, Valdir. Estou precisando de grana.

— Você não pode cheirar! — protestou. — Daqui a pouco nasce nosso filho. E quer trocar de carro para quê? Seu pai acabou de lhe dar um modelo novinho em folha!

— O corpo é meu, esse feto — apontava para a barriga — é meu. Faço o que bem entender, compreende? E o carro é apertado. Não sabia que carro esporte é pequeno e apertado. Quero um carrão, tipo Ômega, qualquer coisa assim.

Angelita entrou na sala feito um tufão.

— O corpo é seu, o feto também. Mas — apontou o dedo em riste — o neto é meu! Você vai ficar aqui até essa criança nascer. Nada de cheirar, fumar ou beber. O carro eu troco, vou lhe dar um modelo importado. Deixe comigo. Eu resolvo.

— Obrigada! Mas em relação a este ser — apontou para a barriga — a senhora não pode fazer isso comigo. É cárcere privado. Estamos em plena década de 1990. Temos uma nova Constituição, até foi criado o Estatuto da Criança e do Adolescente.

— Cale a boca, fedelha — vociferou Angelita —, antes que eu perca a paciência com você. Vai ter essa criança. E vai ficar aqui. Depois que meu neto nascer, daí você vai poder cair no mundo, fazer o que bem entender.

— Não é justo.

— Não é justo você querer estragar a vida de alguém que nem nasceu ainda, infeliz.

— Olha o respeito — choramingou.

— Você não é digna de nada, Mara. Você é um ser repugnante. Uma dependente química, uma fraca.

— Pega leve, mãe — interveio Valdir.

— Não pego leve, não. Não gosto de gente fraca, de vítima. Essa daí acabou engravidando de você — apontou para o filho —, um dos rapazes mais admirados da sociedade. Ela pensa que é o quê? A rainha de Sabá? Só porque o pai é um vereador que se vende por qualquer coisa? Um pé-rapado? Ela é um cocozinho, um verme, um parasita como o pai, que vai estar sempre grudada, nos sugando, por conta dessa criança.

— Eu já disse que não quero saber desse filho — protestou Mara.

Valdir sacou umas notas da carteira e entregou-as para Mara. Ela pegou o dinheiro e, sem olhar para os dois, saiu em disparada.

— Ela vai se drogar — Angelita anunciou com desdém. — Vai prejudicar meu neto.

— Calma, mãe. Vou atrás dela.

Valdir saiu e, mesmo com a inteligência mediana, tentava entender por que a mãe se interessava tanto pela gravidez de Mara.

— Se ela gosta mais do Helinho do que de mim, se ela despreza a Mara, por que deseja tanto que meu filho venha ao mundo?

Valdir levantava essa pergunta todos os dias. Não encontrava resposta; entretanto, para Angelita essa gravidez tinha um significado para lá de especial.

Assim que Mara dera a notícia da gravidez, Angelita teve uma crise histérica e por pouco não esmurrou o filho. Mário tentou acalmá-la. Trancou-se com ela no escritório de casa e asseverou:

— Na noite da festa, devo confessar que, passando pelo corredor, durante a madrugada, sem querer flagrei Mara com Helinho. Eu tenho certeza de que ela está grávida de Helinho.

— Quem me garante que ela não se deitou com meus dois filhos, na mesma noite? Quem me garante que ela não se deitou com outros?

— Pare com isso, meu amor. Mara não transava com ninguém.

Ela levantou a sobrancelha.

— Como sabe?

— Eu tinha um detetive nas costas da menina. Ela nunca saiu com ninguém. Tenho até fotos aqui para lhe mostrar.

Mário abriu uma das gavetas da escrivaninha, apanhou um envelope pardo e de lá retirou algumas fotos. Entregou-as para Angelita. Eram fotos de Mara na rua, saindo do prédio, a pé, de carro, indo passear no parque, andando no shopping. Ou estava sozinha, ou acompanhada de amigas. Nunca estava com homens. A única foto com homem era uma em que aparecia abraçada a Valdir, saindo de uma danceteria.

— Você é esperto, Mário. Colocou um detetive na cola dela!

— Claro. É o nosso patrimônio que está em jogo.

— Então ela só transava com nosso filho!

— Ressalva: com nossos filhos. Porque Mara alega que foi naquela noite, em particular, que ela engravidou. Valdir estava bêbado. Não se lembra de muita coisa. Ele, por sua vez, acredita piamente que transou com Mara.

— Quer dizer — ela levou o dedo ao queixo — que a criança que ela espera é do meu Helinho? — Angelita abriu um sorriso de canto a canto, mostrando os dentes reformados, alvos e perfeitos.

— Sem dúvida. Helinho também confirmou. Naquela noite ele bebeu além da conta, ficou excitado, transaram. Ele ficou sem graça de falar com você a respeito.

— Imagine. Helinho poderia se abrir comigo.

— É um assunto, digamos, delicado.

— Tem razão — Angelita aquiesceu, dando pulos de felicidade. — Eu vou cuidar dessa gravidez como se eu estivesse esperando esse filho. E nunca contaremos nada a Valdir. Nunca!

— Nosso herdeiro! — exultou Mário, deixando escapulir uma lágrima.

Uns meses depois da conversa, Mário saiu do banho e, enquanto se vestia para o trabalho, caiu duro sobre o chão do closet. Infarto fulminante.

4

Durante a gravidez, tudo correu bem. Valdir fez o possível e o impossível para manter Mara longe de tudo o que era proibido. Ou quase tudo. Ela fumava escondido, tinha umas amiguinhas que traziam bebida e maconha escondidas na bolsa e, quando Rafael veio ao mundo, ela debandou geral. Já havia entregado o bebê aos cuidados de uma babá e caiu literalmente na vida. Afundou-se em drogas mais pesadas.

Valdir não sabia mais o que fazer. Mara sumia por dias, semanas. Não dava notícias. Só aparecia quando a grana acabava. E, sempre que ressurgia, a aparência era mais aterradora: mais magra, cabelos em desalinho, olheiras profundas, braços picados e olhos sempre embaçados. E nem queria ver o filho. Ignorava que tivesse tido um.

Quando ela aparecia, Noeli, a babá de Rafael, até tentava trazê-lo, mas ela gritava:

— Saia daqui! Não quero ver!

— É seu filho.

— Isso não me pertence!

— Como não? É o bem mais precioso que você tem! — rebateu Valdir.

— Negativo. O bem mais precioso que eu tenho é o monte de dinheiro que esse garoto representa.

— Rafael mal veio ao mundo e você já o vê como se fosse uma mercadoria. Você tem dinheiro, tem um bom apartamento, tem posses. Não entendo por que se droga.

Mara estava triste, deprimida. Amava e não era mais correspondida. Achava que, até uns meses atrás, caso se livrasse da criança, o amor entre eles seria retomado. Não entre ela e Valdir, obviamente. Não foi o que aconteceu. E ela estava desesperada. Perdida. A droga tornara-se sua amiga.

— Você nunca vai me entender.

— Não quer conversar? Namoramos mais de um ano. Depois nos casamos. Sei que não temos mais nada a ver um com o outro, mas sou seu amigo.

Mara sabia que Valdir estava sendo sincero. Em todo caso, o que fazer? Revelar a ele que Rafael não era seu filho? Jogar na cara dele que o menino era fruto de...

Ela se deixava atormentar pelas cenas passadas e não tinha mais controle sobre a mente. Além disso, amigos invisíveis que estavam colados a ela por conta das substâncias ilícitas ajudavam a conturbar mais ainda seus pensamentos. Mara estava se deixando influenciar por ideias que não eram dela.

— Não quero conversar. Não quero nada. E não posso aparecer assim na frente do meu pai. Olhe meu estado.

— Tem razão. Você não está nada bem.

— Por favor, Valdir. Eu faço qualquer coisa. Qualquer coisa — Mara implorava, segurando os braços dele com força.

Ele pensou e afirmou, sério:

— Eu quero a guarda do Rafael.

— Pode ficar com isso — apontou para o berço, no canto da sala.

— Vou atrás de advogado, ver os papéis.

— Que papel que nada! Fique com ele e pronto. Eu quero dinheiro. Não estou a fim de criar filho — retrucou ela, numa voz pastosa.

— Mara, eu também quero me separar.

— Sem problemas. A gente já vive separado.

— De verdade. Eu preciso.

— Traga os papéis. Assino. Agora eu quero grana. Hoje é grana. Depois a gente vê esse lance de separa, de separação...

Valdir meneou a cabeça, foi até uma cômoda, apanhou o talão de cheques. Preencheu e entregou.

— Isso é para você se virar por esses dias.

Ela olhou o cheque e mal conseguia enxergar o valor escrito. Dobrou e colocou na alça do sutiã.

— Semana que vem eu passo de novo.

— Está certo.

E assim Mara fazia. A cada semana, quinze dias... ela ia e apanhava um dinheiro, uma peça, um vaso para vender... Nesse meio tempo, Valdir conseguiu a guarda provisória do filho e se apaixonou pela babá. E a babá se apaixonou por Valdir e pelo bebê. Decidiram viver juntos.

Tales chegou da escola com parte da camisa do uniforme rasgada. Celina balançou a cabeça de forma negativa.

— Seu pai acabou de pagar a última prestação do uniforme! — exclamou num tom aflito. — O que foi que você aprontou desta vez?

O menino deixou uma lágrima escapar pelo canto do olho. Esperava que a mãe fosse abraçá-lo, dar-lhe carinho, perguntar se ele estava bem, mas não. Celina só pensava na reação de Rodinei. Mais nada.

Tales brigara na escola porque tinha sido chamado de bichinha. Não era de levar desaforo para casa. Esperou o bobalhão, que metia medo na turma da quarta série, na saída. Ficou na esquina. Quando o garoto passou com mais dois colegas, rindo e mexendo com outros estudantes, aterrorizando-os com ameaças e xingamentos, Tales se posicionou na frente deles.

Júnior, o que aterrorizava todo mundo, um pouco maior que Tales, pois tinha doze anos e era repetente, riu com ironia:

— Ora, ora! O mariquinha veio me esperar para quê? Quer sacanagem?

Os dois colegas riram alto. Outros estudantes passaram e pararam, observando a cena. Formou-se uma pequena aglomeração.

— Não. Só vim avisar que não quero que me chame mais de bichinha ou mariquinha. E não encoste mais o dedo em mim.

— Nossa! Ela está nervosa! — debochou Júnior.

— Ih, Tales está desafiando o Júnior — disse um.

— Nossa, o Tales está peitando o Júnior — soltou outra.

E assim a informação foi-se espalhando, até que a aglomeração na esquina do colégio transformou-se numa massa considerável de gente. Júnior olhou para os lados e em seguida encarou Tales. Sentiu o olhar nervoso do menino, mas não podia deixar barato. Ele era o maioral, o garotão que aterrorizava, que metia medo na escola, da primeira à quarta série. Não podia ser desmoralizado. Contudo, nunca nenhum outro garoto o havia enfrentado antes. Ele ia ter de partir para cima de Tales. Não tinha outro jeito. E, além do mais, havia uma plateia muito grande.

Tales percebeu o que iria acontecer e imediatamente lembrou-se de dias antes, quando brigara com o pai.

"Se meu pai, que é homem feito, caiu no chão e urrou de dor feito um bezerro desmamado, então posso fazer o mesmo com esse bobalhão", pensou.

E assim foi feito. Quando Júnior tentou dar um soco, Tales avançou com as duas mãos e arranhou o rosto do menino com gosto. Muito gosto. Júnior sentiu as faces arderem. Levou as mãos ao rosto e perdeu o equilíbrio. Tales aproveitou o momento e meteu um chute certeiro no meio das pernas. Júnior grunhiu e, enquanto caía, puxou a camisa de Tales, rasgando-a. Foi ao chão enquanto contorcia-se de dor.

— Animal!

— Animal? Você me chama de mariquinha, enche o meu saco e agora me acusa de animal? — vociferou Tales.

Júnior nada disse.

— Se vier de novo com essas insinuações para cima de mim, da próxima vez eu juro que, em vez de unhadas, eu vou trazer uma gilete embaixo da língua. E sabe o que vou fazer?

O menino não respondeu.

— Eu retalho seu rosto todo.

— Não!

— Pois bem. Se amanhã você fizer uma brinca-deirinha comigo, eu acabo com você. Estou avisando, na frente de todo mundo. Depois, quando perder a língua, não vai dizer, ou melhor, escrever, porque não vai mais poder falar, que eu não avisei.

Os dois coleguinhas de Júnior saíram em disparada. Os que eram sempre aterrorizados por Júnior aproximaram--se de Tales. Os demais bateram palmas e começaram a caçoar de Júnior.

— Você está bem? — perguntou uma menina.

— Sim.

— Ele está chorando — observou outro menino.

— Não estou! — gritou Júnior, tentando ocultar as lágrimas com uma mão, enquanto a outra esfregava o meio das pernas, tentando aliviar a dor causada pelo chute.

Tales aproximou-se novamente dele. Abaixou e, com o dedo em riste, advertiu:

— Amanhã será outro dia de aula. Último aviso: se voltar a mexer comigo ou com qualquer outro colega da minha sala, eu juro que gileto você todinho. Arranco os cabelos. Chuto. Faço o diabo. Eu acabo com você.

Ergueu-se e foi para casa, pensativo. Esperava contar tudo para Celina, ouvir da mãe algum conselho, receber uma orientação, ganhar um pouco de colo, até ser chamado de corajoso, de herói. Mas não. Celina não viu nada disso, não captou o teor da situação, não apoiou o filho.

Tales tirou a camisa e entregou-a para Celina.

— Costure antes que seu marido chegue. Daí ele não vai notar. E não vai ter briga.

— Meu marido também é seu pai.

Tales nada disse. Apertou o passo e foi para o banheiro. Precisava ficar sozinho. E chorar. Chorar de felicidade por ter vencido a batalha na rua, e chorar de ódio porque dentro de casa não tinha apoio tampouco amor.

— Não tenho apoio de ninguém. Nem dentro de casa — desabafou para si mesmo enquanto soluçava e as lágrimas vertiam.

Uma voz amiga, invisível, sussurrou:

— Você é o seu apoio. Você é importante para você. A sua missão nesta vida é cuidar de você. Só de você. Você renasceu para aprender a ser o dono de seu próprio destino. Prometo que farei de tudo para ajudá-lo.

As palavras foram ditas com tanta docilidade, tanta ternura, que Tales sentiu uma agradável sensação de conforto e bem-estar. Imediatamente o choro foi abrandando e, naturalmente, cessou. Ele sorriu, levantou-se do vaso sanitário, lavou o rosto na pia, olhou-se no espelho e disse para sua imagem refletida:

— Eu aceito você do jeito que você é. Eu sou o seu melhor amigo. Hoje e sempre.

5

Voltando à tarde com nuvens carregadas, depois que conversou com Leda ao telefone, Noeli foi à cozinha, preparou o lanche, arrumou a mesa. Valdir desceu e estava mais calmo.

— O banho me deixou mais relaxado.

— Que bom! — tornou Noeli. — Sente-se e coma o lanche. Fiz o de presunto e queijo de que você gosta. Abri um guaraná. E vou passar um café.

Valdir sentou-se e pegou o sanduíche.

— Obrigado — ele mordiscou e sorriu. — Está delicioso, como sempre. Conversou com Leda?

— Sim. Ela pediu para eu ter uma conversa franca com Mara.

— Não é má ideia. Você é firme, porém sensata. Mara poderá escutá-la.

— Não sei se ela vai estar naquele lugar.

— Ela vive naquele muquifo. Vendeu o apartamento maravilhoso, está torrando a grana da venda com drogas e noitadas, alugou um minúsculo e o divide com aquela amiga, a Dóris. Outra perdida.

— É o conjugado na rua Aurora?

— O próprio. Quando pretende ir?

— Decidi ir hoje.

— Eu vou sair daqui a pouco para conversar com minha mãe e...

Noeli o cortou com amabilidade, enquanto jogava água quente sobre o pó de café.

— Leda virá para cá para tomar conta de Rafael. Vai ficar aqui enquanto estivermos fora.

— Nesse caso, eu posso deixar você no endereço da Mara. A gente sobe...

— Não. Quero ir sozinha. Preciso ficar a sós com Mara.

— Está bem.

— Você me deixa na esquina e segue para a casa da sua mãe. Depois eu tomo um táxi e volto para cá.

— Está ótimo. Vamos resolver tudo. Vai dar tudo certo.

— Vai, sim — Noeli respondeu com convicção, embora com um aperto no peito.

Ela ia dizer mais alguma coisa, mas o choro de Rafael se fez ouvir. Ela tinha acabado de coar o café.

— Valdir, por favor, feche a térmica. Rafael acordou e é hora de alimentá-lo. Preciso subir.

Meia hora depois, Leda chegou. Ela iria falar alguma coisa, mas preferiu permanecer calada. Esperaria Noeli voltar para conversarem. Na saída, ao se despedirem, comentou:

— Não se impressione. Não julgue. Às vezes, a vida cria situações que nos força escolher. Não tem como, Noeli. Estamos sempre tendo de optar.

— Falando assim, você me assusta.

— Não. Não há nada a temer. É que nem tudo é o que parece ser. Só isso.

Valdir buzinou, demonstrando sua impaciência. Leda levantou os ombros e Noeli saiu com ar interrogativo.

Ao entrar no carro, Valdir quis saber:

— O que Leda cochichou?

— Nada. Coisas de mulher.

Ele nada disse. Acelerou e seguiram em silêncio.

No trajeto, Noeli não parava de sentir arrepios.

— Está com frio? — perguntou Valdir. — Quer que eu suba o vidro? Posso deixar só o quebra-vento aberto.

— Não, nada. É uma sensação esquisita.

— Mara não vai tirar nosso filho. Não acredito que torrou todo o dinheiro da venda do apartamento. Além do mais, podemos ainda conversar com o pai dela. Ela vai ter dinheiro, vai ficar contente. Vou conversar com minha mãe, você vai ver e...

Noeli não prestava a mínima atenção ao que Valdir falava. Estava incomodada com as sensações. Era como se seu corpo a estivesse alertando, mostrando sinais bem claros de que algo muito esquisito estava prestes a acontecer. Para não irritar Valdir, Noeli sorria e balançava a cabeça para cima e para baixo, concordando com o que ele dizia.

Ao encostar na calçada do prédio onde Mara se enfurnara, Valdir perguntou de novo:

— Não quer mesmo que eu suba?

— Já disse que não. Vá até a casa de sua mãe. Daqui eu pego um táxi.

— Venho pegar você.

— Não será necessário. A minha conversa não vai demorar. A sua, com certeza, vai ser mais demorada. Nós nos encontramos em casa. A região é bem movimentada, está sempre cheia de táxis, a qualquer hora.

Noeli beijou Valdir, saiu, bateu a porta do carro com delicadeza e entrou no prédio, sem olhar para trás. Valdir engatou, dobrou a avenida São João e seguiu pensativo.

Ao entrar no prédio com ar decadente, Noeli bateu na porta de entrada. O porteiro estava tirando um cochilo. Veio até ela, abriu o portão imenso de ferro e disse:

— Era só empurrar. Não tem trava.

— Vim visitar uma conhecida. A Mara do... — Noeli havia se esquecido do número do apartamento.

— Ah! Que coisa! — rebateu o porteiro. — A senhora é a terceira pessoa que vem procurá-la aqui hoje à noite.

— É? Como assim?

— Apareceu aqui um moço bonitão, boa-pinta mesmo. Nossa, bem perfumado o rapaz. E depois também veio aqui uma senhora bem elegante. Acho que já vi o rosto dela em alguma revista. Acho. Mas ela não estava muito simpática. Foi rápida. Não ficou aqui nem quinze minutos — ele coçou o queixo. — Hum, agora não me lembro se foi a senhora que veio primeiro ou o moço que veio depois. Acho que...

Noeli deduziu ser Helinho e Angelita. O que os dois teriam ido fazer ali? O que teriam ido conversar com Mara?

— Sei, senhor. Tudo bem. Pode interfonar, por favor?

— Pode subir. O interfone está dando interferência. É no quarto andar. Apartamento 41.

— Obrigada.

— O inconveniente é que vai ter de usar as escadas. O elevador está em manutenção. A madame que veio antes ficou uma fera. Mas subiu. Também são só quatro andares. A senhora é jovem.

— Com certeza.

Noeli deu um sorrisinho e subiu. Um pouquinho ofegante, bateu na porta. Mara abriu.

50

— O que está acontecendo hoje? Conferência familiar? Um complô para me deixar louca? — ela olhou para os lados do corredor. — Cadê o Valdir?

— Ele não está aqui. Por que pergunta?

— Porque só falta ele aparecer — acrescentou com ironia, enquanto tentava equilibrar um copo de vodca.

— Boa noite para você também, Mara. Posso entrar?

— Conversar no corredor não dá mesmo. Vai, entra.

Noeli entrou. O apartamento não era feio. Era todo pintadinho de branco, com algumas almofadas espalhadas pelo chão da sala-quarto que deveria ter vinte metros quadrados. O ambiente era composto por uma microcozinha e um banheiro. E uma vista parcial para a avenida São João.

— Trocou a vista do parque por arranha-céus — observou Noeli, tentando puxar conversa.

— Engraçadinha! — Mara acendeu um cigarro e indagou, enquanto secava o copo de vodca: — Vai, a terceira visita veio fazer o quê aqui?

— Vou direto ao assunto: quero que você nos dê a guarda definitiva de Rafael e acelere o processo de separação. E para isso, quero conversar seriamente com você.

— Pois bem — rebateu Mara. — Está preparada?

— Para quê?

— Para a verdade.

— Que verdade?

— Para saber a pura, nua e crua verdade sobre o seu filhinho?

Noeli não entendeu direito, mas fez sim com a cabeça. Mara apanhou outro copo, encheu-o de vodca, gelo e o entregou a Mara.

— O que é isso?

— Você vai precisar. É preciso um bom trago para ajudar a escutar tim-tim por tim-tim o podre que vou lhe contar, até o fim.

Noeli pegou o copo. Conforme Mara lhe contava, Noeli não só sorveu todo o copo de vodca como se serviu de outro. Apanhou o maço de cigarros sobre a mesinha lateral e fumou, embora não fosse fã de cigarro. Estava aturdida, atarantada, enojada.

No fim, meio grogue, levantou-se e abraçou Mara. Mas foi um abraço amigo. Entendeu o porquê de Mara estar naquele estado. O porquê de Mara ter se afundado nas drogas. Tudo fazia sentido. Tudo.

— Não sei o que fazer, mas juro que prometo ajudá-la, no que for preciso — assegurou Noeli, com sinceridade.

— Eu sei. Você é uma boa moça. Tem coração, está criando meu filho como se fosse seu. Por isso me abri com você. Ninguém sabe de nada.

— É uma grande responsabilidade carregar essa verdade!

— O Helinho, obviamente, sabe.

Noeli sentiu o sangue subir. Procurou ocultar a raiva. Não era o momento. Simplesmente replicou:

— Não sei como vou encarar Valdir.

Mara nada disse. Abraçou-a forte. Foi como se aquilo fosse uma despedida.

— Obrigada por tudo — concluiu Mara, sincera.

Noeli não respondeu. Saiu de lá meio trôpega. Desceu os quatro andares como se tivesse descido a escadaria da igreja da Penha. Nem precisou se despedir do porteiro, pois ele estava tirando um cochilo. Empurrou o portão de entrada, ganhou a rua e aspirou o ar com vontade. Olhou para a frente, pegou a rua Aurora e seguiu reto.

Precisava de mais ar. Precisava pensar, refletir. Não podia e não queria voltar para casa. Não naquele momento.

Ela foi caminhando um tanto temerosa com os indivíduos que por ali perambulavam. Aquela região não era um lugar bem frequentado. Abraçou-se à bolsa. A bebida ajudou-a a tomar coragem e seguir adiante. Ao se aproximar da Vieira de Carvalho, os transeuntes mudaram. Pessoas alegres, divertidas, sorridentes, simpáticas. Noeli tropeçou, escorregou e foi socorrida por um travesti.

— Queridinha, você se machucou?

— Acho que rasguei a meia-calça.

— Não há problema. Vem com a mona.

Noeli não entendeu direito, mas simpatizou com aquele ser andrógino, alto, imenso, moreno, com maquiagem extravagante, trajando vestido colante e brilhante.

De repente, ela se viu numa roda cheia de gays. Rapazes, moços, homens maduros, altos, baixos, magros, gordos; tinha homem de todo tipo, de toda idade, para todos os gostos. Ela se esqueceu de tudo. Deixou-se levar pelas histórias, pelas piadas, pelas situações engraçadas. Divertiu-se, bebeu, fez amizades.

Houve uma simpatia imediata por Reginaldo, um rapaz de vinte anos, que acabara de passar no vestibular de medicina.

— Pode contar comigo para o que precisar. Eu tenho alguns livros guardados ainda da época do meu curso de enfermagem. Tive também uma amigona que se formou em medicina e me doou todos os livros. Quem sabe alguns deles sirvam para você.

— Ai, Noeli. Não tem ideia de como será bom. Não tenho muitos recursos. Meu pai é comerciante, vai me ajudar, mas exige que eu colabore no mercado. O salário que ele me paga é super mega pouco — Reginaldo falava meio afetado, mas de maneira muito engraçada — e o curso é puxado, quase o dia todo. O dinheiro é contadinho. Tenho um amigo médico — apontou para um senhor em outra mesa, no bar — que vai também me ajudar emprestando livros e apostilas.

— Hum, que bom! Parece que ele está interessado em você!

— Que nada! Só amizade. Eu gosto de gente da minha idade, até mais jovem. Claro que nem posso pensar em namorar gente mais nova que eu, porque seria crime.

— Ué? Mas jovens namoram. Eu tenho amigas adolescentes que namoram. Eu namorei quando tinha catorze. Meu namorado, na época, tinha dezenove.

— Meu bem, quando o assunto é relacionado ao mundo gay, um jovem de dezoito namorar um de quinze... vão dizer que é pedofilia.

— Não tem nada a ver. Pedofilia não está ligada à homossexualidade. Tem a ver com adulto relacionar-se com criança, independentemente da orientação sexual desse adulto.

— Eu sei, mas melhor não facilitar. Quando eu tiver vinte e cinco, namoro um de dezoito. Melhor assim. E, cá entre nós, agora o meu objetivo é o estudo. Quero me formar médico. Depois, quem sabe...

— Um marido?

— É.

— Eu dou o maior apoio, Reginaldo.

— Ganhei uma irmã!

— Pode ter certeza. Hoje tive um dia tão ruim, cheio de acontecimentos tão desgastantes, que só mesmo conhecer você salvou o dia.

— Adorei conhecê-la. Devemos ser amigos de outras vidas.

— Será?

— Ou amigas de outras vidas!

Os dois riram bastante. Abraçaram-se com carinho. Depois do abraço, Noeli virou os olhos e viu um semblante conhecido vindo a pé da rua Aurora, fazendo o mesmo trajeto que ela fizera. Ela forçou os olhos. Era Helinho, acompanhado de alguns rapazes alegres e moças também alegres. Caminhavam para os lados da Marquês de Itu.

Ela não estava com vontade de sentir raiva. Não mais. Depois de toda a sordidez que ouvira, achou melhor esquecer. Deu de ombros. Reginaldo seguiu-a no olhar.

— Caçando o bofe ali na esquina?

— Não — ela riu. — Achei ter visto um conhecido — desconversou.

— Aqui aparecem muitos conhecidos. É uma fauna intercessantíssima!

Passava das duas da manhã quando Noeli, refeita e nem tão sóbria, tomou um táxi com destino a sua casa. De uma coisa ela tinha certeza: nunca, jamais, de maneira alguma, nem sob tortura, ela iria contar a Valdir o que conversara com Mara naquela noite.

6

Valdir chegou à casa de Angelita, e os seguranças abriram os portões. Ele acelerou, subiu a rampa e embicou o carro na garagem. Entrou na sala feito um tufão.

— Não tem modos? — perguntou Angelita, levantando do sofá num pulo.

— Não. Estou cansado de ter modos. Estou cansado de viver apertado, de ter a guarda do meu filho ameaçada, de...

— Alto lá! — Angelita o cortou com a voz alteada. — Calma. Primeiro: você não vai perder a guarda de seu filho. E segundo: vive apertado porque quer.

Valdir sentou-se no sofá e colocou a cabeça entre as mãos.

— Mãe, estou tão cansado.

— Venha com seu filho para cá. Aqui é a sua casa.

— Eu amo Noeli. Não posso vir para cá sozinho.

— Venham os três. Ela não tem classe, mas fazer o quê? Ela ama Rafael.

— Quer dizer que deixaria trazer Noeli para dentro desta casa?

— Se ela ama Rafael, tudo bem. Do jeito que andam as coisas.

— Noeli cuida do Rafael como se fosse filho dela. Dá amor, carinho.

Angelita mordiscou os lábios, enciumada.

— Eu, como avó, também dou amor.

— É diferente, mãe. Rafael precisa do pai, da mãe. Eu sou o pai — ele não percebeu a mãe menear negativamente a cabeça para os lados — e Noeli está sendo e será uma ótima mãe. Vamos formar uma linda família. Você não vai se arrepender.

— Eu sei. Em todo caso, foi você quem quis ir embora. Deu ataque de bom samaritano.

— Eu não gosto da maneira como vocês ganham dinheiro.

— Escute bem — Angelita encostou o dedo no rosto do filho, nervosa. — Eu também nunca gostei da maneira como seu pai ganhava nosso dinheiro. Mas fazer o quê? Ele escolheu viver dessa forma.

— Foi conivente.

— Não. Fiquei na minha. Cuidei da casa, do marido, da educação dos filhos. E, além do mais, você foi criado assim, Valdir. Acorda, meu filho! Desde a mamadeira, os estudos, as pranchinhas de surfe, as viagens com os amiguinhos, a escola de inglês, o primeiro carro, tudo foi pago com esse dinheiro que hoje você tanto despreza. Renegá-lo é renegar a sua vida, renegar o que você é, porque você é hoje fruto de tudo o que esse dinheiro lhe proporcionou. Pare com essa moral idiota. Deixe de ser tonto.

— Assim você me confunde.

— Não confundo. Estou sendo realista. Cada um faz a sua realidade. Cada um cria o seu próprio mundo. Seu pai resolveu viver assim. Eu aceitei viver com ele. Nunca me importei como o dinheiro chegava à minha conta bancária. Nunca vi isso como problema. Não vivo de acordo com os conceitos da sociedade. Não quero saber se é certa ou errada a maneira como faço a minha fortuna. A sociedade não paga as minhas contas.

— Não sei...

— Nunca gostei de conversar com seu pai sobre a maneira como ele ganhava nosso sustento. Eu sabia que eram negócios escusos, porém não tocava no assunto. Depois que ele morreu, tive de ficar a par de tudo. Quer saber? Não matamos. Não roubamos. Não criamos miséria. Não criamos assistencialismo. Somos simplesmente pessoas que encontraram meios de criar condições para que partidos políticos pudessem ter o caixa dois abastecido. Só isso. É uma forma de trabalho. Assim como um policial é pago para defender a ordem e para matar, se for preciso. Tudo depende da maneira como você analisa a questão, meu filho. Eu tenho a consciência tranquila. Se o país, com seu sistema confuso de leis, cria brechas para isso, está tudo bem. O dia que não der mais para fazer, não faremos.

— O irmão do presidente está para contar um monte de barbaridades às autoridades. Sabia que essa onda de escândalos lá em Brasília pode derrubar o presidente?

— Não temos nada a ver com isso. O trabalho do seu pai, que agora segue firme nas mãos de seu irmão, não tem ligação direta com esse governo ou com quaisquer governos. Seu pai sempre trabalhou com partidos políticos. Nunca diretamente com o governo.

Valdir coçou a cabeça. Ficava confuso, porquanto sua cabeça fazia juízo de valor, tinha certo e errado, pode e não pode, feio e bonito. Ele não conseguia raciocinar sob outro ângulo, sob outro ponto de vista que não fosse maniqueísta. Mudou o assunto:

— Mamãe, como vamos sossegar Mara?

— Eu já tomei providências.

— Já?

Antes de ela responder, Hélio desceu as escadas, todo estiloso e bastante perfumado.

— Vai sair, meu filho?

Ele abraçou Valdir e respondeu:

— Vou. Hoje vou sair com umas amigas doidinhas e uns amigos gays.

— Cuidado! — brincou Valdir. — Vai que toma gosto.

Hélio deu de ombros.

— Eu sou amigo de todos. E se tomar gosto? Qual é o problema? Eu sou do mundo, meu irmão.

Valdir meneou a cabeça para os lados. Angelita sorriu.

— Por isso que a sociedade ama você. Todos o adoram. Você não tem preconceitos.

— Eu? Não. Eu gosto de mulher. Mas sabe como é. Na noite, todos os gatos são pardos.

Eles riram. Helinho saiu. Angelita retomou a conversa:

— Deixe Mara comigo. Ninguém vai tirar Rafael de você.

— O que vai fazer?

— Problema meu. Agora, em relação à sua vida, pode vir trabalhar com seu irmão.

— Não consigo, mãe. Eu sei que estarei lesando alguém, de alguma forma. Prefiro continuar trabalhando lá na firma de contabilidade.

— Ganhando uma mixaria.

— Dá para viver relativamente bem. Sem muitos luxos.

— Rafael vai crescer, os gastos vão aumentar.

— Noeli disse a mesma coisa — considerou Valdir.

Angelita sorriu, mas não quis demonstrar.

"Estou começando a gostar de Noeli", pensou. E anunciou em seguida:

— Vou dar um apartamento para vocês.

Valdir nem hesitou. Não gostava mesmo da casa onde morava. Era a primeira vez que, com muito esforço, dava um chute no orgulho. Respondeu com sinceridade:

— Não quero nada luxuoso.

— Nem pode. Com seu salário, meu filho? Se eu lhe desse um apartamento como eu gostaria, seu salário e mais o da Noeli iriam só para cobrir o condomínio. Não, sei do que vocês gostariam. Vou comprar um de três quartos. Não quero que meu neto cresça num apartamento espremido feito uma sardinha em lata. Vocês escolhem o bairro. Mas que não seja muito distante daqui, porque eu vou querer ver meu neto com frequência.

Valdir abraçou Angelita. Ela foi pega de surpresa. Não era muito chegada a carinhos e afagos com ele, mas, pensando na criança, pensando em Valdir criando um filho que de fato não era dele, ela se comoveu um pouco e retribuiu o abraço.

Valdir foi embora aliviado e feliz, tecendo planos para o futuro. Sabia que Noeli concordaria com a mudança. Ela também não gostava daquele sobradinho apertado e num bairro distante, longe do trabalho dela.

— Noeli vai gostar. A separação vai sair, vamos poder oficializar nossa relação. Vamos ter uma vida bem feliz — disse para si, enquanto dirigia com uma mão e com a outra tentava sintonizar uma rádio com músicas românticas. Não perdia os programas noturnos comandados pelo locutor Sérgio Bocca.

— Se eu tivesse a dicção que esse cara tem — comentou, quando sintonizou a estação —, seria locutor por três encarnações seguidas. Que beleza de voz!

Assim que Valdir saíra, o telefone tocou e Angelita atendeu. Era Mara. O que escutou a deixou furiosa. Angelita jogou o telefone contra a parede, espatifando-o, tamanha raiva.

— Eu vou resolver esse assunto do meu jeito.

Ela apanhou uma arma no cofre do escritório, colocou-a na bolsa e entrou no carro. Foi direto até a rua Aurora.

Tales terminou de fazer a lição de casa. Fechou os livros, guardou-os na mochila. Foi até a cozinha, abriu a geladeira e apanhou a jarra de leite. Rodinei entrou em seguida. Sem dizer nada, apanhou um copo e o encheu de cachaça. Tomou de um gole só.

Terminou de beber e encarou o filho. Tales terminava de beber o leite. Guardou a jarra na geladeira. Lavou o copo e o colocou no escorredor de pratos. Virou-se e Rodinei estava em pé, fitando-o, olhos avermelhados pela cachaça.

— Está olhando o quê?

— Não sei. Às vezes vejo, encaro, fico notando, não sei como pude fazer você — resmungou Rodinei.

— Fazer como?

— Fazer. Possuí sua mãe, ela engravidou e formou isso — apontou para o filho. — Alguma coisa deu errado.

— O quê?

— Você tem traços meus. Confesso que tem. Seus olhos, seus lábios... — fez uma pausa — são iguais aos meus quando eu era da sua idade.

Tales sentiu uma emoção diferente. Nunca se imaginara parecido com o pai. Aliás, sentia raiva de ser filho dele. Rodinei prosseguiu:

— Sabe, nunca teve um veado na minha família. Nem por parte de pai, nem por parte de mãe.

— Vai ver que na família da mamãe teve.

— Acho que não. Sua mãe vem de família de gente fraca, sem culhão. Gente fraca não tem tempo de ser fresca. Então, não sei de onde você trouxe essa frescura. Não sei de que lado da família. Isso me intriga.

— Ah, é?

— Vou lhe dizer. Se sua mãe não fosse tão boba, tão apagada, eu até desconfiaria que você pudesse ser filho de outro. Mas Celina é a castidade em pessoa, é a mulher mais submissa, mais fria, sem sal e sem gosto que conheci na vida.

— Devia respeitá-la e amá-la.

— A gente só ama quem se dá o respeito, quem se dá valor. Celina não merece um pingo do meu respeito.

Celina estava passando pelo corredor e escutou a conversa. Ficou parada atrás da porta, branca feito cera. Precisou se apoiar na parede para não cair, pois as pernas começaram a tremer. As lágrimas finalmente afloraram e escorriam sem cessar. Ela se sentiu a mais esdrúxula das criaturas, um trapo sujo, um paninho de chão usado, encardido, sem utilidade, sem valor. Naquele momento ela não viu mais nada à sua frente. Nada. Desejou morrer. Não pensou em Júlia, em Tales, em si. Só na morte.

"Já estou morta e apagada mesmo", pensou.

Entre soluços, arrastando-se para o quarto, murmurou entre dentes:

— Era tudo para ele. Sempre fiz tudo o que ele quis. Rodinei foi o único homem da minha vida. Nunca olhei para outro. Nunca fiz nada do meu gosto para respeitar os gostos dele. Sempre o coloquei em primeiro lugar. Aprendi isso com minha mãe: "O marido vem sempre em primeiro lugar". Ele é o chefe da casa, o provedor, o marido, o pai. Deve ser respeitado, jamais contrariado. Contudo, percebo que ele não me enxerga como mulher, esposa e mãe. Ele me vê como um objeto, uma maquininha que trabalha para satisfazer as necessidades dele. Só.

A dor interior era imensa. O coração parecia querer explodir; o peito ardia; o estômago começava a enjoar; Celina nunca se sentiu tão pequena, tão infeliz. Era como se toda a sua vida nunca tivesse feito sentido, jamais tivesse valido a pena. Tudo o que fizera, desde que nascera, fora em vão.

Ela apertou o passo, secou as lágrimas com as costas das mãos e entrou no quarto. Olhou para o cômodo bem-arrumado como se fosse a primeira e última vez. De repente seus olhos tornaram-se frios, rancorosos. Ela esfregou os dentes e bufou. Tomou uma resolução:

— Amanhã bem cedinho, quando acordar, depois do café, vou levar as crianças para a escola. Volto, deixo o almoço pronto. Tomo banho, me arrumo, acordo o infeliz do Rodinei e vou para a cidade. Vou morrer atropelada. Chama atenção, causa comoção e gera dúvidas se foi suicídio ou não. A cidade é grande, muitos carros, trânsito caótico, muita gente, corre-corre, falta de atenção... uma fatalidade. As pessoas acabam acreditando que foi um triste acidente. Pobre mãe...

Enquanto Celina começava a idealizar seu plano mórbido, na cozinha, Tales não movia um músculo. Em sua cabecinha madura, ele entendia que o pai estava afirmando que "amava gente que se dava o respeito". E ele, Tales, se dava o respeito. Então, deduziu que o pai estava querendo dizer que o amava? Era isso?

Ele não iria fazer essa pergunta. Nunca. No entanto, naquele momento, Tales sentiu um formigamento na barriga, o coração bateu descompassado. Ele percebeu que Rodinei estava, de alguma forma, sentindo as mesmas emoções.

O pai, com doses de cachaça na cabeça, aproximou-se do menino e agachou-se. Encarou Tales e o abraçou. Rodinei tomou coragem e sussurrou em seu ouvido:

— Hoje, lá no serviço, o Moisés veio todo orgulhoso falar de você. O filho dele contou como você foi macho, que enfrentou um garoto mais velho e bateu nele, na esquina do colégio. Dizem que você é um herói. O Moisés falou isso na hora do café. Todo mundo escutou. Me deram tapinhas nas costas. Senti um orgulho danado de você. Juro que senti.

Tales só escutava. Em sua cabecinha, as cenas da briga vinham em flashes. Ele não compreendia direito a consequência daquilo, o que o pai estava querendo dizer de fato. Os sentimentos estavam embaralhados. Rodinei, encorajado pela pinga, prosseguiu:

— Não sei o que você é ou o que você vai ser na vida. Não entendo você. Não sei o que tenho de aprender com isso; contudo, você é meu filho, saiu dos meus bagos — Rodinei não era romântico, tampouco sutil. — Mas de uma coisa eu tenho certeza: você vai vencer na vida, porque já sabe se defender. Eu o amo e o respeito pelo que você é.

Rodinei abraçou Tales com profundo carinho. Tales abriu os braços e enlaçou-os no pescoço do pai. Ficaram assim por alguns segundos, sem falar nada, somente sentindo o bater dos corações.

Rodinei desfez-se do abraço, levantou-se, secou as lágrimas, tomou mais um copo de cachaça e foi para o quarto.

Tales, embalado por aquele gesto genuíno de carinho, fez uma prece rápida, agradeceu a Deus e foi se deitar. Não escutou a voz amiga dizer:

— Agora está tudo bem. Vocês se acertaram. E amanhã um novo ciclo de vida se inicia. Felicitações a você e ao seu pai.

Rodinei entrou no quarto, tirou os chinelos e deitou-se. Celina fingia dormir. Ele logo adormeceu e o ronco orquestrou o ambiente. Ela sentiu mais raiva ainda.

— Deus vai me levar para um bom lugar. Fui boa esposa, boa mãe. Eu me anulei para você e para as crianças. Fui assim a vida toda. E recebo a ingratidão e o desprezo como forma de agradecimento. Mas tudo bem. Amanhã você vai poder dormir sozinho, com a cabeça atolada no remorso. Eu vou me vingar, Rodinei. Porque você vai se sentir culpado pela minha morte. Vou fazer de você o homem mais infeliz da face da Terra.

7

Mara bateu o telefone com força.

— Essa vaca vai ter de me obedecer. Ou ela vem e me dá o que eu quero, ou ferro a família toda.

Dóris entrou no apartamento e ouviu as últimas palavras.

— Falando sozinha?

— Conversando com as paredes — zombou Mara.

Ela apanhou a bolsa, um maço de cigarros e um papelote de cocaína.

— Aonde você vai a essa hora da noite?

— Sair, espairecer. Tenho um encontro.

— Eu vou dormir. Amanhã vou dar uma aula de inglês logo cedo. Aluno novo. Pastor.

— Cuidado. Pastor? Vai querer converter você.

— Eu me garanto.

— Bom, sendo pastor, ou o que quer que seja, vai lhe trazer grana, Dóris.

— É. Passar um tempo fora do país me trouxe status.

— Se souberem o que você fazia fora...

Dóris gargalhou:

— Ninguém precisa saber que eu era stripper de boate. Interessa que tinha de usar o inglês.

— Usar e abusar. Danada!

Elas riram.

— Vou me deitar. Minha aula com o rapaz é às sete. Preciso estar com a cara boa.

— Bons sonhos. Estou atrasada. Beijos.

Mara se despediu. Dóris foi ao banheiro, fez a toalete e em seguida estava a sono solto. Mara havia marcado o encontro na esquina da avenida Rio Branco. Atarantada, fez o caminho inverso e entrou na São João. Quando estava no segundo cigarro, ela se deu conta de que estava na avenida errada.

— Essa minha cabeça! — bufou.

Ao fazer o caminho contrário, foi abordada por um carro preto, com vidros pretos. O carro diminuiu a marcha, parou ao lado de um carro estacionado. O vidro do passageiro abriu até a metade e ela escutou a voz familiar, lá de dentro:

— Mara.

Ela abaixou e, ao ver o interior do carro, reconheceu uma amiga de baladas.

— Você! Aqui?

— É. Venha, entre.

— Não posso. Tenho um encontro.

— Coisa rápida.

— Hum... — ela hesitou.

Um saco cheio de cocaína foi mostrado para Mara. Ela abriu e fechou a boca.

— É presente?

— Se você entrar para conversar um minuto. Coisa rápida.

— Está bem. Um minuto.

Mara entrou. Beijaram-se. Ela apanhou o pacote, cortou a parte superior com a unha, tirou um punhado de pó e passou na gengiva.

— Boa, hein?

— Só temos artigos de primeira.

— Sei disso. Estava de brincadeira. Bom, o que querem?

O carro começou a acelerar. Mara iria falar alguma coisa, mas lhe meteram um pano embebido com clorofórmio entre as narinas e a boca. Ela apagou em instantes.

O motorista ordenou, num tom ríspido:

— Acaba logo com isso.

— Calma.

— Calma nada. São ordens. Vamos para um terreno baldio e acabamos com isso já. Antes vamos trocar de carro, para não gerar suspeitas.

Foram até um bairro da periferia. Entraram num galpão. Deixaram o carrão preto. O motorista e a mulher pegaram Mara e a arrastaram até um outro carro, tipo comum, sem placas e com chassi adulterado. Colocaram-na no porta-malas. O motorista foi dirigindo este carro e a mulher foi dirigindo um outro veículo.

Chegaram ao extremo sul da cidade, um matagal. Desligaram os faróis. A mulher saiu do carro com dois galões de gasolina.

— Vai. Conforme as ordens, temos de colocar fogo no carro onde o corpo de Mara será encontrado.

— Está bem.

Encheram o outro carro de gasolina, inclusive o corpo de Mara. Ela nem se mexia, tamanha dose de clorofórmio que havia aspirado.

— Agora! — anunciou o motorista.

A mulher assentiu com a cabeça. O rapaz tirou uma pistola semiautomática da cintura e meteu três tiros em

Mara. Ela nem reagiu. Em seguida, atearam fogo no primeiro carro, entraram no segundo e saíram com os faróis apagados, até ganharem considerável distância da cena do crime.

Três dias depois, o corpo de Mara seria encontrado por um catador de lixo e o crime ganharia grande repercussão, fosse por ela ser filha do tal vereador, fosse por ser casada, ainda para a sociedade, com o filho de Angelita Gomez Castillo. No entanto, esse assunto duraria bem pouco, porque naquele fim de semana uma revista de grande circulação publicaria uma entrevista estarrecedora com o irmão do presidente. Pedro Collor contava tudo. E a morte de Mara deixava de ser destaque.

Valdir estava impaciente. Leda tentava acalmá-lo.

— Ela está bem. Já vai chegar.

— Como sabe? Já passa de uma da manhã. Eu a deixei na porta do prédio de Mara às sete da noite. Ela afirmou que o papo ia ser rápido e voltaria logo.

— Não se preocupe.

Valdir acendeu mais um cigarro. Andava de um lado para o outro da sala e procurava manter um tom de voz que não acordasse o filho, dormindo placidamente no andar de cima.

— Como não, Leda? São mais de seis horas fora de casa. Ela nem ligou. Nada.

— Garanto que ela está bem. Melhor do que você.

— Você e sua sensibilidade.

— Sim. Isso mesmo. Acredito piamente em minha sensibilidade. Noeli está bem. Antes das duas e meia ela estará aqui, com um sorriso estampado nos lábios.

— Duas e meia? Daqui a uma hora? Como? Que conversa é essa? Relato de vida?

— Acalme-se, Valdir. A conversa entre as duas foi íntima e delicada. Noeli precisou sair para espairecer, tomar um ar, refletir. Não podia vir direto para casa.

Ele deu uma tragada forte no cigarro e soltou várias baforadas.

— Como pode afirmar isso? De onde tirou essa ideia de jerico?

— Não é uma ideia estapafúrdia. Não sou vidente, não sei o teor da conversa, entretanto sei que foi assunto delicado. Noeli e Mara precisavam ter uma conversa para valer, definitiva, entende?

— Não, não entendo.

— Coisas de mulher. Entenda, Valdir. Noeli e Mara nunca conversaram de fato. Mara é a mãe biológica de Rafael. De certa forma, quem vai cuidar desse menino pelo resto da vida é a Noeli. Nada mais justo que a conversa seja franca, delicada, emocionante até, e demorada.

— E Noeli tem de sair para refletir? Vai se encontrar com quem? Com o espírito santo? Na São João? No Largo do Arouche?

Leda meneou a cabeça para os lados.

— Cada um responde por si. E atrai para si as experiências de que necessita para que o espírito amadureça. Noeli escolheu refletir, divertir-se. Ela tem o direito de fazer o que quiser. Mara também decidiu o seu destino. E você, neste exato momento, está fazendo a sua realidade.

— Não estou entendendo. A minha realidade?

— É. A vida é só o agora. O ontem é passado, já foi, não muda mais. Quer dizer, pode mudar na sua mente, se é uma situação, um acontecimento que lhe traz tristeza ou dor. Você pode mudar o passado agora, na sua mente — apontou para a cabeça de Valdir. — No entanto, o futuro só vai existir conforme os atos presentes. Portanto, o que importa é o que você pensa e faz agora. Escolha bons pensamentos, escolha crer em boas coisas para você. Porque você é o dono do seu destino e o está escrevendo neste exato momento.

— É difícil. Em minha cabeça, só aparecem situações conturbadas, pânico, medo. Estou com medo do futuro, Leda. Medo de perder meu filho, de que Noeli mude e me largue. Estou com medo de ficar só.

Leda sorriu. Segurou no braço de Valdir e o fez sentar-se no sofá.

— Respire. Está muito ofegante. Feche os olhos e respire. Por um momento, esqueça tudo, absolutamente tudo e respire. Encha os pulmões de ar e depois solte lentamente pela boca. Inspire pelas narinas e solte pela boca. Vamos.

Valdir obedeceu. Fez uma, duas, três vezes. Logo, a respiração estava leve, ele sentia-se mais calmo, o coração batendo com suavidade.

— Isso mesmo — disse Leda, sorridente, numa voz doce, porém firme. — Agora diga em alto e bom som: sei que não estou só. A vida é plena, perfeita. Há uma inteligência que rege o universo. Eu faço parte desta inteligência e sei que ela me ampara, me protege e me revela tudo o que preciso saber, no momento certo, na hora certa. Sou protegido e guiado por esta inteligência; ela me dá poder para escolher o melhor para mim, em todos os setores da minha vida. Tudo, absolutamente tudo está bem no meu mundo.

Valdir repetiu cada palavra. Ao final, quando abriu os olhos, parecia ser outra pessoa.

— Não sei o que fez comigo, Leda. Eu me transportei para um outro mundo, uma dimensão paralela. É como se toda a angústia, todo o medo fossem embora num estalar de dedos.

— Você se conectou com as forças inteligentes que regem a vida e, naturalmente, ligou-se à sua alma. Quando nos ligamos à alma, não há medo, insegurança, pânico ou dor. Porque a alma é que tem os sensos que nos movem na vida; é a alma que nos oferece caminhos seguros para crescer com alegria, inteligência e despertar a nossa própria força.

— Estava sem alma.

— A sua alma estava sem luz. Só isso. Agora a luz se acendeu. E é sua responsabilidade não deixar que essa luz se apague novamente.

— Como, Leda?

— Assumindo suas vontades, sendo quem você é. Está na hora de parar de querer aprovação do mundo, principalmente da sua mãe.

Valdir arregalou os olhos. Nunca conversara essas particularidades com Leda.

Ela prosseguiu, como a ler seus pensamentos:

— Embora nenhuma mãe goste de confessar, no fundo, lá no fundo, ela tem preferência por um filho ou uma filha. Não existe o "gostar de todos" da mesma maneira. Porque há afinidades, gostos, simpatias entre os espíritos. Às vezes, um espírito renasce naquele lar porque sua vida foi tirada justamente por aquele pai ou aquela mãe. Outras vezes, muitas aliás, o reencarne se dá por afinidade energética. Os espíritos nem se conhecem.

— Então não são os opostos, mas os iguais que se atraem?

— Sim. Uma pessoa perturbada vai nascer num lar perturbado. Mais ou menos assim, embora a dinâmica da reencarnação seja bem complexa. Vários fatores são analisados. São muitas vidas em jogo. A atitude de um reverbera em muitos ao seu redor. É como lançar uma pedrinha em um lago. A pedra cai e ondinhas são provocadas.

— Eu amo Rafael, mais que tudo nesta vida. Mais que Noeli, se você quer saber.

— Eu sei. Por isso ele está dormindo no quarto lá em cima — Leda apontou para o alto. — Ele seria seu filho de qualquer jeito, mesmo adotado. Já estava programado, porque vocês são afins. São amigos de vidas. Rafael vai lhe fazer muito bem.

— Mara poderá atrapalhar a educação dele. Não sei como será nossa vida e...

Leda o cortou com amabilidade:

— Está pensando no futuro que ainda não existe. O que importa, de fato, é o agora. Esqueça Mara. Pense em você, Rafael e Noeli. Pode ser?

— Pode. Pode, sim.

Valdir abraçou-a com ternura.

— Obrigado, Leda. Você é uma boa amiga.

— Pode também me considerar sua prima, por tabela.

Os dois riram.

Ouviram barulho de chave e a maçaneta desceu. Noeli abriu a porta e entrou sorridente.

— Desculpem a demora — disse, meio altinha.

Valdir ia dizer alguma coisa, mas Leda fez um sinal negativo com a cabeça. Ele levantou-se e abraçou Noeli.

— Estava preocupado.

— Eu deveria ter ligado. Peço desculpas. Mas a conversa com Mara foi tão intensa que não tinha como voltar para casa, assim, direto. Passei num bar, conheci um rapaz.

Valdir sentiu ciúme.

— Como assim, conheceu um rapaz? Que história é essa, Noeli?

— Calma, Valdir. Ele é gay. Fique tranquilo. Quer dizer, quem tem de ficar preocupada sou eu, né? Imagina se ele der em cima de você?

— Já vi que está bêbada — ele falou, num tom de reprovação.

Leda interveio:

— Vamos subir e tomar um banho. Depois dormir.

— Você vai embora?

— Não, vou dormir no quarto de Rafael. Se ele acordar durante a madrugada, eu dou mamadeira. Você não está em condições.

— Ah, Leda, você é especial. Mais que prima, é uma m...

— Nem fale! Se disser mãe, eu largo você aqui e vou embora já!

— Migona. Amigona do peito. Pode ser?

— Melhorou um pouco.

Valdir ajudou a levá-la até o andar de cima. Depois do banho, foram para o quarto e, na sequência, Noeli caiu num sono profundo. Valdir demorou para conciliar o sono. No quarto ao lado, enquanto Leda vigiava o berço de Rafael, não conseguia parar de pensar em Mara.

— Cada um cria o seu destino. Só rogo que não sinta nada de desconfortável. E que fique em paz, na medida do possível.

Leda fez uma sentida prece, que aprendera na igreja americana. Em seguida, adormeceu.

8

Celina levantou cedo como de costume. Fez a toalete, acordou as crianças. Foi para a cozinha, esquentou o leite e a água para o café, colocou a mesa, aqueceu os pãezinhos no forno.

Depois, foi até o quintal, colocou algumas peças de molho no tanque, separou outras para lavar na máquina. Voltou à cozinha, as crianças estavam tomando café.

— Bom dia, mãe — cumprimentou Tales.

— Bom dia, filho — respondeu ela, sem convicção.

Tales estava habituado com a apatia matinal da mãe. Celina era monossilábica, falava pouco, não se expressava. Ele nunca soubera se a mãe tinha ou não sentimentos por ele, por ela, ou por alguma coisa. Celina não chorava diante de um filme romântico, não se emocionava com o fim de uma novela. Era uma mulher que estava sempre com um olhar duro, alheio.

Em vez de cuidar dos cabelos, pintar as unhas, costurar um vestido ou até mesmo comprar um novo, Celina andava com os cabelos presos em coque, alguns fiozinhos brancos já aparecendo, embora nem tivesse ainda chegado aos trinta e cinco anos de idade. Suas roupas eram fora de moda, feias, puídas. A pele era sem viço, as unhas bem curtinhas, quebradiças. Não usava batom porque Rodinei achava coisa de mulher da vida.

Júlia terminou o café com leite e foi arrumar a lancheira. Tales a ajudou.

— O que quer levar de sobremesa? Uma fruta?

Júlia fez careta. Tales riu. Piscou para a irmã e abriu a porta do armário. Vasculhou e apanhou uma barrinha de chocolate. Mostrou-o à menina e ela exultou de felicidade. Ele disse baixinho:

— Não conte nada para a mamãe. Eu comprei ontem na cantina da escola. Pode levar.

— Chocolate! Gostoso.

— É. Gostoso. Promete que também vai comer a maçã?

Júlia fez sim com a cabecinha.

— Ótimo. Eu passo na sua sala na hora do recreio, está bem? Vou lá para lhe dar um beijo.

— Beijo. *Brigada*!

Tales beijou a irmã. Pegou sua mochila, depois a de Júlia. Colocou a lancheira sobre o corpinho da irmã e avisou Celina:

— Estamos prontos.

— Vamos — Celina disse, sem entusiasmo.

Alcançaram a rua da escola. Ela os deixou e, naquele momento, sentiu uma ponta de remorso, mas queria seguir adiante. Não iria voltar atrás, de jeito nenhum. Pensou em abraçar as crianças, porém não levava jeito para isso. Encarou-os e falou, tentando esboçar um sorriso:

— Boa aula.

— Bom dia.

— Tchau, mamãe — respondeu Júlia, acenando com o bracinho.

Celina respirou fundo, acenou um "oi" e um "tchau" para algumas mães, só para disfarçar, pois não tinha amigas. Não era de se relacionar. Não tinha assunto e era desconfiada. Tinha um pé atrás com todo mundo. Sorriu e, ao dobrar a esquina, amarrou a cara.

— Agora eu me vingo de você, Rodinei — rosnou para si.

Chegou em casa, estendeu algumas peças no varal. Colocou roupas na máquina, ligou. Voltou para a cozinha, fez novo café. Preparou o almoço: arroz, feijão, picadinho de carne com legumes, salada de alface com tomate.

Deixou tudo pronto sobre o fogão. Colocou a salada na geladeira, coberta com papel-alumínio. Verificou no armário se havia café e açúcar nos potes.

— Itens indispensáveis em dias de tragédia — comentou.

Rodinei levantou, foi até a cozinha arrastando os chinelos. Foi a primeira vez, em onze anos de casamento, que Celina sentiu raiva daquele arrastar de chinelos no chão. Segurou a ira. Faltava pouco.

— Só tem um pãozinho? O que foi? Essas crianças agora comem como adultos? — resmungou Rodinei.

— É o que tem.

— Não é. Eu quero mais. Vou entrar às onze. Turno dobrado. Devo chegar de madrugada hoje. O país está uma bagunça e nova onda de desemprego começou. A montadora está para demitir. Não posso faltar. Preciso estar bem alimentado para fazer bem o meu serviço.

— Já fiz o almoço. Daqui a pouco vou fazer sua marmita, embora a empresa tenha refeitório.

— Gosto de levar comida de casa. Ei, Celina, o que está acontecendo? Replicando meus comentários? O que deu em você?

Ela travou. Estava com tanta raiva que começava a desafiar o marido. Tinha de agir à maneira antiga. Respirou fundo e voltou a incorporar a submissa:

— Vou até a padaria pegar mais pão. Já volto.

Ela saiu apressada, enquanto Rodinei mastigava o último pedaço de pão com manteiga. Ele abriu a térmica e se serviu de mais café.

Dez minutos depois Celina voltou, com a cara de sempre, apagada, amuada, triste. Entregou o saquinho de pães ainda quentinhos para o marido.

— Assim é que eu gosto. Aproveita e coloca uns dois na sacola. Vou levar e comer no caminho.

— Está certo.

Ele se levantou, foi tomar banho. Arrumou-se, apanhou a mochila com a marmita, os pãezinhos e alguns artigos de higiene que levava para o vestiário da empresa. Despediu-se da esposa com um beijo na testa. Era mais por costume do que por prazer. Um beijo mecânico, frio, sem vida.

Celina passou a mão na testa sentindo asco.

— E saber que eu me apaixonei por ele numa quermesse de bairro. Nunca tinha namorado antes. Ele foi gentil, não posso negar. Tratou-me com dignidade. Quando nos casamos, a nossa primeira noite foi tranquila, rápida, sem dor. Ele foi um verdadeiro cavalheiro. Confesso que esperava mais, mas Rodinei sempre me respeitou. Agora percebo que ele nunca me viu como mulher. Ele queria uma esposa, uma mulher que cuidasse das roupas dele, fizesse comida para ele, estivesse disponível na hora que ele quisesse e fosse mãe exemplar dos filhos dele.

As lágrimas novamente desceram e Celina sentou--se na cadeira da cozinha. A sua vida inteira passou como um filme pela mente. Foi uma filha obediente. Nunca decidiu nada por si. Os irmãos eram mais importantes, os primos, os tios, as visitas. Ela era sempre a última da fila, a última a pegar presente na árvore de Natal. Lembrou-se com raiva de uma Páscoa em que o pai se esquecera de lhe comprar um ovo. Todos ganharam ovo na casa, menos ela. Na escola, a mesma coisa. Só era lembrada quando precisavam colar em prova. Pediam para ela se afastar na cadeira para copiarem a prova dela. Nunca tivera amigos.

— Não vou fazer falta no mundo. Nem meus filhos vão sentir falta de mim. Tales já me despreza. Júlia vai crescer e com o tempo vai me apagar de sua memória. Mas Rodinei não vai ter mais uma empregada. Vai ter de pagar uma, se quiser. Para mim, chega. Cansei!

Ela se levantou, deixou a cozinha preparada com a mesa arrumada como se fosse servir o almoço, para não despertar suspeitas. A máquina de lavar continuava funcionando. Para deixar o plano com ares de acidente, foi até o açougue, do outro lado da rua, e encomendou um quilo de carne moída.

— Seu Elias, o senhor pode moer duas vezes o patinho na máquina? Sabe como é, né? O Rodinei só come carne moída quando é passada duas vezes na máquina.

— Sim, senhora.

— Eu passo aqui depois do almoço — ela consultou o relógio —, uma hora da tarde, pode ser?

— Faço agora.

— Preciso ir urgente até a cidade buscar uma encomenda. Não vou voltar para casa agora.

— Sim, senhora. Uma hora da tarde e a sua carne moída estará pronta.

— Obrigada.

Em seguida, passou no salão da esquina.

— Queria marcar corte de cabelo.

— Para hoje, senhora?

— Se possível.

— Só temos a partir das quatro da tarde.

— Pode ser.

— Seu nome?

— Celina. Eu moro ali — apontou para o sobradinho em tom alaranjado.

A mulher deu uma risadinha irônica. Já flertara com Rodinei algumas vezes. Quer dizer, muitas moças da redondeza, aparentemente, já tinham flertado com Rodinei. Contudo, ela tinha certeza de que Rodinei também estava interessado nela. Shirley sorriu e disfarçou:

— Cabelo. Celina. Quatro da tarde.

— Obrigada.

Shirley meneou a cabeça.

— Entendo por que ele fica ciscando. A mulher parece uma personagem de filme de terror. Ela não deve ser muito mais velha que eu e parece minha mãe. Como pode uma mulher ter uma autoestima tão baixa?

Entretanto, naquele momento, sem saber o porquê, Shirley sentiu compaixão por Celina, uma vontade louca de mantê-la ali no salão. Correu atrás dela e propôs, como se estivesse intuída:

— Em vez de fazer o cabelo às quatro, quer fazer agora?

Celina tomou um susto.

— Como?!

A cena não estava no filme que projetara.

Shirley parecia tomada por uma força de outro mundo:

— Posso atendê-la agora.

— Agora?

— É. Meu horário de almoço é daqui a pouco, mas posso deixar para comer depois. Sinto que você precisa ficar bonita para seu marido — Shirley piscou para ela. — Venha, eu a atenderei com o maior prazer.

— Não sei...

— Poderemos conversar. Eu me abro com você, você se abre comigo, ficamos amigas! O que acha?

Celina sentiu uma pontinha de arrependimento. Será que valeria a pena voltar atrás? Será que deixar-se levar por Shirley e cortar os cabelos, pintar as unhas, desabafar ajudaria a mudar de ideia? Será?

Ela pensou, pensou, enquanto Shirley falava e oferecia conforto, amizade, estendia a mão e um enorme sorriso. Celina sentiu-se tentada.

— Pode ser.

Uma força descomunal, entretanto, a fez manter o plano. Viu-se achincalhada por Rodinei e escutou a frase que aniquilou a sua vida: "A gente só ama quem se dá o respeito, quem se dá valor. Celina não merece um pingo do meu respeito".

Ela puxou a mão de Shirley e respondeu, nervosa:

— Preciso buscar uma encomenda no centro. Voltarei às quatro. Adeus.

— Adeus.

Shirley sentiu um aperto no peito. Voltou ao salão, um tanto amuada. Uma colega perguntou:

— O que foi? Você saiu daqui correndo.

— Não foi nada. Esquece. Vou almoçar.

Celina desvencilhou-se de Shirley, atravessou a rua, dobrou a esquina, tomou a condução e, meia hora depois, deu um giro no centro da cidade. Passou por alguns lugares onde fora quando menina com a mãe. Procurou alguns cinemas, mas quase todos naquela região ou tinham sido fechados, ou se tornado locais de exibição de filmes pornográficos.

— Que pena! Se tivesse um cinema que prestasse, eu até assistiria a um filme. Adoraria assistir a *Uma linda mulher*, com a Julia Roberts. Sei que é do ano passado, mas fez tanto sucesso que ainda tem cinema exibindo a fita. Se eu tivesse outra vida, queria ser essa tal de pretty woman.

Celina suspirou. É, ser outra mulher, charmosa, bonita, independente, dona de si. Era isso que ela queria ser. Ela podia. Era só uma questão de querer mudar o jeito de ser. Ela precisava parar de olhar para si como um patinho feio e perceber que era um tesouro da vida, uma pérola, um espírito único, incomparável. Celina poderia fazer muitas escolhas naquele momento, entretanto, a tristeza que ela carregava havia algumas vidas era mais forte que a própria vontade de resistir e mudar. Nem mesmo Shirley, intuída pela guia espiritual de Celina, conseguiu demovê-la da ideia.

— Você fez o que pôde — disse um espírito amigo à guia dela.

— Sei. Eu gosto muito dela e só posso orientar. Por mais triste que seja, por pior que seja a escolha, cada um está fazendo o melhor que pode. Não posso interferir, caso contrário, o livre-arbítrio não valeria nada.

— É verdade. O que pretende fazer, Nena?

— Aguardar a morte e, se ela aceitar minha ajuda, vou levá-la a um posto de tratamento.

— E se não aceitar? Geralmente, quando fazem isso e descobrem que a vida continua, sabe que o desequilíbrio é grande.

Nena deu de ombros.

— Vou vibrar, voltar para minha cidade e esperar até que Celina tenha condições de me receber. Tudo passa. Um dia vamos nos reencontrar.

Enquanto isso, Celina continuava em seu intento. O que Nena podia fazer era afastar espíritos atormentados caso Celina realmente concretizasse a própria morte.

— Essas aves de rapina não vão se aproximar dela. Pelo menos isso eu garanto — asseverou Nena, numa voz firme.

Ela era um espírito com grande desenvoltura, respeitadíssimo no astral, uma mulher na faixa dos cinquenta, bonita, bem maquiada, bem-vestida; fazia parte de um grupo que andava abanando um leque, sempre de maneira elegante. Obviamente, o leque não era só um instrumento gracioso que fazia parte do vestuário; era também uma arma, poderosíssima. Não tinha um que chegasse perto de Celina. A energia de Nena era forte, vibrante. Ela fez um gesto gracioso com o leque e Celina ficou como que protegida por uma rede invisível ao ataque de espíritos perturbados.

— É só o que posso fazer...

Celina apertou o passo. Percebeu o movimento de gente atravessando a avenida movimentada, o corre-corre, as buzinas, as freadas. Tinha de ser por aquele momento. Esperou o sinal abrir e, quando um ônibus veio com velocidade, ela, friamente, ganhou a rua e atravessou, sem olhar para os lados.

O ônibus, evidentemente, não conseguiu frear a tempo. Só se escutou um baque seco, pesado, e o corpo de Celina subindo e descendo, já sem vida, esborrachando-se no asfalto. Houve gritos, pânico entre pedestres. O motorista do ônibus saiu atônito. Os passageiros que estavam na frente saíram em seguida, aturdidos.

— A culpa não foi dele. A culpa não foi dele — gritava um, aparvalhado.

— Ela atravessou sem olhar — acrescentou outra, tremendo, chocada com a cena.

Logo o resgate chegou, deitaram o corpo de Celina numa maca e foram direto para o Instituto Médico Legal. Dentro da bolsa, além dos documentos, havia uma caderneta com o endereço dela e o telefone do trabalho do marido.

Naquele dia, Rodinei não dobrou o turno. O chefe, condoído ao dar a notícia, liberou-o do trabalho pelo resto da semana. No velório, durante os pêsames, o dono do açougue abraçou Rodinei e disse, entre lágrimas:

— Você terá carne moída de graça pelo tempo que quiser.

Rodinei não entendeu. E também não queria entender. Em sua cabeça, não conseguia aceitar a morte da esposa. O que seria dali para a frente? Como cuidar de dois filhos pequenos sem Celina?

Como a ler seus pensamentos, Tales, que fora ao velório, contra a vontade do pai, declarou, sério:

— Pai, eu vou ajudar você a criar a Júlia.

— Você?

— Eu já estou crescendo. Posso ajudar na casa, limpar. Já sei cozinhar alguma coisa.

Rodinei emocionou-se.

— Você ainda é moleque. Quero que estude, que se torne alguém na vida. Não quero você dentro de uma fábrica, dezesseis horas por dia.

— Tudo vai dar certo. Vamos confiar.

Rodinei não podia acreditar. Em vez de ele dar suporte e amparo ao filho, era ele quem estava recebendo sustentação. Abaixou-se e abraçou Tales com força. Naquele momento esqueceu-se das pessoas, do mundo, de tudo. Rodinei chorou. Chorou muito.

Shirley, com uma colega do salão, também chorava.

— Percebi que havia algo estranho.

— O quê? — perguntou a amiga.

— Não sei. Ela me pareceu tão frágil, tão necessitada de ajuda, sabe? Eu quis atendê-la no horário do almoço. Se tivesse atendido, talvez ela não tivesse morrido.

— Não diga isso. Foi uma fatalidade. Estava escrito — rebateu a colega. — Não vá se culpar.

— Não. É que é triste ver uma mulher tão jovem morrer. Deixar dois filhos pequenos, marido...

— Isso é. Olhe como o marido chora. E veja como ele abraça o filho.

A cena sensibilizou profundamente Shirley. Foi naquele momento que ela sentiu algo inexplicável por Rodinei. Era um local mórbido para despertar sentimentos tão nobres e profundos, mas ela não viu naquele instante um homem para flertar, para se entreter ou simplesmente tirar uma lasquinha. Ela sentiu o que, muitos anos depois, classificaria como amor.

Naquela noite ela não conseguiria explicar, mas o que estava sentindo era amor. Nunca gostara de ninguém. O máximo que tivera fora um namoro aqui e outro ali, nada de comprometedor. Rodinei, porém, mexeu profundamente com Shirley.

E, ao sair da sala do velório para buscar um café, deu um esbarrão em Tales. Quando os olhos se encontraram, Shirley teve outro sentimento avassalador. E Tales também. Sem saber por quê, os dois se abraçaram e assim permaneceram, para espanto de alguns e emoção de outros.

As pessoas ao redor emocionaram-se e também choraram. Todos se sentiam penalizados com a situação.

— Veja só — comentou uma irmã de Celina, a única que compareceu ao velório. — Rodinei vai ter de criar os dois filhos sozinho. E olha que esse menino é meio, meio...

— Bichinha — cochichou a outra.

— É. Ainda bem que não éramos ligados. Eu não quero saber dessa família. Minha irmã morreu. Então acabaram-se os laços. Quero que essa família se dane.

— Não tem pena deles, Albertina?

— Eu, pena? — ela riu com desdém. — Estou aqui por obrigação. Vim porque a infeliz da minha irmã morreu atropelada. Aliás, maneira pobre de morrer.

— A família ficou despedaçada. Agora tem o pai, esse menino bichinha e uma menininha, não?

— Sim. Tem uma menina de quatro anos. Está dormindo na casa de uma vizinha. A menina logo cresce, esquece. Criança esquece rápido. A bichinha logo vai ter asas e vai borboletear pelo mundo. O pai, esse nordestino que não devia ter descido para cá, é um semianalfabeto, que mal sabe ler e escrever. Não sei o que minha irmã viu nele. Rodinei é um traste.

— Ele é rústico, um tipo interessante. Eu acho ele atraente.

— Atraente até que ele é, vou confessar — rebateu Albertina. — Melhor que o traste que tenho em casa. Meu marido é professor, intelectual, formado na Universidade do Estado da Guanabara, que hoje é a Uerj. Ele vem de família carioca finíssima, mas é um bolha, um pateta.

— Quer saber? Eu acho que Rodinei não vai ficar muito tempo viúvo.

— Acha mesmo? Com dois filhos? Difícil mulher querer se amarrar em homem com filhos. Não conheço. Eu não me casaria com ele. Jamais. Ainda mais tendo um filho torto. Deus me livre! Eu tenho um filho lindo, surfista, e uma filha que é uma princesinha. São um orgulho. Não são essas aberrações que minha irmã fez com esse nordestino.

— Olha o preconceito, Albertina!

— Preconceito, qual nada! É verdade. Essa gente devia ficar lá na terra deles, no buraco deles, no mundo deles. Não gosto dessa mistura. Gente branca com gente branca. Gente preta com gente preta. Nordestino com nordestino.

— A menina Júlia, pelo que consta, parece normalzinha.

— Sei. Com um pai desses e um irmão desviado? Essa menina logo, logo vai se tornar uma galinhazinha de bairro. Escreve o que estou falando. Pena que não vou saber, porque, depois deste enterro, eu nunca mais quero ver essa gente.

Albertina falou e quase cuspiu no chão, de nojo. A amiga, horrorizada, levantou-se pretextando sede.

— Meu Deus! Como ela é pobre em sentimentos! Eu nunca tinha percebido esse lado da Albertina. Pois bem. Quem não vai mais vê-la depois desse enterro sou eu. Nunca mais quero contato com Albertina. Deus me livre e guarde! E que Deus tenha misericórdia dela.

9

Angelita folheava o jornal e bufava, contrariada.

— Não pode ser! É um escândalo. Que situação!

— Calma, mãe — tentava apaziguar Helinho.

— Calma? Os jornais só falam na morte de Mara. Os programas de tevê só comentam essa tragédia. É a mãe do meu neto! O que você quer que eu faça, meu filho?

— Nada.

— Nada?

— Nada. O escândalo do presidente está dando o que falar. É nitroglicerina pura. Essas notinhas de coluna social vão durar, no máximo, até semana que vem. Os programas de tevê logo vão se amarrar em outra tragédia. Tudo passa. Temos de manter o controle. Permanecer neutros, como se nada tivesse acontecido.

— Pensando dessa forma... É que seu Epaminondas não para de ligar.

— O pai dela é um político chato, das antigas. Ele deve estar preocupado com o rabo dele. Não deve estar chorando a morte de Mara. Para mim, aí tem coisa do Epaminondas na jogada — Helinho falou e piscou o olho direito duas vezes.

Quando Helinho fazia isso, Angelita sabia que o filho estava mentindo. Era uma característica de Helinho que só a mãe conhecia. Mais ninguém, nem mesmo Valdir, que conhecia o irmão desde o berço, nunca notara esse cacoete.

Ela se levantou e encarou o filho.

— Epaminondas não tem nada a ver com nada. É um velho da época do Dutra, do Jânio, do Ademar de Barros. É um político velho, asqueroso, só pensa em dinheiro, em enriquecimento ilícito.

— Então...

— Então que ele é peixe pequeno. Só pensa em coisas pequenas. Não sai da prefeitura. Só consegue se reeleger vereador. É um grãozinho de areia no meio do mar de corrupção. Não vale nada. Ninguém iria mexer com ele, ou se vingar dele. Mara estava metida com assuntos mais pesados.

— Que assuntos, mãe? — Hélio procurava investigar, perceber se a mãe sabia ou desconfiava de algo.

Angelita terminou de tomar o café, largou o jornal sobre a mesa. Puxou o braço do filho e foram para o escritório. Ela fez sinal para Hélio se sentar e fechou as portas atrás de si.

— Primeiro, vamos começar do zero. Mara é uma moça de sociedade, bonita, atraente, namorou artistas e políticos. Depois se envolveu com seu irmão.

— Sim.

— Daí, certa noite, transou com você — apontou — e engravidou de Rafael.

— Certo.

— Fizemos tudo de maneira que seu irmão achasse, ache, e sempre achará que Rafael é filho dele, para não ter problemas, pois Mara queria botar a boca no trombone e causar um estrago em nossa reputação.

— Isso mesmo. E, além do mais — o tom de Hélio era frio, metálico —, eu não gosto de crianças, não queria, não quero e jamais vou querer ter um filho.

— Só que agora temos um herdeiro. O seu filho, que será lindo e maravilhoso como você!

Helinho sorriu.

— É, se puxar o pai verdadeiro, vai ser um tremendo sedutor.

— Sem divagações — objetou Angelita.

— Desculpe, mamãe.

— Mara também não gostava de crianças e só resolveu ter esse filho para ficar conectada à nossa família. Esse é um ponto obscuro que ainda não está claro para mim.

— Como assim, mãe? Mara quis ter o filho e entregá-lo a Valdir. Depois, claro, iria nos chantagear para ter dinheiro e status. Ser mãe de um Gomez Castillo dá prestígio. Mara um dia iria ficar velha, perder as formas estonteantes. Ninguém é uma beldade para sempre. Ela estava querendo garantir o passaporte para manter fôlego nas colunas sociais por muitos anos.

— Pensando assim, pode ser. Mas por que diabos ela foi se meter com drogas? Não havia motivos para se drogar. Entende o que quero dizer? Ela estava bem, nunca tinha fumado um cigarro de maconha na vida e, de repente, começa a se afundar em drogas pesadas?

— Vai ver sentiu um vazio muito grande por ter feito o que fez. Já li relatos de que uma mãe, depois que entrega um filho para adoção, pode se arrepender. E, quando se arrepende, faz de tudo para recuperar a guarda do filho. Vai até o inferno para ter o filho de volta. Se não consegue, comete desatinos. Há até filmes sobre esses casos. A gente já viu alguns.

Angelita estava divagando e não percebeu Helinho piscar o olho duas vezes enquanto falava. Ainda bem.

— Tem mais coisa aí.

— Diga.

— Mara foi perdendo o controle sobre si mesma. Sabe, eu sou mulher e sou vivida. A minha intuição diz que ela estava apaixonada. E não estava sendo correspondida.

Helinho sentiu o sangue sumir das faces. Virou o rosto para a mãe não ver. Rodopiou no escritório, fingiu ir até o aparador e servir-se de um copo de água.

— Apaixonada! Que apaixonada! A Mara?

— Ela não estava a fim de você. Isso era nítido.

— Claro que não, né, mãe? Eu e Mara só tivemos uma transa, mais nada. Nunca sentimos nada um pelo outro.

— Sei disso. Eu a vi aqui algumas vezes depois do ocorrido. Nunca a vi dirigir um olhar carinhoso para você, tampouco para seu irmão. E olha que eles se casaram. A maneira como ela olhava para você e Valdir era a mesma, fria, sem emoção. Estranho.

— Estranho nada! Mara era uma mulher fria, mãe. Nunca foi de se apaixonar. Ela entrou nas drogas por opção. Gostou, viciou-se e não conseguiu mais sair.

— Não sei.

— Lembra-se do filho da Alzira? O Flavinho?

— Lembro. Bonito rapaz. Estudioso.

— Afundou-se nas drogas. Morreu naquela festa, com aquela modelo.

— É verdade. O caso do Flavinho me deixou aturdida. Nunca iria imaginar aquele rapaz metido com drogas.

— Para você ver como é a vida. Prega cada peça! O mesmo aconteceu com Mara.

— Ser morta dessa maneira? Com três tiros e carbonizada no porta-malas de um fusca? No meio de um matagal?

— Mãe, isso é coisa de traficante. Ela deve ter pegado bastante droga, não pagou. Lembra que, naquela noite, ela veio aqui em casa, pediu dinheiro, bastante dinheiro?

— Eu dei dinheiro para ela. Seu irmão deu um cheque para ela.

— Talvez não tenha sido suficiente para acertar as contas. Vai ver tinha prazo para pagar. Os traficantes não perdoam. Matam mesmo.

— Não sei — Angelita esfregava as mãos, nervosa.

Helinho terminou de beber a água e foi até o cofre.

— O que vai fazer? — indagou Angelita, aturdida.

— Preciso de uns dólares. Com essa inflação nas alturas, preciso comprar umas passagens. Vou viajar por uns tempos.

— Vai para onde?

— Caribe, talvez. Descobri uns procedimentos estéticos fantásticos.

— Você é jovem. Não precisa.

— Quanto mais cedo me cuidar, melhor.

Helinho abriu o cofre e apanhou a pasta. Antes, porém, tateou, tateou e, rosto virado para a mãe, perguntou, sério:

— Onde está a nossa arma?

Angelita engoliu em seco. Não soube o que responder.

10

Os anos correram de maneira incrivelmente rápida. O presidente cujo irmão revelou todos os podres foi deposto, outro assumiu, depois outro foi eleito e controlou a inflação. Anos depois, finalmente, um ex-metalúrgico subiu ao poder e por lá ficou durante oito anos. Depois dele, uma ex-guerrilheira tornou-se chefe da nação e foi também reeleita. Assim o país continuava a seguir seu rumo, com suas vitórias, derrotas, conquistas, tristezas e alegrias.

Rafael bocejou, espreguiçou-se demoradamente. Abriu os olhos e mirou o relógio de cabeceira.

— Uau! Passa das nove!

Olhou para o lado e levantou os cabelos crespos e castanhos da morena deitada ao lado. Abraçou-a com carinho e beijou-a delicadamente na orelha.

— Ei, dorminhoca, hora de acordar.

— Hum, ainda é cedo.

— Já passa das nove. Sei que a roda de samba foi deliciosa, mas ficamos de caminhar no parque. Hora de levantar.

Júlia virou-se na cama e bocejou. Abriu um lindo sorriso.

— Bom dia.

— Bom dia, princesa.

— Ligou para o Tales?

— Acabei de acordar.

— Ele ficou de caminhar com a gente.

— Não vai dar aula hoje? Nunca vi seu irmão livre aos sábados.

— Não. O prédio do cursinho ia fazer uma reforma, alguma obra rápida. Ele está de folga.

— Vou ligar agora mesmo.

Rafael apanhou o celular e Tales atendeu.

— Oi, cunhado!

— Bonitão, caminhada, às dez horas, no parque do Povo.

— Já estou arrumadíssimo.

— Ótimo. Às dez horas, no parque.

— Beijo.

Despediram-se e Rafael desceu para preparar o café, enquanto Júlia se banhava. Ele fez tudo rápido, arrumou a mesa e, ao sentar-se, lembrou-se de quando se conheceram, quando ele estava no último ano de faculdade e ela era assistente de um professor do terceiro ano, justamente da matéria que ele tinha sido reprovado e agora estava refazendo para poder graduar-se. Fazia um ano e pouco que estavam juntos.

Rafael formara-se em economia, sem muita convicção. Se fosse perguntar a ele qual curso gostaria de fazer, não teria uma resposta imediata, porque nunca pensara propriamente no assunto. O pai sempre martelara em sua cabeça que deveria estudar contabilidade ou economia, como se as demais carreiras não valessem a pena.

— Estudar qualquer outra coisa é perda de tempo — Valdir repetia, como um mantra.

— Não fale desse jeito. Deixe o menino pensar por si — rebatia Noeli.

Em vão. Valdir não perdia a oportunidade de massacrar o filho com pérolas do tipo: "o mundo vai de mal a pior"; "tudo é muito difícil na vida"; "é preciso uma profissão sólida, de respeito"; "se estudar contabilidade ou economia, você poderá prestar qualquer concurso público e terá estabilidade pelo resto da vida, sem se preocupar com aposentadoria" e outras frases similares. Era todo santo dia, durante anos, por toda a adolescência.

Rafael crescera um menino bonito. Puxara os traços do tio Hélio mesclados aos do avô, Mário. No quesito personalidade e atitude, era uma cópia do pai. Na verdade, era como se Rafael tivesse incorporado Valdir. Em tudo: na maneira de andar, falar, gesticular, vestir, pensar. A cópia chegou a um ponto que, agora adulto, Rafael até estava se parecendo mais fisicamente com o pai adotivo.

Noeli ficava espantada. E só fazia tal comentário com a única pessoa na face da Terra com quem se abrira — parcialmente, vale ressaltar — depois da conversa com Mara, anos atrás.

— Não sei o que vai ser desse menino, Leda. Ele não é filho de Valdir, mas está ficando idêntico a ele. Em tudo! Como pode?

— Afinidades, minha amiga. Eles são afins nas ideias, posturas e crenças. Valdir não influenciou Rafael.

— Como não? O menino cresceu com esses conselhos estapafúrdios do pai. Valdir sempre botou medo em Rafael. Sempre mostrando a vida de maneira negativa, apontando perigo para tudo quanto é lado. Nosso filho cresceu medroso, sem coragem de arriscar, sem vontade própria.

— É característica dele, porque Rafael não acredita na própria força. Um dia ainda vai despertar para o potencial que tem dentro dele. Daí tudo poderá mudar.

— Quando isso vai acontecer?

— Quando tiver que acontecer!

— Você dá respostas muito vagas, Leda.

— Não. Respondo o que precisa ser respondido. Não respondo o que você quer ouvir. É diferente.

Júlia desceu, entrou na cozinha e passou os braços pelo pescoço do namorado.

— Estava tão distante. Pensando em quê?

Rafael sorriu.

— Estava aqui recordando o dia em que a conheci.

Ela deu a volta na mesa, sentou-se e serviu-se de uma porção de fruta.

— Quase foi reprovado novamente. Economia, meio ambiente e sustentabilidade. Como pode não gostar de uma matéria como essa?

— Não é muito a minha praia. No fim das contas, o importante é que eu me formei, tenho diploma. Posso prestar concurso — considerou, enquanto se servia de um pote de iogurte.

Júlia meneou a cabeça para os lados.

— Você se formou só por isso?

— Lá vem você de novo com essa mesma pergunta?

— É. Acho um absurdo uma pessoa estudar quatro, cinco anos e se formar em algo pelo qual não tem prazer, não tem gosto.

— Você se forma naquilo que é necessário, que é preciso para lhe dar segurança, estabilidade, uma carreira sólida.

— Isso tudo só pode existir quando você ama o que faz.

— Balela. Não existe profissão que alguém ame de paixão, trabalho que ame fazer. Pode existir alguma coisa que a gente até goste, mas amar assim de paixão, não existe. Só em novela, filme americano. A realidade é bem diferente.

— Não estou acreditando no que estou ouvindo.

— É a pura verdade. A maioria das pessoas se forma naquilo que dá segurança, dinheiro, status. Esse negócio de estudar por amor é coisa para filhinho de papai, gente desocupada, cheia de grana. Para nós, simples mortais, o jogo é outro.

— Falando dessa maneira, você me ofende.

— Não foi minha intenção. Não estou aqui para ofendê-la, meu amor.

— Contudo, me ofende, porque eu estudei economia porque amo, sempre amei.

— Ah, vá! Quando era pequenininha, enquanto brincava de bonecas, se alguém perguntasse: "O que vai ser quando crescer?", duvido que você responderia "economista" — Rafael falou num tom jocoso e riu.

Júlia fitou-o séria.

— Claro que não. Quando eu era criança, não daria essa resposta. Na adolescência, eu já sabia que queria estudar economia. Depois, quando estava me formando na faculdade, Elinor Ostrom foi a primeira mulher a receber o prêmio Nobel de economia. Aquilo fez eu me sentir mais confiante e feliz. Era isso mesmo que eu queria.

— Ganhar um prêmio Nobel? Você, uma brasileira?

— E por que não? Há tantos brasileiros se destacando aí no mundo, principalmente nos meios acadêmicos e científicos. Artur Ávila ganhou a Medalha Fields, que é praticamente o Nobel da matemática. Se ele pôde, eu também posso.

— Tem tanta confiança?

— Eu sou a lei. Tudo em que acredito, acontece, seja bom ou ruim. Eu faço a minha vida, eu crio o meu destino.

— Não sei se é bem assim. Veja o meu caso. Estudei, ralei bastante. Se eu não tivesse uma avó com posses, eu não conseguiria jamais manter esta casa que herdei da família da minha mãe biológica. Foi a única coisa que veio deles. E é uma família rica.

— Vá atrás da herança, oras — tornou Júlia, irritada.

— Depois que meu avô Epaminondas morreu, soube que ele havia passado todos os bens para o único filho. Nunca me relacionei com eles. Nunca quiseram saber de mim — desabafou num tom amargo.

— Sua mãe é a Noeli.

— Isso é. Deixa pra lá — Rafael divagou por instantes e voltou ao assunto. — Ainda bem que minha avó Angelita me ajuda, porque este sobrado me dá muita despesa. Estou até pensando em conversar com minha avó e ver se troco esta casa por um apartamento.

— Outra coisa que não entendo em você.

— O que é?

— Você rala, sofre, luta para conseguir suas coisas e tem uma avó rica. Ela lhe dá tudo, até mesada. Por que não para de forçar ser o que não é e aceita de uma vez o dinheiro da sua família?

— Por que está dizendo isso?

— Você estudou por obrigação, trabalha por obrigação, faz tudo por obrigação. Não vive por gosto, não tem objetivo de vida. Será que me namora por obrigação também? — perguntou ela, nervosa com a imaturidade do rapaz.

Rafael hesitou por instantes e levantou-se inquieto. Andou pela cozinha, apanhou a jarra da cafeteira e serviu-se. Depois de sorver o líquido fumegante, considerou:

— Gosto de você. Estamos juntos há mais de um ano. Não estou com você por obrigação.

— Ainda bem.

— Tenho medo de que um dia tudo acabe, sabe? Riqueza não dura para sempre.

Júlia revirou os olhos nas órbitas.

— Como assim? Explique melhor.

— Não sei o porquê, mas meu tio Hélio não vai muito com a minha cara.

— Já percebi.

— Eu só tenho este sobradinho que veio por herança do meu avô Epaminondas. Da minha avó paterna, não tenho nada, a não ser a mesada que ela me dá escondido, porque, se meu tio descobre que recebo mesada, não sei o que é capaz de fazer com minha avó.

— Dão muitas asas para esse Hélio. Eu cortava num instante.

— Ele cuida de tudo. É ele quem dá as cartas.

— É muita submissão. Sua avó se acomoda porque tem uma vida de dondoca. Seu pai se acomodou porque também recebe mesada. E você fica aí nessa vida largada, sem objetivos, recebendo sua mesadinha.

Rafael parecia não entender, ou não querer entender. Continuava com o discurso:

— A quantia que minha avó deposita eu uso para dar uma boa vida para nós.

— Eu tenho salário, sempre me mantive. Não preciso de boa vida. Quero que você cresça, se desenvolva. Já é um homem. Você ganha muito pouco.

— O suficiente para viver e pagar as despesas. Está tudo certo.

— Você não pensa no futuro, Rafael? Não pensa numa vida próspera?

— Para que arriscar? Para que dar um passo maior que a perna? Melhor ter pouco hoje do que nada amanhã. E, se nada der certo, tenho o respaldo da minha avó.

— Essa sua maneira de pensar me entristece muito.

Júlia se levantou, passou por ele e foi terminar de se arrumar. Quando saíram de casa, caminharam até o parque em silêncio, cada um envolto em seus pensamentos.

11

Noeli acordou sobressaltada. Passou a mão sobre a testa. Estava empapada de suor.

Ao lado, Valdir remexeu-se e continuou a dormir. Ela sentou-se na cama, procurou os chinelos, calçou-os. Levantou-se e foi para a cozinha. Precisava de um copo de água. Olhou pela janela e o sol tinha acabado de surgir. Olhou para o relógio do micro-ondas e passava das seis da manhã.

— Depois de tantos anos, por que ainda sonho com Mara?

Ela bebericou a água, abriu a geladeira, apanhou o pote de café. Nisso, viu o telefone vibrar sobre a mesa da cozinha. Era Leda. Atendeu.

— Bom dia, Leda.

— Sonhando com Mara?

— Já estou tão acostumada com a sua hipersensibilidade que nem vou perguntar como ou quando soube disso.

— Agora é diferente.

— Diferente como?

— Eu *vi* Mara.

— Como assim?

— Aqui, na minha frente.

Noeli iria deixar o celular escorregar pela orelha, mas susteve a respiração e manteve a postura ereta.

— Então o sonho...

— Foi um encontro. Ela quis se comunicar.

— Ela quer me assombrar.

— Bobagem, Noeli. Está assistindo a muitos filmes de fantasmas ou novelas com espíritos. Nada a ver.

Ela riu do outro lado da linha.

— Desculpe. É que, quando diz que um espírito quer se comunicar...

— É. Todo mundo pensa no pior, no ruim. É a cabeça negativa das pessoas que vê dessa forma. Você criou o filho dela como se fosse seu, deu amor e carinho, ficou de bico calado esses anos todos e nunca revelou a verdadeira identidade do pai. Por que acha que Mara iria querer perturbá-la?

— É, tem razão.

— Ela está um pouco agitada por outras questões. Você pode vir até aqui em casa?

— Claro. A que horas?

— Venha depois do almoço. Tomamos um chá e passamos a tarde juntas. O que me diz?

— Ótimo.

— Duas horas?

— Perfeito.

— Aguardo você.

— Beijo.

Despediram-se e, ao desligar, Noeli não percebeu Valdir sentado com os cotovelos sobre a mesa, segurando a cabeça.

— Estava escutando a conversa dos outros? Coisa feia! — repreendeu Noeli.

— Nada. Acabei de acordar. Você fala alto. Só escutei combinando aí duas horas. Aposto que é com a Leda.

Noeli respirou aliviada. Ainda bem que ele não escutara nada sobre Mara. Ela sorriu e, enchendo a caneca de água para ferver, confirmou:

— É. Vou até a casa da Leda depois do almoço.

— Nós íamos até a casa do Rafael.

— Não. Amanhã eu vou fazer um almoço para ele e para a Júlia. Ah, e convidei o Tales.

— Tanta gente? Por quê?

— Lembra aquele amigo meu, Reginaldo? O médico?

— Esse mesmo. Eu vou promover um encontro, apresentar os dois, quem sabe.

— Nem sabe se o Tales namora, Noeli.

— A Júlia já me passou todas as coordenadas. Tales namorou pouco. Tem uma personalidade forte, trabalha bastante e não gosta de baladas, noitadas e afins. Reginaldo trabalha muito, atualmente está solteiro, também não gosta de sair à noite e prefere rapazes mais novos que ele.

— Vocês, mulheres, são impossíveis.

— Somos. Só queremos ver a felicidade dos outros. Mais nada.

Noeli falou, aproximou-se e sentou-se próximo de Valdir.

— Veja nós dois.

— O que tem?

— Depois de tantos anos, mesmo você se comportando como um homem turrão, teimoso, que não arrisca na vida, tem medo do futuro, continuamos juntos.

Valdir ficou meio sem graça.

— Eu arrisco na vida.

— Arrisca em quê?

— Compramos aquele apartamento na Praia Grande, para pagar em vinte anos. Terminamos de pagar ano passado. Eu arrisquei, não?

Noeli meneou a cabeça para os lados e riu alto.

— Está certo, seu Valdir. O apartamento da Praia Grande foi um grande risco. Você está coberto de razão.

Ela se levantou para apanhar a água fervente e terminar de fazer o café, pensando que, em todos aqueles anos, Valdir não mudara em nada o jeito de encarar a vida.

Às duas em ponto, o porteiro interfonou no apartamento de Leda. Noeli subiu e foi cumprimentada com um abraço efusivo.

— Estava com saudades. Entre, por favor.

— Fazia tempo que não vinha a sua casa, Leda.

— Precisa vir mais vezes.

— Você é muito ocupada.

— A internet tem ajudado bastante. Depois que me aposentei e deixei a matemática de lado, juntei-me a alguns ministros e estamos fazendo um trabalho de divulgação de nossas ideias, em inglês e espanhol. O alcance é enorme e muito eficaz.

— Fico muito feliz. Adoraria ajudar de alguma maneira.

— Você poderia me ajudar a selecionar frases, ideias. Estou montando um blog para divulgá-lo às pessoas que falam português. Será um pouco diferenciado do trabalho feito com os parceiros ministros porque o entendimento da espiritualidade em nosso país é mais amplo, mais profundo, e há uma abertura maior para discursar sobre reencarnação e vida após a morte.

— São temas que muito me fascinam.

— Estudo esses assuntos desde a época em que vivia nos Estados Unidos. De lá para cá, a ciência evoluiu bastante e a cada ano novas provas incontestáveis são apresentadas. A quantidade de estudos, casos, livros, artigos, teses que comprovam a reencarnação está à disposição de todos, seja por meio impresso, seja digital.

— Você já me emprestou livros, gosto muito de aprender sobre as outras dimensões. No entanto, ter o contato com os que morreram ainda me causa medo.

— É natural. O nosso instinto de sobrevivência preza pela vida. Morrer não faz parte de nosso instinto de sobrevivência. E, de mais a mais, a nossa cultura não nos preparou para isso. A morte em si sempre foi vista como algo ruim, triste, como uma separação definitiva. Não nos foram dadas alternativas ou conceitos para poder entendê-la melhor.

— Cresci com uma visão bem aterradora. Quando meu pai morreu, minha mãe entrou em depressão profunda. Foram anos de muita tristeza. Nunca mais montamos árvores de Natal, não comemoramos mais nenhuma data festiva lá em casa. Só depois de adultos, quando saímos de casa, eu e meus irmãos tentamos nos reunir algumas vezes para celebrar. Mamãe morreu triste, sem gosto pela vida. Dizia que, quando papai morrera, a vida dela tinha se acabado.

— Porque ela era dependente dele e não acreditava nas capacidades dela. Ela não se enxergava como uma pessoa única, capaz, que podia ser dona de si, que podia se dar apoio, se amar. Ela achava que precisava dos outros para ser feliz. Era a maneira como ela enxergava a vida.

— Perdeu os melhores anos. Poderia ter se casado de novo, poderia ter feito tantas coisas. Trocou tudo por reclamações, apatia e tristeza.

— Não adianta julgar, Noeli. Cada um é um, é único. Cada um é responsável por si e está onde se põe. Ninguém está errado. Cada um vive o que acredita ser o certo.

— Mesmo sendo uma vida triste e sofrida?

— Mesmo sendo triste e sofrida. Tem gente que acredita que o sofrimento é necessário para o crescimento interior, que, sem sofrimento, a vida não vale a pena, não tem significado. Isso é herança de uma tradição católica muito forte que ainda temos em nossa sociedade. A culpa, o pecado e a dor ainda fazem parte do nosso imaginário de purificação para alcançar o reino dos céus, no caso, o mundo espiritual.

— Eu era um pouco assim, sabe, Leda? Demorei muito tempo para perceber que tinha absorvido muitos conceitos e posturas da minha mãe. Quando fui morar com Valdir e Rafael, que ainda era um bebezinho, vivíamos em um sobradinho caindo aos pedaços. Angelita ofereceu um ótimo apartamento para nós e, num primeiro momento, quase fui contra.

— O seu orgulho estava nublando o seu raciocínio.

— Sim. Achei que ela estava nos comprando, olhava aquela situação com maledicência.

— É. Estava achando que depois viria uma cobrança, um pedido, ou mesmo que Angelita viesse jogar na sua cara o fato de ter lhe dado um teto para viver.

— Sempre pensei nessa cena, nessa discussão entre nós duas.

— O que nunca ocorreu — alegou Leda. — Tudo bem que você e Angelita não são as melhores amigas do mundo, mas ela sempre a tratou com deferência, nunca a tratou mal. É uma boa pessoa.

— É verdade. Ela sempre foi fria comigo, mas nunca mal-educada.

— Vocês não têm afinidades, da mesma forma que ela também não sente lá grandes amores por Valdir.

— A diferença que ela faz entre os filhos é gritante. Um disparate.

— Não concordo com você. Angelita não é obrigada a amar os filhos da mesma maneira. Ela se dá melhor com Helinho. E daí?

— Acho que uma mãe tem que amar seus filhos da mesma forma. É a minha opinião.

— A sua opinião não vai mudar o jeito de Angelita ser. Não adianta ser turrona, Noeli. Melhor aceitar. Já convive com essa situação há tantos anos, por que ainda tem esses repentes de indignação? Só se revolta aquele que sente o mesmo, sabia?

Noeli bateu três vezes na mesinha de centro.

— Eu, hein? Está me nivelando a Angelita? Não temos nada em comum!

— Você é que pensa.

— Bom — Noeli mexeu nos cabelos e trocou as pernas de lugar. — Vim aqui para falar de Mara. Você disse que a viu. Como?

— Ela apareceu aqui. Ontem.

— Do nada?

— É. Geralmente os espíritos aparecem do nada, Noeli.

— Ela está bem?

— Está. Pareceu-me tranquila, bem feliz, se quer saber.

— Não sei se ficaria desse jeito. Mesmo depois de tantos anos, é difícil aceitar.

— Você está vendo a situação com os olhos humanos, com drama. Está vendo uma pessoa que foi baleada e teve o corpo físico queimado. Cada um morre de um jeito, de uma maneira. E, se quer saber, a morte de Mara pode ter impressionado muita gente, pela forma como foi mostrada às pessoas, mas ela não sentiu nada.

— Nada?

— Nadinha. Ela desmaiou momentos antes de ser baleada. Quando atearam fogo em seu corpo, ela já estava morta.

— Como pode ter certeza?

— Ela me contou ontem. E outra coisa também.

— Mais do que me contara naquela noite?

— Sim. Agora entendo por que ela morreu dessa forma.

— Por quê? — indagou Noeli, curiosa.

— Não vem ao caso, agora.

— Então o que estou fazendo aqui? Não me chamou para conversar sobre Mara? Ela não quer se comunicar?

— Sim. Gostaria de, ao menos, esclarecer sobre a paternidade de Rafael.

Noeli coçou a cabeça, apreensiva. Sentiu medo. Será que Mara estava querendo que a verdade viesse à tona?

— Os espíritos falam tudo?

— Como assim? — indagou Leda, sem entender.

— Não sei. De repente Mara quer que eu fale...

Leda foi gentil nas palavras:

— Ninguém força ninguém. Mesmo que esteja na dimensão espiritual. Mara está bem, em paz. Ela não está aqui para cobrar nada. É a sua cabeça, Noeli, que está dramatizando a situação.

— Meu Deus! Ela vai querer que eu abra o bico e conte a Valdir sobre o verdadeiro pai da criança?

— Mara só disse que não poderá mais aparecer, contudo, afirmou que, se você não contar, a vida vai arrumar um jeito de contar. Porque a verdade sempre aparece, de uma forma ou de outra.

— Ela está me ameaçando — tornou Noeli, nervosa.

— De forma alguma. Foi um comunicado, um toque. A maneira como você está recebendo fica por conta da sua imaginação. Pelo que estou percebendo, Mara conversou muito mais coisas com você naquela noite. Está na hora de pensar na possibilidade de conversar com seu marido a respeito.

Noeli gelou. Nem queria voltar os pensamentos àquela noite. Disfarçou e disse, de supetão:

— Não acho justo, depois de todos esses anos, estragar a vida dos dois, do Valdir e do Rafael.

— Oras, por quê?

— Helinho nunca quis saber do menino. Aliás, tem verdadeiro asco do sobrinho-filho. Nunca gostou de crianças. Está solteiro até hoje, divertindo-se, namorando, viajando o mundo. Ainda é desejado pelas mulheres.

— Será? Fez tantas plásticas que parece outra pessoa.

— Bom, mesmo plastificado, tem dinheiro.

Leda fitou um ponto indefinido da sala. Noeli não gostava quando ela ficava desse jeito.

— O que foi? Por que ficou desse jeito?

— Nada.

— Você viu alguma coisa. Foi Hélio, não?

Leda assentiu.

— Ele é irresponsável, não mudou nada. Muito pelo contrário. Os anos passaram e ele insiste ser um garotão. É triste ver um homem de meia-idade querer se comportar como um molecão, recusar-se a envelhecer. Hélio vai sofrer muito se continuar a não aceitar que todos nós envelhecemos. Faz parte de nossa natureza.

— Voltou a aplicar silicone. E botox.

Leda fez uma negativa com a cabeça e considerou:

— Rafael não tem nada de Hélio.

— Ainda bem!

— O convívio com Valdir fez essa semelhança não ficar tão evidente. Rafael incorporou muito de Valdir na personalidade, nas crenças e na postura.

— Helinho leva uma vida errada, vive de falcatruas. Acho bom meu filho não se espelhar no tio — desdenhou.

— Você é preconceituosa e arrogante — considerou Leda.

Noeli arregalou os olhos.

— Pegou-me de surpresa. Você é espiritualista, é uma pessoa ética. Como pode apoiar a maneira como Helinho leva a vida? É errado, não condiz com os valores espirituais.

— Você está confundindo espiritualidade com valores do mundo. Espiritualidade é cultivar os próprios valores, ser você mesma, desenvolver seus potenciais, assumir a sua força e seguir o seu caminho, de acordo com os anseios da sua alma, independentemente de o caminho trilhado ser certo ou não aos olhos dos outros. Não nos cabe julgar ninguém, porque o julgamento não faz parte de quem é espiritualista. Se você julga, não é espiritualista, tampouco espírita ou cristã.

— Mas o que ele faz é errado.

— De acordo com os seus conceitos. Helinho acredita que está fazendo o melhor que pode. É a lei dele, a verdade dele. Olhe bem, alguns anos atrás, quando uma mulher desejava ser atriz, ela era espezinhada pela família e pela sociedade. Era até comparada a uma prostituta. Os artistas, em geral, sofreram muito no passado para poderem levar a arte ao público, para se firmarem como atores, bailarinos, pintores, desenhistas, modistas, escritores. A sociedade só aceitava médicos, advogados e professores. O resto era visto com olhos de descaso. E, hoje em dia, ter um filho artista é motivo de orgulho para uma família.

— É verdade. O filho de uma amiga nossa conseguiu uma ponta numa novela e estão todos vibrando de contentamento.

— A sociedade muda e os valores também. Todavia, o indivíduo nasce com potenciais que só ele deve decidir se vale a pena ou não serem burilados, desenvolvidos e explorados. Rafael tem potencial para desenvolver outras atividades, no entanto, preso à ilusão de uma profissão que lhe transmita segurança, vive com as habilidades apagadas, amortecidas, loucas para serem despertadas.

— Tem razão. Rafael é um rapaz que poderia conseguir muito mais, mas se prende em razão do medo do futuro. No entanto, deixemos para falar sobre isso em outro momento, porque Mara é quem me interessa.

Leda serviu-se de um pouco de chá, pousou a xícara sobre a mesinha e tranquilizou-a:

— Mara está bem, pode acreditar. Vive em uma cidadezinha extrafísica próximo do nosso planeta porque é muito grata à ajuda que lá recebeu. Ela quer que Rafael saiba toda a verdade.

Noeli sentiu um frio imenso na barriga. Respirou fundo.

— Eu preciso me preparar para contar. Não será assim da noite para o dia.

— Mara diz que você terá um tempo e, depois desse tempo, se não contar, vai arrumar outra maneira de tudo se ajeitar.

— Ela não pode aparecer do além e fazer essa pressão — Noeli estava nervosa.

— Calma. Ela só quer que você revele algo que deveria ter revelado há anos. Nada mais justo.

— Ainda não.

Leda fitou-a e, com a intuição afiadíssima, indagou de súbito:

— Tem alguma coisa que você me escondeu nesses anos todos?

Noeli quase deixou a xícara de chá ir ao chão. Procurou ocultar o nervosismo. Gaguejou ao responder:

— Nã... Não.

— Se Mara apareceu aqui e está fazendo, digamos, certa pressão, é porque naquela noite a conversa foi mais delicada e profunda do que tudo o que você me contou.

Noeli começou a tremer. Leda percebeu e, delicada como sempre, amenizou:

— Calma, não precisa me dizer nada. Sou discreta e nunca lhe perguntaria. Contudo, se Mara veio até aqui para lhe pedir esse favor, é porque os envolvidos precisam dessa revelação para fazerem novas escolhas de vida. Em todo caso, ela pediu para agradecer a você tudo o que fez por Rafael. Comentou que não teria educado o menino de maneira melhor, que você, de fato, é a mãe dele — concluiu, a fim de tranquilizar Noeli.

Noeli agradeceu mentalmente por Leda não querer forçá-la a ir além. Ao mesmo tempo, sentiu um frêmito de emoção pelas palavras gentis de Mara.

— Sempre o amei, desde o parto.

— Mara reconhece e valoriza isso. Ela lhe quer muito bem. Estará sempre vibrando para inspirá-la nos momentos difíceis.

— Nossa vida está indo muito bem.

Leda exprimiu um sorrisinho. Não tencionava dizer mais nada. De nada adiantava fazer algum comentário, pois Noeli poderia se deixar impressionar e criar uma aura de medo e insegurança. Se isso fosse criado, Mara não teria como lhe enviar pensamentos de força e coragem para tomar a decisão mais acertada. Era conveniente Leda falar somente o necessário. E vibrar positivamente por todos eles.

12

Na cidadezinha astral, próximo ao nosso planeta, Mara caminhava, com certa ansiedade, por uma alameda. Nem prestara atenção às flores que foram trocadas e nas árvores que foram replantadas recentemente ao longo daquele caminho que ela fazia havia mais de vinte anos, desde quando fora atraída para lá.

A cidadezinha, muito semelhante a Nosso Lar, era comum. Comum demais da conta. Bem simplesinha, com casas modestas, térreas, de cor bege. Se não fossem as flores ladeando as alamedas e as muitas árvores, a cidade poderia receber o nome de cidade bege, ou cidade marrom. Os habitantes não eram muito ligados em cor. Eram pessoas um tanto apagadas, entristecidas, que haviam saído de seus infernos interiores, aceitado a continuidade da vida depois de anos de chilique e revolta, e ali se propunham a estudar o bê-á-bá da espiritualidade, o basicão.

Os instrutores, homens e mulheres de atitudes serenas, gestos modestos e sempre sorridentes, eram bem pacientes. Ensinavam tudo sobre Espiritismo, em módulos semelhantes aos ensinados em centros kardecistas tradicionais, mas com muito mais liberdade. Não havia patrulhamento ideológico e os instrutores podiam ensinar as verdades da vida sem medo de serem criticados.

Depois de passar pelo básico, os alunos eram convidados para outros cursos, palestras e muitas orações. Não era um lugar muito alegre. Era bem calmo, parecia que o tempo ali demorava a passar. Era ideal para espíritos que, aparentemente, nunca haviam tido contato com questões de vida depois da morte.

Ninguém ali morava sozinho. Às vezes, alguns casais que se formavam podiam ter direito a viver em uma casinha só para eles. Na maioria dos casos, havia um coordenador responsável pela casa, e seis pessoas dividiam os quartos no imóvel. Geralmente eram três quartos. Duas pessoas dormiam em cada quarto.

Mara foi direto para casa e encontrou o coordenador de saída.

— Olá, Esperidião.

— Já voltou da Terra, Mara?

— Prometi que ia dar um pulo. Precisava dar um aviso para a mãe de Rafael.

— Passou a mensagem?

— Fiz o que deu para fazer. Agora é entregar nas mãos de Deus.

— Gostei! — Esperidião sorriu. — Está ficando mais desprendida.

— Meu intuito é ajudar. E nem me vejo mais como mãe. Os anos passaram, compreendi muita coisa. Ah, e antes que me esqueça, fui com dois assistentes, tudo conforme o protocolo.

— Isso mesmo. Nada de sair sozinha por aí. Ainda mais você, que não tem total domínio dos pensamentos. Qualquer hesitação e pode se tornar presa fácil para espíritos com maior poder de persuasão.

— Num caso desses, vocês poderiam me salvar, certo?

— Não. Nós não nos metemos. Cada um é responsável por si. Por isso é que damos treinamento de defesa por anos. Você foi treinada por mais de cinco anos antes de dar seu primeiro passeio à Terra. E, nas poucas vezes que saiu, foi acompanhada por guardas. O processo não é tão simples como parece.

— Tem gente que acha que é só pensar num local lá no planeta e pronto. Imediatamente vamos para lá.

— Isso ocorre, de fato. Quem não tem domínio das ideias pode se dar mal. Já quem é forte, dono de seus pensamentos, muito seguro de si, não enfrenta problemas. Pode se locomover à vontade. Esses são poucos.

— Gostaria muito que Rafael soubesse toda a verdade. Ele tem esse direito, não tem? Tem direito a herdar praticamente toda a fortuna da família.

— Tudo depende da cabeça de cada um. Rafael tem cabeça próspera?

Mara balançou a cabeça para os lados.

— Como assim?

Esperidião moveu a cabeça para os lados e sorriu.

— Lembra-se de quando estudamos a Parábola dos Talentos?

Mara assentiu.

— Em resumo, o empregado que tomou as cinco moedas multiplicou-as por outras cinco. Já o que recebeu uma e a enterrou no jardim...

— Sofreu uma reprimenda. Agora entendo — ela sorriu, meio sem-graça.

— Não adianta entregar uma fortuna nas mãos dele se não souber como usufruí-la. Rafael tem cabeça para isso? É um rapaz que acredita na facilidade, confia na vida, não tem medo do futuro?

— Não. Ele foi muito influenciado pelo pai de criação. Valdir encheu a cabeça desse rapaz de caraminholas, de medo e insegurança.

— Só compra medo quem tem medo; só entra na insegurança quem já é inseguro. Valdir não é culpado ou responsável por nada. Se Rafael fosse mais dono de si, não daria ouvidos aos comentários negativos e mesquinhos do pai.

— Não sei.

— Como "não sei"? Não vê o caso da sua amiga de quarto?

— O que tem ela?

— O filho nunca deu ouvido aos comentários do pai. Sempre foi muito dono de suas vontades, seguro de si. Desde pequeno. Isso prova que não somos fruto do meio ambiente. Já nascemos com tendências. O meio ambiente simplesmente ajuda a desenvolver as tendências, para o bem ou para o mal.

— Rafael tem direito à herança toda. Já não chega meu irmão ter surrupiado tudo do meu pai? Fez isso de propósito. Rafael herdou uma casinha caindo aos pedaços.

— Porque Rafael não tem cabeça próspera.

— Defende meu irmão?

— Não defendo ninguém. A vida age de acordo com as crenças da pessoa. Antes de mais nada, Rafael precisará mudar. Se alterar a maneira de olhar a vida, poderemos ajudá-lo a descobrir a verdade, caso contrário, ela jamais lhe será revelada porque não terá nenhuma utilidade para ele. Pelo contrário, vai causar estrago emocional nele e na família toda. Pode estragar a encarnação de todos os envolvidos.

— Quero o melhor. Só quero que a verdade seja revelada.

— Mara — Esperidião a tocou com delicadeza no braço —, nem sempre a verdade é boa para ser ouvida. Nem sempre todos estão preparados para a verdade. Às vezes, é melhor não dizer nada. Tudo não está indo bem até hoje?

— Está.

— Pois bem, se Rafael continuar com essa postura em relação a si e à vida, vai morrer sem saber de nada.

— Depois não vai ser pior? Não vai ficar triste ao descobrir a verdade aqui, saber que foi enganado?

— Imagina! Como ficar triste por algo que não teria condições de suportar, de encarar? Isso é frescura, bobagem moral que a cabeça inventa, só para criar perturbação.

— Eu só queria...

— E pare você também — Esperidião falou de maneira áspera. — Deixe de ser orgulhosa e chata.

Mara arregalou os olhos.

— É. Você quer que ele saiba a verdade. Por quê? Para satisfazer a sua vaidade? Você não faz mais parte da vida deles, não é a mãe dele, já sabe por que o recebeu como filho e até teve o privilégio de saber o que foram na última encarnação. Revelar ou não a verdade é um problema deles. Você não tem nada a ver com isso. Cuide da sua vida.

Ela engoliu em seco e, antes de dizer alguma coisa, Esperidião finalizou:

— Agora entre, vá descansar um pouco. Sua amiga de quarto acabou de chegar do grupo de oração.

Mara assentiu envergonhada e conseguiu articular uma pergunta:

— Ela ainda continua fixada na vingança?

— Sim. Veja se conversa um pouco com ela e tire-a dessa fixação, por ora.

— Está bem, Esperidião. Mais uma vez, muito obrigada por ter me dado a oportunidade de visitar pessoas queridas. E também pelo sermão.

Ele fez que não escutou o final. Considerou:

— Mês que vem, se tudo correr bem, eu vou com você para fazer uma rápida visita a Rafael.

Mara exultou de felicidade.

— Vou poder me aproximar dele?

— Só um pouquinho. Um abraço. Pela última vez. E depois voltamos.

— Tudo bem. Está ótimo!

Mara fez impulso com a perna e beijou o rosto de Esperidião. Entrou contente na casa. Ele mexeu a cabeça para os lados.

— Essas mulheres! Tomam um esfregão e ainda agradecem! Vai entender...

13

No parque, em meio a outras pessoas que caminhavam e corriam, Rafael sentiu leve indisposição e reduziu a caminhada.

— Vou tomar um pouco de água e espero vocês aqui. Podem terminar o circuito sem mim.

— Tudo bem — respondeu Júlia, sem muito entusiasmo.

Tales levantou o sobrolho e percebeu a tensão entre o casal. Quando haviam ganhado certa distância e estavam sós, indagou:

— Desde que chegamos, percebi um clima estranho. Está tudo bem entre vocês?

— Não, não está.

— Adoro você, maninha. Direta feito bala de bandido.

Os dois riram.

— Aprendi muito com você, Tales. Geralmente um filho se espelha na mãe ou no pai, às vezes nos dois. Eu me espelhei em você. Você sempre foi meu modelo.

Ele enrubesceu, pigarreou:

— Muito me honra você ter seguido minhas orientações. Eu sempre quis que você fosse o oposto de nossa mãe e não absorvesse a brutalidade de papai, embora ele tenha mudado radicalmente nos últimos anos.

Júlia sorriu. Pararam em frente a um bebedouro. Tomaram água e, quando retomaram a caminhada, ela considerou:

— Eu não posso avaliar como papai era. Sei que você o descreve como um homem rude e irascível, cheio de preconceitos e bastante duro. Contudo, como eu era muito pequena quando ele se casou com Shirley, eu só guardo recordações do Rodinei amoroso, compreensivo, que me colocava na cama e lia historinhas até o momento em que eu pegasse no sono.

— Você teve a sorte de ter um outro pai. Também não posso reclamar. Depois que Celina morreu, ele se transformou em outro homem. Creio que a transformação já se iniciara um pouco antes.

— E, quando você diz que sempre desejou que eu fosse o oposto da mamãe, sinceramente, eu não guardo lembranças dela, Tales. Quando você diz a palavra mãe, naturalmente Shirley vem à minha mente. Ela é a minha referência. Eu a considero minha mãe. Acho esquisitíssimo quando olho no meu documento e vejo que o nome da minha mãe é Celina.

— Não guarda nenhuma cena de Celina, nada?

— Não. Por mais que eu tente, não me vem nada à memória. Eu fui tão amada por Shirley e me dei tão bem com ela que, na realidade, Shirley é a minha mãe. Quando você pronuncia o nome de Celina, eu não sinto absolutamente nada. Até o nome me é estranho.

— Estranho mesmo, porque eu também não sinto nada. Desde que ela morreu, eu não tive vontade de ir ao cemitério visitar seu túmulo. É como se ela nunca tivesse feito parte de minha vida.

— Você, que é ligado à espiritualidade, nunca sonhou com ela?

— Não — respondeu Tales, convicto. — Nunca tive sonho, contato, nada. Nunca recebi mensagem. É como se jamais tivesse mantido laços com Celina. Em compensação, tenho um amor imenso por Shirley.

— Eu também. E não saímos de dentro dela.

— Os laços espirituais são mais fortes que tudo. Tenho certeza de que nossa ligação com Shirley não é de hoje, assim como nossa ligação com Maicom.

— Nosso meio-irmão é fofo, não? Sou apaixonada por ele. Claro que você é o preferido dele! Maicom o idolatra.

Os dois riram. Tales a beijou no rosto.

— Gosto de vê-la assim, alegre. Quando começamos a caminhar, você estava com uma ruga imensa entre os olhos. Pensei que sua testa fosse virar uma uva-passa.

— Sinto que a minha relação com Rafael chegou a um momento delicado.

— Por quê? O fato de você ser mais velha atrapalha?

— Não. Pelo contrário. Rafael gosta de se relacionar com mulheres mais velhas. E, de mais a mais, a nossa diferença é pouca, em torno de três anos, não é grande coisa.

— Talvez isso possa ser um ponto a ser levado em consideração — ajuntou Tales.

— Não. O problema é que Rafael não pensa por si. Toma decisão com base no que o pai acha, no que o pai pensa. É como se ele não tivesse sentimentos, entende? Rafael tem medo de arriscar, tem medo de fazer o que gosta. Está vivendo uma onda negativa, de insegurança, de medo do futuro. Eu quero ir para a frente, prosperar, mudar de casa, viajar, crescer na profissão, melhorar em todas as áreas da minha vida, quer dizer, da nossa vida. Ele está emperrado. Tudo o que sugiro para dar um passo à frente, ele rejeita.

Tales respirou fundo. Mirando um ponto indefinido, refletiu:

— Você faz o que gosta, adora sua profissão, é positiva, alegre, acredita nos próprios potenciais, está fadada ao sucesso. Quem escuta a voz interior, a intuição, só pode ter sucesso na vida. Quem vai atrás dos outros, valida a opinião dos outros, entra na perturbação, deixa que pensamentos ruins atrapalhem o raciocínio e o desvia do caminho do sucesso. Fica travado, patina e nada acontece. Ao contrário, as coisas começam a dar errado, tudo começa a ruir. O que ia bem começa a ir mal.

— É o que percebo. Rafael estava indo bem no trabalho, contudo, arrumou implicância com o chefe e, se continuar desse jeito, vai ser demitido. No fundo, creio que ele aja dessa forma porque sabe que, não importa o que aconteça, sempre vai ter o amparo da avó.

— É. Ele não acredita em si e sabe que, dando tudo errado, tem a consideração do pai e o dinheiro da avó para consertar seus fracassos — Tales encarou a irmã e perguntou, de supetão: — Você o ama?

Júlia deu um passo para trás.

— Essa pergunta me pegou de surpresa.

— Não. É uma pergunta simples. Exige somente uma entre duas possíveis respostas: sim ou não.

Júlia não respondeu. Abaixou a cabeça e continuaram a caminhada de mãos dadas, sem falar nada.

Terminado o circuito, aproximaram-se de Rafael e ele convidou:

— Vamos até a casa de minha avó? Ela está oferecendo um almoço à beira da piscina.

— Terei de recusar, meu amigo — respondeu Tales, dando um tapinha nas costas. — Fiquei de passar na casa de meus pais. Meu irmão está com dificuldade em uma matéria no vestibular. Vou ajudá-lo.

— Então nos vemos amanhã lá em casa.

— Sim, estarei no almoço de Noeli. No horário marcado. Quero saber quem é esse amigo que ela quer me apresentar — zombou Tales.

— Noeli e suas armações — ponderou Júlia. — Só ela para fazer esses arranjos.

— Minha mãe quer ver você feliz — rebateu Rafael.

— Eu já sou feliz — retorquiu Tales.

Despediram-se e Júlia sugeriu, animada:

— Vamos passar naquele estande de vendas perto de nossa casa? O apartamento parece bem interessante.

— Não sei. Se for depender de mim, nunca poderemos ter um apartamento daqueles.

— Se crescermos em nossa profissão, poderemos pensar nessa conquista, sim. Vamos caminhando em nossos passos e Deus vai nos intuir a conseguir sempre o melhor.

— Se não intuir, eu peço para minha avó.

— É muito cômodo, Rafael. É ótimo ter dinheiro, saber que vai um dia receber uma herança. Não nego isso e acho que temos de abençoar tudo de bom que a vida nos dá. No entanto, fazer por si também é importante. O sentimento de realização é que move o indivíduo para a conquista da felicidade, para adquirir segurança de si, perceber a força e os potenciais de seu espírito.

— Eu não preciso disso.

— Claro que precisa — Júlia parecia estar envolvida por amigos espirituais inteligentes: — Realizar-se é conquistar o mundo a seus pés. Nascemos para conquistar, para ganhar, para somar, porque somos a expressão da realização divina, somos a mais pura representação da expressão de Deus. E Deus nunca perde. Ele sempre ganha.

Rafael iria rebater, entretanto, as palavras de Júlia saíram de maneira tão intensa e tocaram tão fundo o seu coração que ele não teve como não refletir a respeito. Concordou com a cabeça e foram quietos para a casa de Angelita, cada qual experienciando a vibração positiva daquelas palavras.

Angelita já estava numa fase de idade e de vida em que tudo fazia para agradar o neto. Os anos haviam passado, o mundo de celebridades mudara bastante e ela resolvera ter uma vida mais reservada.

Além de estar cansada do mundo social e superficial a que pertencia, outro dos motivos que a levou a uma vida mais reservada estava nos constantes escândalos em que Helinho estava sempre metido. Se fossem escândalos relacionados aos esquemas fraudulentos de caixa dois e lavagem de dinheiro, até que ela poderia deixar passar, pois tais escândalos estouravam semana após semana. Isso não era problema. Os escândalos, na esmagadora maioria, eram causados por bebedeira, brigas em boate, flagras em motel com travestis, atropelamentos sem socorro à vítima e situações do naipe. Não tinha mês que Helinho não aparecesse com uma nota negativa na imprensa. Já era conhecido como encrenqueiro, bêbado, giletão, e a mulherada já não suspirava como anos atrás.

Havia muitas celebridades no pedaço, disputando no tapa uma notinha, um minuto de atenção, e ficava cada vez mais difícil para ele conseguir um lugar fixo ao sol dos holofotes da fama. Estava até considerando participar de um filme pornô para criar frisson e voltar às manchetes.

Aproximando-se dos cinquenta anos de idade, Helinho era um homem que se recusava terminantemente a envelhecer. Nunca fora fã de malhação e, com o passar dos anos, percebera que a pele começava a ficar flácida e eram necessários exercícios físicos para manter o tônus muscular. Ele preferiu enveredar por um caminho curto e perigosíssimo: aplicar silicone no peito, braços, abdome, nádegas, como se esses procedimentos substituíssem a malhação. Injetara uma quantidade abusiva de hidrogel nas pernas e, indo contra a recomendação médica, aplicava e reaplicava botox no rosto a cada dois meses.

A pele, atacada por tanta química, começava a ficar mais esticada que o normal. Recentemente fizera um preenchimento de silicone nos lábios e considerava realizar uma lipoaspiração. Tudo para tentar manter a aparência de vinte e poucos anos atrás. Algo impossível, louquíssimo de se conseguir. Mas ele queria e insistia. Fazer o quê?

Rafael chegou com Júlia, cumprimentaram a avó e alguns convidados. Angelita não ia muito com a fachada de Júlia. Achava-a pouco para o neto. Fingia, mas Júlia percebia e sentia certo desconforto. Trocou de roupa, colocou o biquíni, passou protetor solar. Procurou uma espreguiçadeira na área da piscina mais longe possível do vai e vem de gente passando e conversando alto. De chapéu e óculos escuros, deitou-se. Rafael veio com um copo de suco:

— Trouxe para você.

— Obrigada — ela pegou o copo.

— Importa-se se eu ficar lá com minha avó e as amigas dela?

— De maneira alguma.

Rafael fez um aceno e se foi. Júlia tomou o suco, ajeitou-se novamente na cadeira.

Meia hora depois, ouviu-se novo burburinho e Helinho chegou, acompanhado de duas moças e um jovem, afetadíssimo. Júlia espantou-se com a aparência de Helinho.

— Agora eu sei que fazem Photoshop nas fotos das revistas — disse ela baixinho, espantada com a aparência um tanto estranha de Hélio, com o lábio inferior inchado e a testa repuxadíssima. Os olhos pareciam querer soltar das órbitas.

— Uma pena! Um homem tão bonito no passado... — e voltou a se deitar.

Helinho cumprimentou as pessoas e, ao passar por Rafael, fingiu não vê-lo. Angelita fuzilou o filho com o olhar:

— Não vai cumprimentar seu sobrinho? — enfatizou.

Ele fez muxoxo, virou-se e fez um aceno.

— Oi, Rafael — disse, de maneira fria.

— Oi, tio.

— Esse é seu sobrinho? — quis saber o jovem afetado. — Que gracinha!

— Vai dizer isso para a minha namorada — Rafael apontou em direção a Júlia, na outra extremidade.

O rapazote sorriu afetado, tirou a camiseta e jogou-se na piscina, espirrando água em quase todo mundo.

— Venha, quero falar com você — Angelita levantou-se e fez sinal para Hélio.

Ele bufou e a seguiu. Foram até um local afastado da piscina. Ela disparou:

— Por que tem de tratar Rafael dessa maneira? E ainda na frente dos outros?

— E daí, mãe?

— Pega mal. Ele é seu sobrinho. Seu único sobrinho.

— Sobrinho. Só.

Angelita tinha vontade de esganar o filho.

— Eu era apaixonada por você. Sempre foi meu predileto. Mas tratar — ela baixou o tom de voz — seu filho dessa maneira me causa revolta.

— Eu nem me lembro disso, tá? Foi um acidente de percurso. E pronto.

— É seu sangue.

Helinho mordiscou os lábios com raiva. O inferior estava tão inchado pelo excesso de silicone que logo começou a sangrar.

— Ele não é nada meu! — Helinho falou com tanta convicção que Angelita deu um passo para trás, de susto.

— Calma!

— Calma, nada.

— Você anda nervoso ultimamente.

— Fico irritado só de ver esse moleque na minha frente.

— Não pode ser assim, meu filho. Não se trata dessa forma um parente.

— Esse moleque não é nada meu. É filho de uma drogada, criado por uma babá e um bolha, um perdedor. Isso é o que esse menino é. E só está aqui, circulando por esta casa, usufruindo do que é meu, porque você está viva.

— Nem que eu estivesse morta! — vociferou Angelita. — Rafael vai herdar tudo. É direito dele circular por esta casa. Um dia, ela será dele.

— Um dia. Muito longe. Muito vago. Lá na frente. Um dia! Hoje é tudo meu. Meu! Compreendeu? Esse fedelho não tem direito a nada.

— Helinho, o que deu em você? A ganância cegou seus olhos? Nublou sua razão?

Ele nada disse. Acendeu um cigarro, soltou uma baforada e deixou a mãe ali, sozinha. Saiu na direção da piscina e foi juntar-se aos amigos, como se nada tivesse acontecido.

Angelita deixou uma lágrima escapar pelo canto do olho.

— Remorso! Puro remorso. Eu dei corda para a criatura e agora ela está ficando mais forte que o criador. Preciso arrumar um jeito de impedir Helinho de cometer maiores atrocidades. Amanhã mesmo, vou conversar com nosso advogado.

Angelita mexeu as mãos nervosa, respirou fundo e, como boa dama de sociedade, voltou para a área da piscina com um sorriso estampado nos lábios, também como se nada tivesse acontecido.

Ela não percebeu, mas, enquanto conversava com Helinho, Mário, em espírito, intuía a esposa a ligar para seu advogado.

14

Tales saiu do parque, caminhou um pouco até alcançar o carro. Percebeu ser paquerado por um rapaz e sorriu. Entrou no carro, mexeu a cabeça para os lados.

— Se fosse em outros tempos, eu até daria trela. Mas estou tão bem comigo! — ele consultou o relógio e deu partida. — Preciso me arrumar em tempo recorde. Shirley já deve estar com a mesa pronta para o almoço.

Ele deu uma piscada para o rapaz, sorriu e acelerou. Estava feliz consigo, com a vida. No caminho, lembrou-se rapidamente de quando era criança, do quanto fora forte e não mudara seu jeito de ser.

Aliás, conforme os anos foram passando e Tales foi fortalecendo sua maneira de ser, tornou-se um homem íntegro, viril, de personalidade marcante. Era muito paquerado pelas alunas e pelas mulheres em geral. Ele era franco, falava abertamente sobre sua orientação sexual e, por conta de sua maneira firme e sincera de ser e de se expressar, não tinha o hábito de namorar. Achava a maneira como as pessoas se relacionavam muito superficial e não gostava de vestir papéis para agradar ninguém. Por isso, preferia ficar só.

Depois de um rápido banho, ele vestiu bermuda e camisa polo, calçou um mocassim e, antes de ir para a casa dos pais, passou em uma floricultura. Adorava levar flores para Shirley.

Assim que estacionou e desceu do carro, Tales encontrou o irmão saindo pelo portão. Cumprimentaram-se com efusividade. Maicom o abraçou e disse:

— Estava morrendo de saudades.

— Eu também.

— Se eu não tivesse dificuldade nos estudos, talvez você só viesse no Natal — protestou.

— Nada disso. Sou professor, dou aulas de segunda a sábado. Só tenho o domingo para descansar e, assim mesmo, passo o dia corrigindo provas, estudando, pesquisando. Vida de professor não é nada fácil.

— Sei disso — respondeu o jovem, sorriso aberto, alegre. — Vou à padaria. Depois, passarei no salão e vou chamar o pai. Voltaremos juntos.

— Está certo.

— Entre logo. Shirley está louquinha de saudades.

Tales sorriu.

— Já vou.

— Ainda bem que não sou ciumento, porque se fosse...

— Ah, moleque. Pare com isso. Eu não saí de dentro da Shirley. Você foi quem saiu.

— Mas ela o ama como se fosse filho dela também.

— Eu também a amo como se fosse minha mãe verdadeira.

— Bom, já volto.

Maicom dobrou a esquina e Tales encostou o portãozinho. Olhou para o jardim bem cuidado, as paredes bem pintadas. O sobradinho onde o pai e a madrasta viviam era bem charmoso.

Depois que Celina morrera, Rodinei perdeu o rumo da vida. Desorientado, com duas crianças para cuidar, não sabia como levar a vida. Shirley, que trabalhava em um salão de beleza ali perto da casa dele — e de certa forma fora a última pessoa da vizinhança que vira Celina viva —, foi quem deu uma força. Força e carinho. Depois amor.

Shirley já achava Rodinei um tipo interessante. Ela ouvira, naquela época, que Rodinei era assediado por algumas mulheres do bairro, porém não saía com nenhuma. Ela nunca soube se aquilo foi verdade ou fofoca, mas se interessou pelo sergipano de cara rústica e ar carente. Ao conhecer Tales, durante o velório de Celina, sentiu que precisava estar perto dele, de Rodinei e da pequena Júlia. Depois do enterro, passou a prestar ajuda, sincera. Cuidava das crianças enquanto Rodinei ia trabalhar.

A afinidade entre ela, Tales e Júlia foi imediata. Logo os três estavam grudados e, mesmo antes de pintar um clima entre ela e Rodinei, Júlia, numa tarde em que chorava de dorzinha de dente, chamara-a de mãe. Shirley derreteu-se toda. Rodinei emocionou-se. Tales percebeu ali que a ligação deles era muito mais profunda.

O namoro engatou, Rodinei chamou Shirley para morar com eles. Ele tinha um temperamento naturalmente alegre, forte e firme. A sua personalidade era marcante e ela, por incrível que pudesse parecer, era capaz de dobrar Rodinei. Com o tempo, ele passou a acatar tudo o que ela dizia. Shirley passou a ser a "chefe" da casa, para deleite de Tales.

Rodinei mudou seu comportamento da água para o vinho. Passou a ser mais doce, passou a demonstrar e expressar suas emoções. A convivência com Shirley o humanizou sobremaneira e ele se transformou em um marido melhor, em um pai melhor, em um homem melhor.

Com o passar dos anos, Rodinei aposentou-se. Sacou o dinheiro do Fundo de Garantia e mais umas economias, mudaram de casa, de bairro, compraram um sobrado bonitinho em um bairro classe média e, para não ficar sem fazer nada, Rodinei transformou em realidade um antigo sonho de Shirley: montou um salão de beleza para ela. Ele administrava o salão. E assim levavam a vida.

Júlia cresceu absorvendo as atitudes positivas da nova mãe; Tales, encantado pela personalidade forte e o amor da nova mãe mais o companheirismo do pai, cresceu um rapaz convicto do que queria e dono do próprio nariz, aceitando a sua condição sexual com tremenda naturalidade. Ele se formou em Letras e era professor em uma escola de prestígio na capital, para orgulho de Rodinei.

Logo que montaram o salão, Shirley engravidou. Maicom foi o maior presente que a vida poderia ter dado a Rodinei. Ele criou o menino com todo o carinho e amor do mundo.

Maicom cresceu uma cópia do pai. Era ligadíssimo em Rodinei. Aprendera muitos valores, era um menino fantástico, estudioso, companheiro, bom filho. Namorava Jessica, uma garota bonitinha, mas mandona, de personalidade marcante. Jessica era espírita e por intermédio dela Maicom estava se encantando com os ensinamentos espirituais. Descobriu e aceitou, com naturalidade, a sua sensibilidade. Frequentava o centro espírita com Jessica e estudava os fenômenos mediúnicos. Adorava conversar sobre o assunto.

Tales abriu a porta, caminhou até a cozinha e Shirley estava de costas. Ele aproximou-se e sussurrou:

— Oi, mamãezinha!

Shirley deu uma gargalhada, bem típica dela, que enchia o ambiente de uma vibração positivíssima!

— Menino! Queria me pregar um susto, não?

— Queria — concordou, fazendo beicinho e depositando um beijo no rosto. — Você nunca se assusta.

— Nada me assusta. Nem espírito.

— Mulher porreta! Assim que gosto — ele falou e entregou o maço de flores. — Para você.

— Obrigada, querido. Gentil, como sempre.

— Para a minha mãe, eu faço tudo.

Shirley emocionou-se.

— Tales, você e Júlia são meus tesouros. Maicom é meu filho biológico, contudo, às vezes tenho a impressão de que você e Júlia também saíram de mim. Não sei explicar.

— Coisa boa não se explica, se sente.

— É verdade. Porque queremos explicação para tudo, não? O que importa é o que sentimos um pelo outro. Eu amo você e Júlia. E isso basta.

— Desde o dia que você me abraçou no velório. Impressionante. Quando meus olhos pousaram nos seus, eu era criança, não sabia exprimir em palavras, mas hoje sei que era um amor tão profundo, uma coisa tão boa.

Eles se abraçaram emocionados.

— Não sente falta de Celina? — interrogou Shirley, limpando uma lágrima que teimava em cair e ajeitando as flores em um jarro.

— Nem um pouco. Nadica de nada.

— Não acha estranho? Afinal, mãe é mãe. Tem de haver um sentimento.

— Quem foi que disse isso? Deus?

— Não. Reza a lenda, sei lá, Tales.

— Não sou obrigado a amar alguém só por conta do laço afetivo. Eu respeito a memória de Celina. Agradeço por ela ter permitido que eu viesse ao mundo. Sentimento de gratidão, eu tenho. Ponto final. Mais nada. Eu não serei hipócrita e falso comigo mesmo só para fazer o bonitinho para o mundo. Nunca tive uma relação amorosa com Celina. Nunca houve uma demonstração de carinho dela para comigo. Nada. Ela era uma máquina que cuidava de mim, de Júlia, da casa. Um dia a máquina parou de funcionar.

— Júlia era muito pequena e não tem uma recordação dela, tampouco guarda o nome sequer. Mas você tinha dez anos, tem recordações. Não há um momento de carinho guardado nos escaninhos da memória?

— Não. Pelo contrário. Quando eu apanhava do meu pai, ela assinava embaixo, dizia para eu aceitar, me redimir, ficar quieto, porque Rodinei era o pai. Depois, quando eu brigava na escola, a preocupação dela não era saber se eu tinha apanhado, sofrido, sido humilhado, mas se o uniforme tinha sido rasgado, como ela iria justificar meu comportamento para o meu pai. Era uma mulher submissa, apagada, alheia, abobada.

— Coitada.

— Coitada, nada. Cada um está onde se põe. Celina reencarnou com o objetivo de vencer a submissão e acordar para a vida, ser dona de si, ter postura, ter ideias próprias e assumir e bancar essas ideias. Ela não fez nada disso. Levou a vida que acreditou ser a melhor.

— Sabe, o dia que ela morreu, passou lá no salão.

— Você nunca me contou isso — surpreendeu-se Tales.

— Outro dia veio à minha mente. Estava arrumando umas fotos antigas, suas, de Rodinei e havia uma com você, Júlia, seu pai e Celina.

— É uma foto tirada no parque do Carmo. Acho que foi o único passeio que fizemos na vida.

134

— E veio a cena. Sua mãe passou no salão, marcou cabelo e tintura — Shirley fitou o nada e prosseguiu: — Fui atrás dela, disse que poderia mudar o horário e atendê-la naquele momento. Senti compaixão, vontade de ajudar. Não sei explicar, mas ela não me parecia bem.

— Ela nunca estava bem.

— E, tristemente, naquele mesmo dia, foi atropelada.

Tales fitou um ponto indefinido da cozinha. Shirley o cutucou com delicadeza.

— O que foi, querido?

— Celina jamais iria marcar corte e tintura de cabelo.

— Por quê?

— Porque não era do feitio dela fazer isso. Ela era desmazelada, não cuidava da aparência, não fazia as unhas. Eu me lembro que ela andava de chinelos pela casa e tinha os calcanhares rachados. A pele era sem viço. Nunca a vi com maquiagem ou batom.

— Mas ela marcou cabelo e tintura. Conversamos.

— Isso me deixa com uma pulga bem grande atrás da orelha.

— Por quê, Tales?

— Por nada.

— Por favor, não me deixe boiando.

Ele iria falar, mas Maicom e Rodinei entraram na cozinha, falando alto, fazendo algazarra. Rodinei atirou--se nos braços de Tales.

— Filhão, fizemos uma aposta. Amanhã vai dar Corinthians ou Flamengo?

Tales entendia de futebol assim como uma criança de dois anos domina robótica ou física quântica, ou seja, nada.

Para não desapontar o pai, ajuntou:

— Coringão!

Rodinei o abraçou com força.

— Isso, filhão! Vamos ver o jogo juntos. Eu, você e o Maicom.

— Não vai dar, pai. Eu vou almoçar na casa da Noeli amanhã. Se não for, Júlia me mata.

— Na outra semana ele vem, amor — tornou Shirley.

— Vamos almoçar logo porque estou com fome e depois precisamos estudar — comentou Maicom.

— Isso mesmo, garoto — assentiu Tales. — Gramática, redação e literatura.

— A tarde vai ser longa — suspirou Maicom.

Todos riram animados, conversando assuntos os mais diversos. Sentaram-se, Shirley tirou o assado do forno. Fizeram um brinde e comeram com gosto.

15

Mara entrou na casa. Estava tudo no mais absoluto silêncio. Em seu interior, a cor das paredes transformava-se em branco. Todas as paredes eram na cor branca. Havia uma sala de estar com poltrona e duas cadeiras, uma mesa de centro e uma estante com alguns livros; uma pequena cozinha, uma espécie de banheiro para toalete e, depois de um pequeno corredor, os três quartos eram divididos por um jardim central, pequeno, com algumas plantas e flores.

Ela entrou em um dos quartos, e uma mulher, com os cabelos presos em coque, estava deitada com o corpo virado para a janela. Mara chamou baixinho:

— Celina.

A mulher virou-se e, apática, respondeu:

— Oi.

— Como foi lá no grupo de oração?

Ela deu de ombros.

— A mesma coisa.

— Como, a mesma coisa?

— A mesma coisa de sempre. Rezamos, oramos, rezamos e depois oramos. Já conheço a Bíblia de frente para trás e de trás para a frente, se quer saber.

— Como se sentiu hoje, depois que terminou de orar? Não lhe transmitiu bem-estar?

— Na mesma. Olhe meu estado.

Celina estava com o semblante encovado, murcho, olheiras gritantes, os cabelos presos da mesma forma como os usava quando viva, presos em coque, com alguns fios brancos despontando na fronte. O vestido era bem comum, de mangas curtas, indo até a altura dos joelhos. Ela preferia andar de chinelos. Não usava maquiagem, esmalte, nada. Nem um par de brincos. Aliás, estava mais mal-arrumada do que quando vivia com a família.

Mara aproximou-se e sentou-se na beirada da cama.

— Precisa se arrumar. Eu posso dar um trato em sua aparência, dar umas dicas.

— Você também não está lá tão bonita. Estava melhor quando, quando...

— Viva, você quer dizer.

— Digamos que sim. Sei que continuamos vivas, mas você entende o que quero dizer.

Mara sorriu.

— Claro. Na Terra eu arrasava. Aqui, talvez pelo teor energético desta cidade, até que estou bem-arrumadinha. Mas você está um caco, Celina. Eu a conheço faz um bom tempo. Pensei que, ao entrar no grupo de oração, você fosse ficar mais forte, talvez até remoçar.

— Não foi o que aconteceu. Dói muito saber que continuo viva, que nada adiantou ter feito o que fiz.

Mara passou delicadamente os dedos sobre o rosto dela.

— Eu já falei sobre a minha morte, sobre como sofri quando despertei nesta dimensão. Passei um tempo perturbada até que fui conduzida para cá. Eu me lembro do dia em que você chegou, mas nunca conversamos sobre a sua morte. Gostaria de se abrir comigo?

Celina mordiscou os lábios. Fez que sim com a cabeça. Soergueu o corpo e Mara ajudou-a a se recostar na cama, ajeitando os travesseiros em suas costas. Celina começou:

— Antes de chegar aqui, eu sentia vergonha de dizer como havia morrido. Hoje não sinto mais. O grupo de oração me ajudou bastante. E, além do mais, eu também passei um bom tempo atormentada, sabe?

— Tem ideia de quanto tempo?

— Esperidião nunca me revelou. Depois, acho que surtei de vez e comecei a orar. Não parava mais. Estava louquíssima, parecia beata de igreja — as duas riram. — Daí a minha mente fica meio turva nessa hora. Embaralha, nubla e eu me vejo aqui nesta cidade, já limpa, de banho tomado, dormindo neste quarto. Acho que estou aqui há uns dois, três meses.

Mara levou a mão à boca para evitar o gritinho de espanto. Não era possível! Tantos anos haviam se passado e Celina achava que tinha morrido havia somente três meses? Iria conversar com Esperidião a respeito. Em todo caso, para não deixar que Celina percebesse o grau de estupefação, disparou:

— Como você morreu?

— Eu me matei — Celina respondeu assim, sem rodeios.

Mara sentiu-se chocada a princípio, mas procurou dissimular.

— Nossa!

— Descobri que meu marido não gostava de mim. Ele só me via como uma empregada, um objeto, um nada. Nunca me vira como mulher. Daí decidi me vingar dele. E planejei, da noite para o dia, a minha morte.

— Deixou filhos?

Uma pontinha de remorso fisgou o coração de Celina.

— Dois. Um menino de dez e uma menina de quatro.

Mara iria dizer que Celina fora egoísta, que deveria ter pensado nos filhos, no marido etc., mas não quis entrar no julgamento. O estado de penúria em que Celina se encontrava dizia tudo. Ela prosseguiu:

— Quando cheguei aqui, quis ter notícias deles. Nunca me deram notícia alguma. Nada. Eu torci e torço para que meus filhos estejam bem, porque são crianças. Espero que Rodinei tenha encontrado uma empregada para ajudar na arrumação da casa. Eu tenho uma irmã que mora em nossa cidade, Albertina. Ela é boa pessoa. Torço para que ela também esteja ajudando na criação das crianças. Sei que cometi um ato terrível, mas tudo vai se ajeitar.

Mara engoliu em seco. Passou as mãos sobre as de Celina.

— Fique tranquila, vai dar tudo certo.

— Você foi à Terra hoje, não foi?

— Fui.

— Será que, da próxima vez, poderia dar uma espiada nos meus filhinhos?

— Eu precisaria pedir permissão ao Esperidião.

— Nós conversaremos com ele. Tudo o que mais quero, Mara, é ter notícias dos meus filhos. E claro — os olhos de Celina ficaram duros — saber se Rodinei está sofrendo o pão que o diabo amassou. Espero que ele esteja sentindo bastante a minha morte.

— Não pense nisso agora, Celina. Senão, vai começar a passar mal.

— É verdade. Toda vez que sinto essa raiva de Rodinei me dá falta de ar, a garganta fica seca. Me dá um pouco de água, por favor?

Mara levantou-se, foi até uma mesinha lateral e apanhou o jarro com água. Despejou um pouco sobre o copo e o levou até Celina.

— Beba, está energizada. Vai lhe fazer bem.

Celina bebeu um pouco e sentiu-se melhor.

— Boa essa água.

— Vem da fonte lá da praça. É água medicinal. Além de matar a sede, ajuda a restaurar o equilíbrio emocional.

— Vou precisar tomar litros — ela sorriu.

— Quer mais um pouco?

Celina terminou de beber e meneou a cabeça de forma negativa.

— Não. Estou bem.

— Agora volte a orar. Pense em coisas boas. Pense em seus filhos bem, sorridentes, felizes. Pense em você muito bem.

— Vou tentar.

16

Noeli olhou para a mesa com satisfação. Estava tudo pronto para o almoço do domingo. Valdir entrou na copa e sorriu.

— Devia mudar de profissão. De enfermeira, poderia transformar-se em cerimonialista. Que mesa linda! Nem dá vontade de desarrumar.

Ela sorriu satisfeita.

— Gosto de arrumar com capricho. Sempre foi assim, desde que nos conhecemos. Gosto dos detalhes, de arrumar os talheres, colocar flores, fazer com que os convidados se sintam num ambiente agradável.

— Você sempre teve excelente gosto. Até na escolha do marido.

Ela deu um tapinha no ombro dele.

— Convencido! Era o melhor que tinha no mercado, na época.

— O melhor de todos!

Ela continuou com os seus afazeres e apontou:

— Mesa para seis.

— Pensei que Angelita também viesse — ele provocou.

— Engraçadinho! Em todo o caso, se a sogrinha quisesse, poderia vir à vontade. Ela sabe que sempre haverá lugar para ela na mesa.

— Mamãe está menos ranzinza ultimamente. Percebe como ela não pega no seu pé há um bom tempo?

— Por que pegaria? Cuidei do neto dela como se fosse meu filho. Rafael cresceu um menino maravilhoso.

— Tem razão — asseverou Valdir. — Vive com a namorada, daqui a pouco casa, vai ter a vida dele. Cumprimos nosso papel.

Noeli fez um muxoxo.

— Não sei ao certo. Eles namoram há pouco mais de um ano. Acho tudo muito rápido.

— Nós também começamos assim. Em menos de um ano estávamos vivendo juntos.

— É diferente.

— Por quê?

Noeli balançou a cabeça:

— São outros tempos. E, se quer saber, sinto que essa relação não está indo bem.

— Você está louca? Como não? — protestou Valdir.

— Não percebeu nada de anormal ultimamente?

— Não. Nada. Vocês, mulheres, veem o que não existe. Está tudo bem. Júlia é apaixonada por Rafael.

— Não vejo dessa forma.

Valdir exasperou-se. Mudou o semblante. Irritado, apanhou a térmica sobre a pia e serviu-se de café.

— O que está acontecendo e eu não estou sabendo? — quis saber.

— Nada.

— Noeli, para cima de mim? Estamos quase fazendo bodas de prata. Mais de vinte anos juntos e você faz essa cara de sonsa?

— Júlia é uma mulher decidida, de personalidade marcante. Tem um emprego sólido, está crescendo na carreira.

— E o que isso tem a ver com o relacionamento deles?

— Rafael não se motiva a ir para a frente, não arrisca, entende?

— Arriscar para quê? Ele acabou de sair da faculdade. Está num bom emprego.

— Ele ganha uma mixaria. Recebeu propostas bem melhores. Sabia que mês passado ele recusou ganhar três vezes mais do que ganha?

Valdir levantou o sobrolho.

— Três vezes?

— É. Três vezes — Noeli fez sinal com os dedos. — Recusou, por pura insegurança. Porque tinha de mudar de cidade.

— Ah, mas também sou obrigado a concordar com ele.

— Como assim?!

— Claro! Rafael larga tudo aqui e vai para uma cidade que mal conhece? E se der errado? Vai voltar com o rabo entre as pernas?

Noeli girou os olhos entre as órbitas. Respirou fundo para não elevar o tom de voz.

— Rafael é jovem. Acabou de se formar na faculdade. Tem uma vida inteira pela frente. Ele pode arriscar à vontade. Se der errado, tenta outra vez.

— Fácil falar. E vai deixar a Júlia?

— Ela o estimulou, foi a primeira a dar incentivo.

— Não acredito.

— Pois pode acreditar. Júlia tem mentalidade próspera, acredita sempre no sucesso. Ela não pensa no fracasso, no "e se der errado?".

— Contudo, as coisas podem dar errado. É uma possibilidade.

— Se olhar tudo pelo negativo, Rafael nunca vai sair de onde está.

Valdir deu uma risadinha sarcástica.

— Claro que vai. Ele é herdeiro de Angelita. Não precisa arriscar nada. Aliás, acho que ele faz até demais. Se fosse ele, viveria de brisa.

Noeli estava indignada.

— Não posso crer. Quer que seu filho seja um vagabundo?

Valdir deu de ombros.

— Eu ralei tanto, quis ser ético, certinho. Cada dia que passa, só vejo a corrupção aumentar no país. Cada vez mais explodem casos e casos. Meu filho não se meteu com nada ilícito, tem boa índole. Contudo, não precisa viver assim, apertado, indo atrás de emprego, arriscando aqui e ali.

— Tudo bem, ele é herdeiro e acho que tem todo o direito à fortuna que lhe cabe. No entanto, como usar a fortuna de maneira inteligente se Rafael não sabe pensar direito? Ele não pensa por si, é altamente influenciável.

— Não é bem assim.

— É sim, Valdir. Infelizmente, por mais que nosso filho seja um menino de ouro, ele é um fraco. Assim como...
— ela parou de falar abruptamente e foi ver o assado no forno.

Valdir sentiu o sangue subir. Sabia como Noeli iria terminar a frase. Ameaçou:

— Vamos, diga na minha cara, sem rodeios. Rafael é fraco assim como o pai, não?

— Não foi isso que eu quis dizer. Não coloque palavras na minha boca.

— Nem precisa. Só de olhar para a sua cara dá para saber o que você iria falar.

Ele falou e saiu apertando o passo, espumando de ódio. Noeli deixou uma lágrima escapar pelo canto do olho. Murmurou baixinho, lastimando:

— Perdoe-me, Valdir, quase cometo uma loucura. Iria dizer que ele é um fraco como o pai. Mas como o pai verdadeiro, que não teve coragem de assumir...

Noeli sentou-se na cadeira e apoiou os cotovelos sobre a mesa. Deixou a cabeça pender sobre as mãos e o pranto desceu incontrolável. Fazia tantos anos que ela segurava parte dessa revelação! Estava tão atormentada com esse segredo escabroso, que não sabia mais como controlar as emoções. Precisava conversar com Leda. Talvez a chamasse para o almoço.

Ligou e Leda atendeu:

— Adoraria almoçar na sua casa.

Noeli riu, enquanto limpava uma lágrima.

— Só você para me deixar assim, mais calma e alegre.

— As energias chegam até mim antes mesmo de eu ter contato com as pessoas. Por isso já sabia o que aconteceu há pouco entre você e Valdir.

— Foi uma discussão extremamente desagradável, Leda. Eu quase abri o bico.

— Eu avisei que Mara quer que a verdade seja dita.

— Por quê? Depois de tantos anos! Rafael é homem feito. O máximo que poderá acontecer... — Noeli fungou e não continuou.

— Seria Valdir revoltar-se?

— Sim. Ainda não sinto que seja o momento. Tenho medo até de nos separar por conta da revelação desse segredo.

— É um risco. A separação sempre vai ocorrer, seja por uma decisão de uma das partes, seja por conta da morte. Saia da ilusão de que viverão juntos até que a morte os separe, Noeli. Viva o hoje, o agora, o possível.

— Eu menti para ele.

— Não. Você omitiu. Qual é o problema? Se Mara não quis contar para ele, paciência. Se Helinho não quis falar com ele, também paciência. Sabe, Noeli, creio que na vida nada acontece ao acaso. Está tudo certo. Valdir aceitou Rafael como filho, amou esse menino e desenvolveu, cultivou a paternidade, estreitou os laços de amizade, carinho e afeto entre ambos. O objetivo da vida foi cumprido. Se a verdade tivesse sido revelada lá atrás, será que Valdir aceitaria criar o menino? Será que seria o pai maravilhoso que se tornou? Talvez desperdiçasse a encarnação por conta do orgulho, do capricho e do preconceito.

— Tem razão. Do jeito que Valdir é orgulhoso, não criaria o menino. Tenho certeza disso.

— Pois bem. Você fez tudo certo. E, quando alguém lhe conta alguma coisa, seja uma historinha ou o maior segredo do mundo, cabe a você, somente a você decidir se deseja compartilhar ou não. Não se esqueça de que você não é obrigada a nada, a não ser estar bem consigo mesma.

— Às vezes me sinto atormentada. Depois que Mara apareceu, é assim que me sinto.

— Ela não veio para pressionar você. Só disse que gostaria que a verdade fosse dita. E, se você não contasse nada, a vida tomaria um jeito de ela ser revelada. Não vejo como pressão. E Mara nunca mais voltou. E creio que nunca mais vai voltar a lhe procurar.

— Será?

— Não sinto. O que sinto — Leda foi de uma franqueza total — é que você está escondendo algo.

Noeli gelou.

— Não.

— Se Mara não a pressionou, não serei eu quem fará isso. Sou sua prima, amiga. Estarei aqui para ouvi--la, o dia que quiser, a hora que for.

Noeli sentiu-se melhor.

— Obrigada. No entanto, o que faço com essa voz que me azucrina? É uma voz que fica em cima de mim, cobrando, dizendo que eu deveria ter dito ao Valdir a verdade, que eu não fui sincera, que eu não sou uma mulher de confiança.

Leda sorriu do outro lado da linha.

— Entendi. Você alimentou, ao longo dos anos, um sentimento de culpa. Esse sentimento ficou tão grande que acabou tomando forma, como se fosse uma massa pesada que se concentra sobre sua cabeça, pressionando você, dizendo coisas negativas, incitando medo.

— É isso mesmo. Me dá aperto no peito, sensação desagradável.

— Tudo o que vem da mente é ruim. Não se esqueça disso. E tudo o que vem da alma é bom, alimenta o espírito e nos move para a frente.

Noeli refletiu por instantes.

— Acho que essa emoção nubla a minha alma.

— Por certo. Pensamentos perniciosos, medo, raiva, emoções negativas geralmente fazem com que percamos o contato com a alma. Gostaria de reverter isso e ficar bem?

— É possível?

— Tudo é possível. É só querer.

— Adoraria.

— Depois do almoço, quando os convidados forem embora, faremos um exercício para você se livrar dessa voz perturbadora.

— Oh, Leda! Venha logo para esse almoço.

— Vou me arrumar e daqui a uma hora estarei aí.

— Obrigada.

— Beijo.

17

Celina continuava apática e sem estímulo para fazer nada. Por mais que participasse do grupo de oração e tivesse a companhia agradável de Mara, assim como as orientações positivas de Esperidião, continuava triste, cabisbaixa, sem vontade de viver.

Esperidião encontrou-a sentada no jardinzinho interno da casa, com um livro sobre o colo, aparentemente cochilando. Ele sussurrou:

— Olá, Celina.

Ela levantou a cabeça e abriu os olhos, surpresa:

— Oi. Estava lendo, peguei no sono.

— Não está gostando do livro?

Ela meneou a cabeça negativamente.

— Para ser sincera, esses assuntos sobre vida e morte, reencarnação, espírito e afins são enfadonhos. Me cansam um pouco.

— Mas é a nossa realidade. Você morreu e continua viva, em espírito. Só o corpo físico morreu. Tudo permanece do mesmo jeito, só que em outra dimensão.

— É — replicou ela, sem muita convicção. — É desestimulante saber que a vida é eterna.

Esperidião sorriu e sentou-se ao lado dela.

— Discordo de você. Acho fascinante saber que a vida é eterna. Poderei viver e morrer inúmeras vezes, trocar de corpos quantas vezes quiser, viver várias vidas, em vários países, mundos, conviver com um monte de gente diferente, nascer homem, mulher, desenvolver os potenciais latentes do meu espírito e, a cada vida nova, conquistar um pouco mais de felicidade.

— Felicidade? Desconheço o significado.

— Porque você, há muitas vidas, não dá importância ao que sente; ao contrário, vive em função do que os outros acham o que seja melhor para você. Nunca permitiu ter vontades. Fechou-se porque se sentiu traída, abandonada e acabou com sua exuberância.

— Fala de outras vidas como se fosse verdade. Eu não me recordo.

— Não se recorda porque seu corpo mental naturalmente bloqueia essas recordações, por questões de traumas. E, além do mais, também não importa se recordar da vida passada.

— Não? Pensei que fosse essencial para eu descobrir a causa de tamanha tristeza.

— Mesmo que a tristeza tenha tido um pico em alguma vida lá atrás, você está triste e deprimida hoje, agora. O que importa é o momento atual. Portanto, a sensação é que importa ser trabalhada e não reviver a situação que originou a tristeza. O que acha de trabalhar essa tristeza agora mesmo?

Celina fez um gesto vago com a mão.

— Não tenho vontade, por ora.

— Respeito a sua vontade. Quando quiser, estarei à disposição.

— Esperidião, gostaria de lhe pedir um favor.

— Claro. Qual é?

— Gostaria de ver meus filhos.

— Por quê?

Celina deu de ombros.

— Morri faz pouco tempo, sei que fui egoísta, que deveria pensar neles antes de fazer o que fiz.

— Por isso sua mente anda tão atormentada. Seu raciocínio não está tão bom.

— Tudo por culpa do que fiz. Sei que é pecado cometer — ela baixou o tom de voz — o suicídio.

— Cada um manda na própria vida e tem o direito de fazer dela o que bem entender. Na verdade, a pessoa morre quando o espírito quiser. De certa forma, está tudo certo diante dos olhos espirituais, porque, se não fosse assim, Deus não permitiria, não deixaria que isso ocorresse.

— Pensando assim...

— Veja bem, Celina. Ninguém nunca cobrou nada de você pela maneira como você morreu. Quando aqui chegou, foi bem tratada. Quem cobra e se atormenta é a própria pessoa.

— Como já disse antes, acho que fiz uma tremenda besteira.

— Fez o que achou melhor na época. Deixou-se levar pela vaidade, pela raiva. Não parou para refletir. Não tinha condições de pensar diferente. Ou tinha?

— Não, não tinha.

— Então. O grau de sofrimento de quem se mata está relacionado às crenças e atitudes dessa pessoa. A esmagadora maioria sofre horrores porque carrega consigo as culpas, porque percebe logo em seguida que a vida não acabou. Na verdade, quem se sente culpado só está dando uma única informação ao próprio espírito: "Tenho que sofrer, tenho que pagar", e o espírito obedece.

— E se eu não fizesse parte, digamos, dessa esmagadora maioria e não me culpasse?

— Os casos são raríssimos, mas existem. Quem não se culpa e acha que tem o direito de morrer chega bem aqui no astral. É o que acontece com pessoas que estão com doenças terminais, à beira da morte e decidem ter a morte assistida, por exemplo.

Celina refletiu por instantes.

— Se eu pensar dessa forma, quem morre doente também está se matando.

— Bela observação! — ponderou Esperidião. — A doença, no fundo, tem causa emocional; a causa está relacionada ao que a pessoa faz contra si, como culpas, mágoas, ódios, revoltas, autocríticas, punições severas contra si mesma. Toda vez que uma pessoa se critica ou se pune, está ferindo, digamos, a própria aura. Fazendo isso sistematicamente, com o tempo, ocorre o que se chama de somatização, ou seja, aquela emoção negativa aloja-se em um órgão do corpo, adoecendo-o.

— Quem come demais, quem bebe demais, quem fuma demais...

— Por isso digo que temos de refletir melhor acerca do suicídio. Melhor cuidar da nossa saúde espiritual. Não acha?

— Concordo, Esperidião. Entretanto — Celina pigarreou —, segundo o que li e ouvi em palestras aqui, no meu caso em particular, eu deveria sofrer alguns anos, não porque "deveria" sofrer, mas porque o meu desequilíbrio era tanto que, ao me descobrir viva, deveria pirar, surtar. Naturalmente, entraria em um estado louco de sofrimento, arrependimento. Aprendi nas palestras que ninguém condena ninguém. É a gente que se condena.

— Isso mesmo, Celina. Aqui não julgamos ninguém. Só acolhemos e ajudamos a se recuperar.

— Interessante que morri há alguns meses e já estou aqui, em franca recuperação. Não surtei, não entrei em desequilíbrio. Sou um caso raro de suicida, não?

Esperidião sorriu para que Celina não visse o espanto no semblante.

"Mais de vinte anos no mundo astral, sendo que ficou quase quinze anos atormentada no umbral. E ela não se recorda. Impressionante a capacidade de bloqueio que Celina tem para fugir das próprias responsabilidades", pensou, enquanto ela, um pouco menos apática, considerava:

— Tales tem dez anos e Júlia tem quatro. O Rodinei não tem estrutura para lidar com a educação das crianças, com o dia a dia delas. Sei que minha irmã Albertina talvez desse uma ajudazinha, mas não nos dávamos bem. Ela é orgulhosa, prepotente e muito provavelmente não vai querer ajudar. Estou preocupada com a criação delas. Será que não seria permitido a mim visitá-las, nem por uns minutos? Só para matar as saudades.

Esperidião pensou rápido.

— Vou conversar com nossos superiores. Sabe que aqui é um posto de tratamento. Somente quem vive em cidades extrafísicas, com total domínio dos sentimentos e emoções, é que pode, de vez em quando, fazer uma visita à Terra.

— Soube que Mara visitou o filho — protestou Celina. — Por que ela pôde e eu não posso?

— Porque Mara está aqui há mais tempo que você. Ela já poderia ter ido embora deste posto de tratamento. Está aqui porque quer, porque gosta. Mara tem condições de partir para outras cidades astrais, mas sentiu-se tão grata com o carinho e acolhimento recebido neste posto que foi ficando. Ela já domina bem os sentimentos, tem posse de si. Por essa razão, de vez em quando, tem permissão para ir à Terra. E, quando isso ocorre, ela vai acompanhada de guias. Jamais vai sozinha.

— Hum — Celina fez um grunhido e não se convenceu muito da explicação. — Bom, se eu melhorar minha apatia, dedicar-me mais aos estudos, promete que me levará até meus filhos?

— Prometer eu não prometo. Vamos avaliar a situação, com o tempo.

— E se eu quiser ir por conta própria?

— Não seria recomendado, Celina.

— Por que não? Por acaso isso aqui é uma prisão?

— De forma alguma. Ninguém é submetido a nada aqui. Simplesmente somos disciplinados, seguimos ordens, regras, para que haja harmonia. Só isso. Se você quiser sair, é livre, desde que saiba o que vai enfrentar lá fora.

— Vocês falam de uma maneira que nos intimidam, metem medo.

— Não. Falamos a verdade. É como se você, morando numa metrópole, fosse atravessar um beco escuro, tarde da noite, sabendo ser ele frequentado por drogados, marginais e assassinos. Você passaria por esse beco?

— Claro que não. Não sou boba. Fatalmente seria assaltada. Ou coisa pior!

— Pois bem. O astral é feito da mesma forma. As dimensões paralelas não são diferentes do mundo físico. Há lugares bons e ruins. As pessoas morrem e continuam do mesmo jeito na dimensão espiritual. Isso quer dizer que no astral há gente boa, educada, generosa, cooperativa, do bem, mas também há gente que sacaneia, tenta passar a perna no outro, rouba, sequestra, inferniza.

— Só não mata — ela ironizou. — Porque já estamos mortos.

— Você é que pensa. Há maneiras de você ser morto no astral, sim.

— Como?

— Há espíritos muito inteligentes, que desenvolveram técnicas avançadíssimas, capazes de fazer o espírito perder totalmente a consciência. De certa forma, isso é morrer. Porque, sem consciência, você não é nada.

Celina sentiu um tremor pelo corpo.

— Cruz-credo!

— E, se você tentar sair daqui do posto sozinha, poderá cruzar com todo esse tipo de gente, desde gente boa até esses especializados em capturar e aniquilar a consciência de espíritos indefesos.

Celina mordiscou os lábios e refletiu bastante sobre tudo. Mas, lá no fundo, queria porque queria ver seus filhinhos. Nem que fosse por alguns minutos. E iria pedir ajuda a Mara.

— E se Mara não me ajudar — disse para si, depois que Esperidião a deixou só, no jardim — eu correrei o risco de ir sozinha. Já me falaram que é só mentalizar os filhos, com bastante força, e logo serei atraída para o local onde eles estiverem. Eu vou conseguir.

18

Faltavam dez para uma quando Leda chegou. Era a última convidada que faltava. Rafael e Júlia estavam sentados lado a lado. Valdir, esforçando-se para mostrar que estava bem, procurava conversar com o filho e a namorada, evitando olhar para Noeli. Tales fora apresentado a Reginaldo e o papo fluía de maneira agradável. Leda cumprimentou a todos e, antes de se sentar, Noeli a levou discretamente até a sala.

— Não via a hora de você chegar.

— A massinha cinzenta continua forte sobre a sua cabeça?

— Parou um pouco de me atormentar.

— Senti um clima pesado quando cheguei. Partia de Valdir.

— Desde que discutimos, não olhou mais na minha cara. Os convidados chegaram e ele me evita.

— Alguém percebeu alguma coisa?

— Não. Tales e Reginaldo se enturmaram logo de cara. Júlia percebeu alguma coisa, mas é discreta e reservada. Ficou na dela. Rafael não percebeu absolutamente nada. Está conversando com Valdir.

— Fique calma. Isso passa.

— Não sei. Acho que a última vez que vi Valdir nesse estado foi no dia em que Mara invadiu o trabalho dele.

— Valdir está se aposentando, começa a vislumbrar a vida na maciota, sem esforço.

— Ele sempre foi contra. Lutou contra a família, era cheio de ideais.

— O tempo passou, ele se acomodou. Deixou-se levar pela negatividade do mundo, entrou no drama da humanidade. Acha que só os corruptos é que se dão bem na vida. É filho de mãe rica, sabe que vai herdar parte daquela herança. A perspectiva de muito dinheiro no bolso muda a visão de muita gente.

— Ele está se deixando corromper.

— Não veja por esse ângulo. Valdir tem os valores dele. Só isso. Você está sendo julgamentosa, está sendo, na verdade, preconceituosa.

Noeli levou a mão à boca.

— Eu?! Preconceituosa?

— Sim. Tudo é pura vaidade da sua parte.

— Como ousa, Leda? É minha prima e minha melhor amiga. Não acredito que esteja sendo contra mim.

— Não estou. Estou falando a verdade, sendo sincera. Você dá muita importância ao que os outros fazem, às atitudes dos outros. Por que fica regulando as atitudes do Valdir?

— Ora, porque ele é meu marido.

— E daí?

— Ele me deve satisfações.

— Noeli, o que é isso? Será que estou no tempo certo? Estou falando com você mesmo? Estamos no século 21? Ou estamos em 1970?

— Ele não pode tomar decisões assim, sem me consultar.

— Você está sendo presunçosa e arrogante. Escondeu uma informação por anos, que poderia mudar o destino de todos vocês. E agora vem cobrar postura do seu marido?

— É diferente.

— Diferente nada. Valdir pode ser molengão, maria vai com as outras, mas é o jeito dele. Se quer ficar com ele, fique porque gosta. Não queira mudá-lo. Você tem que ficar com ele porque gosta e não ficar caso ele fosse "mais assim, mais assado, mudasse, falasse mais baixo, se comportasse de maneira diferente, comesse do jeito que você quisesse..." e coisas do tipo. Quem ama não faz cobranças. De nenhuma espécie.

Noeli engoliu em seco.

— Eu o amo. Mas ele é turrão.

— Faz mais de vinte anos que ele é turrão. Ou continua amando o turrão, ou parta para outra. No entanto, mudar o outro para você ficar bem? Isso é falta de respeito, é falta de dignidade com você mesma e com o próximo.

— Agindo assim, ele me faz infeliz.

— Então se separe. Ninguém tem de preencher nossas necessidades, a não ser nós mesmos.

— Então eu me casei para quê?

— Para desenvolver a sua habilidade de amar, de demonstrar carinho, compreensão, paciência. Só isso. E, acima de tudo, o grau de liberdade. Porque, quanto mais gostamos de alguém, mais livre deixamos a pessoa ser.

— Então eu nunca amei meu marido.

— Está na hora de aprender. Nunca é tarde — Leda consultou o relógio. — Vamos almoçar. Os convidados nos esperam. Depois voltaremos para fazer um exercício e conversar um pouco mais.

Noeli baixou os olhos e foram para a copa. Valdir olhou de relance para ela e percebeu que Leda falara algo que incomodara profundamente sua mulher. Ele sorriu para Leda e convidou:

— Sente-se aqui conosco.

— Obrigada.

Leda ajeitou-se entre ele e Rafael. Conversou com eles e, de vez em quando, seus olhos encontravam-se com os de Noeli. Percebia que a prima refletia sobre muito do que tinham conversado havia pouco.

Logo depois de servidos a sobremesa e o café, Rafael e Júlia despediram-se e foram embora. Valdir despediu-se dos demais para um cochilo. Noeli e Leda despediram-se de Tales e Reginaldo, e voltaram para a cozinha.

— Vamos terminar de ajeitar as coisas, descansar e depois faremos o exercício.

— Não sei se quero fazer, Leda.

— Nada de cara amarrada. O exercício não tem nada a ver com o que conversamos na hora em que cheguei. Agora vamos tratar de você.

Noeli fez sim com a cabeça. Leda procurou animar o ambiente.

— Gostei de Tales. Personalidade forte. É um rapaz que vai fazer muito sucesso, vai se dar bem em todas as áreas da vida, inclusive na afetiva.

— Eu fiz este almoço para apresentá-lo ao Reginaldo.

— Eles têm ligações afetivas passadas.

— Mesmo?

Leda fez sim com a cabeça.

— São maduros, sabem o que querem. Demoraram para se encontrar porque precisavam estar com carreiras sólidas, bem posicionados na vida. Logo vão viver juntos.

— Eles poderiam ter se conhecido há mais tempo. Reginaldo é meu amigo desde que Rafael nasceu praticamente.

— Tudo a seu tempo, Noeli. As coisas acontecem no seu devido tempo. Nem antes, nem depois.

— Formam um belo par. Um professor e um médico.

— É. E vão contribuir muito com a sociedade.

— Parece que Rafael e Júlia saíram daqui bem melhor.

O peito de Leda se fechou, mas ela não queria preocupar Noeli naquele momento. Enquanto apanhava o pano para enxugar a louça, apenas disse:

— Sim, parece.

Tales e Reginaldo desceram e, ao alcançarem a rua, Tales convidou:

— Gostaria de estender a conversa?

— Adoraria. Faz muito tempo que não me sinto tão à vontade com alguém. Parece que o conheço há anos.

— Senti a mesma coisa. Temos muita afinidade — Tales falava sem tirar os olhos dos de Reginaldo.

— Vamos descobrir todas elas — provocou Reginaldo.

— Que tal um café? Conheço um lugar ótimo no Baixo Augusta.

— Adoro andar por lá.

— Vamos no meu carro.

— Por que no seu? O meu está logo ali — apontou.

— Gosto de conduzir. Eu dirijo e você fica à vontade para fazer o que bem entender.

Reginaldo sorriu malicioso e entraram no carro rindo e gesticulando. Estavam felizes.

Depois de arrumar a cozinha, Noeli e Leda foram para a sala.

— Valdir deve estar no quinto sono. Não vai acordar nem com rojão de comemoração de gol.

— Ótimo! — tornou Leda. — Precisamos ficar em um local calmo e confortável. De preferência que não sejamos incomodadas. É coisa de quinze minutos.

— Vamos até o quarto que era de Rafael. Eu e Valdir o usamos como escritório. Ficaremos à vontade.

Leda seguiu Noeli. Entraram no quarto e Noeli apontou para a cama.

— Você se senta confortavelmente na cama e eu fico nesta cadeira — Leda puxou a cadeira encostada à escrivaninha. Ficaram uma em frente à outra.

Leda perguntou:

— Está confortável?

— Sim.

— Então, coloque as mãos sobre os joelhos, sentindo seu corpo, feche os olhos e respire a seu tempo, com naturalidade.

Noeli obedeceu. Leda pediu:

O que você sente?

— Hum, vem o sentimento de perda, medo, fracasso. É como se meu casamento estivesse por um fio. Uma sensação horrível.

— Pois bem. Você está escutando a voz parada sobre sua cabeça, certo?

— É. Isso mesmo. Como se a voz fosse uma entidade.

— Até pode ser. Mas vamos diferenciar sentimento de sentimentalismo.

— Para mim é a mesma coisa — respondeu Noeli, ainda com os olhos fechados.

— Não. Sentimentos vêm da alma. Sentimentalismos são as emoções produzidas pela mente, não são fruto da alma. Por isso, são sempre negativas. Sempre causam desconforto. São emoções produzidas por sua maneira de ver e acreditar negativamente na vida. Os sentimentos são os verdadeiros feelings, são fortes, positivos. A partir do momento que você consegue distinguir os dois e dá somente importância aos sentimentos, desprezando completamente os sentimentalismos, surge a valorização e sua vida começa a caminhar para a frente.

Noeli suspirou. Abriu os olhos.

— Eu batalhei muito para manter esse casamento. Não tem ideia de quanto sapo tive de engolir.

— A voz voltou a falar.

— O que posso fazer? Ela faz parte de mim. É mais forte do que eu.

— Nada é mais forte do que você, Noeli. Você tem a força e o poder para dirigir a própria vida.

— Ajude-me, por favor — suplicou Noeli.

— O casamento não é feito para preencher a sua vida. É como amizade. Por acaso você muda, transforma--se em outra pessoa com seus amigos?

— Não. Sou eu mesma.

— E por que tem de fazer um tipo para se relacionar com Valdir? Por que criar uma máscara e jogar um verniz sobre a sua verdadeira personalidade? Só para agradá-lo, para se adaptar?

— Sempre tive medo de ele me rejeitar.

— Quem se rejeita é rejeitado. Se você se desvaloriza, tudo o que é de valor não vem para você.

— Aprendi dessa forma.

— Pois desaprenda. Veja que, antes de entrar em um relacionamento afetivo, você tem de entrar na sua verdade, ou seja, precisa casar com você. Depois, sim, poderá se relacionar com o outro.

— Fiz tudo errado.

— De nada vai adiantar se culpar. Vai alimentar essa voz, que nada mais é do que uma criação de todas as culpas que você acumulou ao longo da vida.

— Não quero mais dar espaço para ela. Estou cansada de sofrer, de ficar insegura.

— Além de sofrer e ficar insegura, essas vozes negativas que nos acompanham acabam atraindo espíritos com o mesmo teor de pensamentos. Quer dizer, espíritos perturbados.

— Obsessão?

— Não diria obsessão, mas a companhia deles amplia e fortalece a voz que a prejudica. Se você elimina a voz, naturalmente elimina algum espírito que a esteja perturbando, se houver.

— Como faço isso?

— Simples. Como lhe disse antes, feche os olhos. Agora, coloque a mão no peito e respire fundo.

— Certo — Noeli assentiu e fechou os olhos. Aspirou o ar com força pelas narinas e o soltou pela boca.

— Diga para esta voz, com firmeza: você é uma criação minha, que foi muito útil em minha vida. Até agora. Hoje não preciso mais de você. Eu a liberto e me desgrudo de você agora. Eu me decepcionei, porque achava que o mundo deveria ser como eu imaginava. Não vou mais me punir, não vou mais me negar. Vou usar minha própria força e meu poder. Sou adulta o suficiente para tomar conta de mim e me relacionar com os outros, sem cobranças. Eu estou aqui para ser feliz.

Noeli repetiu pausadamente palavra por palavra, com tanta fé, que as lágrimas desciam sem cessar. Ela terminou de falar e sentiu uma leveza sem igual. Abriu os olhos e encarou Leda.

— Não sei o que aconteceu, mas senti um calor e um tremor pelo corpo.

— É como se a voz murchasse, não?

— É como se ela nunca tivesse existido. Estou me sentindo bem e leve.

— E mais dona de si, espero.

— Sem dúvida. A partir de agora, olho para meu casamento com outras lentes. Eu não quero e não vou cobrar Valdir por nada. Ele é o que é, e eu o respeito por isso. Percebi que eu preciso preencher as minhas necessidades. Eu é que tenho de me fazer feliz.

— Exatamente, minha querida. Porque você é quem vai estar consigo pela eternidade. Valdir, Rafael, eu e as outras pessoas que passarem por sua vida são companheiros passageiros de encarnação. Logo a morte chega, as experiências se renovam, outros amigos espirituais aparecem para convívio, mas você permanece a mesma, sempre consigo. Claro que mais lúcida, mais forte e, preferencialmente, mais feliz!

Noeli levantou-se e abraçou Leda.

— Muito obrigada.

— Eu só fui o instrumento. O mérito é todo seu. Quis mudar para melhor e aí está o resultado. Até sua aparência mudou. Veja.

Noeli aproximou-se de um espelho ali próximo e realmente seu semblante estava mais suave. Havia uma ruga no meio da testa que sumira, como que por encanto.

— De fato, sinto-me bem. Leve. Vou cuidar de mim, dos meus sentimentos, das minhas atitudes, vigiar meus pensamentos. Gostaria de entender melhor sobre os estudos da ciência da mente.

— Eu lhe empresto alguns livros. Hoje há muitos autores publicados em nossa língua, como Louise Hay, Napoleon Hill, Catherine Ponder. Eles utilizam ferramentas poderosas que possibilitam uma transformação positiva da mente, ajudando você a se libertar de padrões que atravancam o seu crescimento, em todas as áreas, inclusive a espiritual.

— Vou passar um café e, depois, vou até sua casa. Gostaria de trazer alguns livros.

— Será um prazer emprestá-los.

As duas saíram abraçadas do quarto e não perceberam floquinhos de luz coloridos espalhados por todo o ambiente.

19

Rafael entrou em casa, esparramou-se no sofá e ligou a tevê. Júlia foi para o quarto descansar. Estava enfadada. O relacionamento não ia bem, estava claro. Rafael também não estava com a mínima vontade de conversar a respeito, para ver se chegavam a um denominador comum.

Antes, no carro, a caminho de casa, ela havia proposto:

— Vamos conversar?

— Sobre?

— Nós. Nossa relação.

— O que tem?

— Não está indo bem. Nós não estamos bem.

Rafael nada disse, continuou dirigindo, olhando para a frente. Júlia moveu os olhos para cima, controlando a exasperação.

— Sei que hoje cedo saí um pouco da linha com você, mas percebo que...

Ele a cortou:

— Saiu da linha? Você me atropelou, isso sim.

— Peço desculpas.

— Não. Ultimamente você só pega no meu pé. Faz cobranças, exige que eu seja uma coisa que não sou.

— Percebi. A ficha caiu. Eu não "tenho que" nada. Não tenho que cobrar nada de você. Você é o que é. Eu tenho de gostar de você pelo que você é. Eu gosto ou não gosto. Simples assim. Sem pegação no pé.

— Menos pior. Assim vivemos melhor. Ou tentamos.

— Não, Rafael. Não sou mulher de tentar.

— Não entendi.

Ela iria falar, mas o sinal fechou, um rapaz aproximou-se com um panfleto, Rafael abriu o vidro e o apanhou. Em seguida, acelerou, dobrou a esquina e acionou o controle do portão eletrônico. Estacionou o carro e entraram em silêncio. Ele foi para a sala, e ela, para o quarto.

Júlia não queria ficar ali. Gostaria de telefonar para o irmão, mas sabia que Tales estava em companhia de Reginaldo. Não queria atrapalhar. Ao pegar o telefone, viu que havia duas chamadas do irmão. Recentes. Estranhou.

— Tales me ligando? O que será?

Júlia ligou na sequência. Tales atendeu. Falou alto, porquanto o barulho do ambiente era notório.

— Aconteceu alguma coisa?

— Não. Eu e Reginaldo queríamos ir àquele café no centro, perto do Baixo Augusta, mas só você conhece. Desculpe se eu a atrapalhei.

— De forma alguma.

— Estamos num barzinho na Augusta. Queríamos ir àquele café. Você pode nos dar o endereço?

— Anota.

Júlia falou o nome da rua e Tales agradeceu. Entretanto, percebendo o tom de voz da irmã, perguntou:

— Está tudo bem?

— Mais ou menos.

— Entendi. Quer vir se juntar a nós?

— De forma alguma. Vou segurar vela, Tales?

Ele riu.

— Claro que não. Estamos nos conhecendo. Eu não tenho dezoito anos. Não vou mais com tanta sede ao pote. Venha se juntar a nós. Reginaldo gostou muito de você.

— Estava louca para sair de casa. Vou me arrumar rapidinho, escovar os dentes e encontro vocês em quarenta minutos.

— Ótimo. Até lá.

— Beijo.

Júlia desligou sentindo agradável sensação no peito. Foi até o armário, escolheu um vestido longo, florido. Arrumou-se, escovou os dentes, passou um perfume delicado, apanhou a bolsa sobre o console. Rafael a olhou de esguelha e nada disse.

— Vou dar uma saída. Encontrar o Tales.

— Não perguntei nada. Você não me deve satisfação.

— Incrível. Ontem você me acordou com beijos, afagos e carinhos. Hoje me trata friamente.

— É a vida. E o jogo do Corinthians está mais interessante. Tchau.

Júlia engoliu em seco. Sentiu uma pontada no peito e um embrulho no estômago. Por mais que a relação estivesse em desequilíbrio, tinha sentimentos por Rafael. Mas ele não precisava tratá-la daquela maneira.

Saiu com a bolsa e bateu a porta de casa. Entrou no carro e lembrou-se de Rafael conversando com o pai durante o almoço.

— Aposto que Valdir deve ter dado alguns conselhos para o filho. É bem típico de Valdir dizer para Rafael que quem canta de galo em casa é o marido. E Rafael chupa tudo do pai, absorve todas as palavras, não tem raciocínio próprio. Impressionante!

Ela deu partida e saiu ao encontro do irmão.

Passava das cinco quando Júlia entrou. Avistou Tales e Reginaldo em uma mesa, no meio do café, praticamente lotado. O local não era tão grande. Charmoso, discreto, com poucas mesas, luz suave, música agradável, decoração aprazível, gente bonita. Ela os cumprimentou e Reginaldo foi logo dizendo:

— Não se sinta mal por estar entre nós. Quero ver seu irmão muitas vezes, então você não está atrapalhando nosso encontro.

Júlia enrubesceu e Tales sorriu.

— Reginaldo é parecido comigo. Direto. Sem rodeios.

— Pelo jeito não é amizade — ela observou, ajeitando a bolsa atrás da cadeira.

— É namoro. Tenho certeza — asseverou Reginaldo.
— Com sérias perspectivas de virar casamento. Muito em breve.

— Posso chamá-lo de cunhado? — ela sugeriu, sorrindo.

— Pode.

Júlia o abraçou e emendaram um papo animado. Reginaldo era agradável, tinha um semblante bonito, sorriso fácil, fala meio afetada e era engraçadíssimo. Enturmaram-se com extrema facilidade e conversaram sobre o relacionamento dela com Rafael.

— Não conheço o casamento de vocês — tornou Reginaldo. — Acabei de conhecê-los.

— Não somos casados — rebateu Júlia. — Vivemos juntos há um ano e pouco. E eu sou uns três anos mais velha que Rafael.

— Essa questão de idade não tem absolutamente nada a ver. Sou quase dez anos mais velho que seu irmão

— considerou Reginaldo. — A idade é um detalhe. Assim como serem casados legalmente ou não. O que importa é a maneira como vivem, os laços que os unem.

— No começo — interveio Tales — o relacionamento deles era bem interessante. Rafael estava no último ano da faculdade, estava no pique de se formar, arrumar emprego. Júlia deu a maior força, surgiu como uma mentora na vida dele.

— Tínhamos uma química muito boa — ela anuiu.

— Com os meses, Rafael foi se acomodando. Hoje não tem vontade de arriscar, de ir para a frente. Vê o futuro com um pé na negatividade. Acha que sempre vai acontecer alguma coisa ruim. Nunca vê nada de positivo.

— Cada um enxerga a vida com os próprios óculos. Rafael escolheu os óculos da insegurança, do medo — avaliou Reginaldo.

— Isso mesmo! — concordou Júlia. — Acertadíssimo! Rafael usa óculos com lentes negativas. Tudo é ruim, é feio. Vive desconfiado das pessoas. Acha que todo mundo vai dar o bote algum dia, mesmo a pessoa mais querida do mundo.

— Criamos a nossa realidade. Tal qual o filme *Matrix* — explicou Reginaldo.

— Sério? — questionou Júlia, surpresa.

— Sim. Sou espiritualista. Estudei muito ao longo dos anos. Sei que as tais dimensões paralelas que os cientistas tanto falam nada mais são que os mundos espirituais. Nós vivemos em um desses mundos. Cada um de nós tem uma consciência, e essa consciência é que cria a realidade.

— Então, tudo o que eu penso, acontece? — interrogou Tales.

— É. Somos o resultado de nossas crenças e atitudes. Daí ser necessário ter o domínio da mente. Esse é um dos principais fatores de estarmos reencarnados. Se você tem o domínio da mente, controla os pensamentos, filtra melhor o que passa pela cabeça; pode, por exemplo, ficar só com os seus pensamentos e deixar os do mundo fora da sua mente.

— Como diferenciar os pensamentos que são meus daqueles que são do mundo? — quis saber Júlia.

— Boa pergunta! — respondeu Reginaldo, sorridente. — É fácil de responder. Se o pensamento for bom e positivo, ele é seu. Se for negativo, ruim, ele é do mundo. Aí você descarta, joga fora, empurra. Diga para si: "Esse pensamento não é meu. Sai pra lá!".

— Assim, fácil? — provocou Tales.

— É. Fácil. Porque tudo é fácil na vida — observou Reginaldo. — A pessoa é quem complica, quem vê dificuldade.

— Reginaldo, estou adorando conversar com você! — exclamou Júlia, animada.

O café chegou, o garçom serviu os três e entregou um bombom para Júlia.

— Eu não pedi nada — ela argumentou de maneira gentil, depositando o bombom na bandeja.

O garçom colocou o doce novamente sobre a mesa.

— Desculpe, senhorita, mas foi o rapaz ali daquela mesa — apontou — que mandou lhe entregar.

Júlia virou o rosto e notou o rapaz. Era homem feito. Trinta e poucos anos, tipo comum, usava óculos, mas, assim que levantou o rosto e encarou Júlia, possuía um ar galanteador e um sorriso encantador. Ele fez uma mesura com a cabeça e fez sinal para Júlia ir até a mesa dele.

Ela sentiu o coração bater forte.

— Vai, boba! — encorajou-a Tales. — Com um tipo daquele eu ia sem bombom mesmo.

Reginaldo o fuzilou com os olhos, de brincadeira.

— Engraçadinho! Já está me traindo?

— Olha o tipo! Júlia se lamentando por um borra-
-botas, que mal saiu das fraldas, e um homão daqueles,
que ainda por cima é das antigas, romântico, oferece um
bombom... — Tales suspirou.

— Corre lá, menina! — incentivou Reginaldo.
— Eu e seu irmão temos muito o que conversar.

Eles piscaram um para o outro. Júlia levantou-se e
foi até a outra mesa.

20

Mais uma vez, Helinho fora destaque nas manchetes sensacionalistas das revistas de fofocas. Fora flagrado saindo de um motel na companhia de uma moça e um rapaz. A pergunta que não queria calar era: quem tinha feito o quê com quem? Os comentários e as piadinhas eram variados.

Angelita andava segurando uma revista, batendo o salto. Ia de um lado para o outro da sala de refeições, fungando de raiva. Hélio passou por ela, pronunciou um lacônico bom-dia e sentou-se. Serviu-se de suco e permaneceu quieto.

— Não vai dizer nada? — ela quase esfregou a revista de grande circulação no rosto dele.

— Dizer o quê?

— Você é capa desta revista — apontou.

— Sempre fui capa de várias revistas, mamãe. Por que o chilique?

— Porque agora os motivos sempre são desagradáveis. Antes, você aparecia porque era bonito, porque era paquerado, porque era valorizado. Agora, virou motivo de chacota. Todos espezinham você.

Ele deu de ombros, enquanto passava geleia diet sobre uma torrada.

— Falem mal, mas falem de mim. Não é esse o ditado? Melhor ser lembrado do que esquecido.

— Helinho, por Deus! — Angelita estava nervosíssima, as mãos tremiam sem cessar. — Agora que está envelhecendo deu para dar escândalos?

— Alto lá! Envelhecendo uma figa!

Ele odiava qualquer comentário relacionado à sua idade. Angelita fechou a revista e sentou-se.

— Mais um escândalo — suspirou. — Mais um...

— É o que dá ibope, mãe. Nos dias de hoje, só escândalo é que chama atenção. Como eu posso competir num mundo cheio de celebridades instantâneas, com tanta mulher fruta, verdura, legume, vegetal? E com essa penca de moços que fazem tudo, dão tudo — ele riu malicioso — por uma notinha de revista, uma foto no jornal, uma entrevista na tevê ou uma pontinha em novela? Eu faço o que posso, do meu jeito.

Enquanto ele falava, Angelita percebeu que o olho esquerdo repuxava um pouco para o alto, porquanto a testa estava repuxadíssima, efeito do excesso de botox.

— Aplicou botox de novo? — ela indagou, mudando de assunto, pois sabia que não adiantava discutir com o filho. Helinho nunca daria o braço a torcer.

— Reapliquei um pouquinho na testa e embaixo dos olhos. Semana passada apareceu uma ruga aqui perto das pálpebras, acredita?

— Acredito. Para um homem que está bem perto dos cinquenta, isso é bem normal.

— Só se for no seu mundo — ele riu com ironia. — Não admito envelhecer. Aliás, com tanta tecnologia, deveria haver uma maneira radical de impedir o envelhecimento.

Angelita ajeitou os cabelos alourados.

— Estou envelhecendo com dignidade. Aceito a minha idade. Sou uma mulher idosa, mas não sou velha.

— Não vejo diferença.

— Não precisa ter idade avançada para ser velho. Uma pessoa jovem pode ser velha. Velha é uma pessoa rígida, com padrões antiquados, que não aceita o novo, que não aceita mudar, melhorar, viver melhor. É uma pessoa que vive do ontem, do saudosismo, que reclama de tudo. Uma pessoa idosa, como eu, é alguém que aceita naturalmente o avançar da idade, com dignidade, jovialidade, bem-estar, disposição, alegria. Bibi Ferreira é uma mulher com mais de noventa anos, exuberante, que emana vida, luz nos palcos. Continua fazendo seu trabalho, encantando plateias por todo o país. Por quê? Porque não pensa na idade, só pensa em viver e dar o melhor de si, expressar a sua alma por meio da arte.

— Só chegaria aos noventa anos se fosse para estar com o corpinho de hoje. E olhe que estou para marcar uma nova lipoaspiração e, depois, outra aplicação de silicone.

— Está ótimo, Helinho. Não há necessidade.

— Sempre há necessidade. Já conversei com o meu médico. Assim que terminar as eleições e meu trabalho também ficar mais calmo, vou me submeter à cirurgia. E o Edmundo ressaltou que o silicone que está importando faz milagres!

— Você é terrível. Quando vai parar com essa sandice?

— Nunca vou parar.

— Você era um moço bonito, admirado e requestado por muitos.

— E ainda sou.

— Não é. Está se tornando uma caricatura de si mesmo.

Angelita falou com amargura na voz e levantou-se para sair da saleta. Era triste ver o filho, outrora predileto, perder-se no mar de uma vaidade tosca, preso à ilusão de uma beleza mascarada, forjada, idealizada em sua mente perturbada.

— Cuidado com o que diz, Angelita.

Helinho raramente chamava a mãe pelo nome. Quando o fazia, era para falar de um assunto sério ou... para atacá-la.

— Por quê? Está me ameaçando?

— O mundo nunca soube a sua real origem, querida. Não seria difícil, nos dias de hoje, "descobrirem" uma notinha na internet sobre a paraguaia pobretona que fingiu a vida toda ser portenha, filha de família nobre de Buenos Aires.

O rosto ardeu e os olhos ficaram vermelhos.

— Você não se atreveria! Não jogaria tão baixo.

— Não sei. Mas que isso daria um belíssimo escândalo, ah, daria! Pode ter certeza. Seria o escândalo da década.

— Você não pode estar falando sério, Helinho.

— Estou. Falando muito sério. Seriíssimo! Cuidado com o que me diz. Ou melhor, cuidado com o que pensa fazer com seu netinho do coração.

— Não sei o que está falando.

— Soube por intermédio da gerente do banco que você está fazendo algumas transações, movimentando quantias vultosas. Sei que aí tem Rafael como destino — Hélio levantou-se e encarou a mãe, colérico: — Se eu souber que meu patrimônio está sendo desviado para esse bastardinho, você vai se ver comigo.

— Não estou desviando nada e, de mais a mais, Rafael não é um bastardo. Ele é seu...

Hélio rapidamente tapou a boca de Angelita, impedindo-a de falar.

— Não diga. Nunca mais fale o que iria dizer. Não quero mais saber desse papo. Esse moleque não é meu filho. E nunca, jamais vai botar a mão no meu patrimônio enquanto eu viver.

Angelita, pela primeira vez na vida, sentiu medo do próprio filho. Assentiu com a cabeça, deixou a revista escapulir pela mão. Levantou-se, rodou nos calcanhares e saiu aflita. Foi direto para o escritório. Trancou-se lá e jogou-se na poltrona, chorosa.

— Helinho está ficando fora de si. Está perturbado. Preciso consultar um psiquiatra, conversar com um especialista. Ele não está em seu juízo perfeito. Está ameaçando o próprio filho. Isso não pode acontecer, de forma alguma.

Ela respirou fundo, apanhou um jarro de água próximo da poltrona, serviu-se. Virou o copo todo e, depois de passar as costas das mãos sobre os lábios, pela primeira vez, em muitos, muitos anos, Angelita recordou-se de quando frequentava uma pequena igreja nos arredores de Assunção com sua avó. Imediatamente lhe veio a imagem de Nossa Senhora de Caacupê, a padroeira do seu país. Ela se emocionou e, instintivamente, fez uma prece em sua língua nativa, o espanhol.

Angelita não percebeu, mas Mário e uma moça muito bonita, uma índia, vestida com trajes sumários, acompanhava-a na oração. Depois que Angelita finalizou a prece, recebeu passe calmante e, mais tranquila, deu continuidade ao plano de transferir boa parte de seus recursos em nome do neto, em uma conta no exterior, a fim de assegurar o futuro de Rafael.

— Obrigado pela ajuda, Itacira.

— Não há de quê, Mário. Eu gosto muito dessa *chica*.

— Sei o quanto ama Angelita.

— Ela se deixou levar em demasia pelas ilusões do mundo, contudo, conforme os anos têm passado, está ficando mais centrada, equilibrada, e está se abrindo para as verdades da vida. Ainda há tempo para abrir-se mais à espiritualidade.

— Mesmo depois que descobrir toda a verdade? Não acha que vai ficar chocada?

— Angelita tem sangue de índio correndo nas veias. Tem uma força descomunal. Poderá ficar chocada a princípio, mas logo vai dar a volta por cima. Sabe por quê?

— Não. Por quê?

— Porque Angelita sabe o verdadeiro significado do amor incondicional. Ela ama Rafael acima de tudo. Não vão ser detalhes mundanos que mudarão o que ela sente por ele.

Mário estremeceu e os olhos ficaram rasos.

— Ela é forte. Eu me apaixonei por ela porque era forte. Depois, com os anos, acabei me distanciando. Fui um bobo.

— Não se condene. Aprenda com os índios. Em nosso vocabulário não existem palavras como medo e arrependimento.

— Não?

— Não. São palavras, emoções criadas pelo homem branco. Índio não nasce com medo e não sabe o que é ter arrependimento. Portanto, aprenda a tirar isso de dentro de você. São emoções negativas, destrutivas, que emperram o crescimento do espírito e atrapalham a felicidade.

— Nunca, em minha vida terrena, tive contato com índios. Sempre fui urbano. Depois, quando morri, fui para um posto de tratamento, fiquei alguns anos lá.

Quando veio a oferta de cidades astrais, não sei por que me senti atraído para a sua cidade, a tribo. Como é possível? Não me recordo de uma encarnação indígena.

— Nem precisa. O que importa é o que sente, é o que lhe faz bem. Você se sente bem entre nós?

— Melhor impossível! E acho incrível essa coincidência de você ser amiga de Angelita.

Itacira gargalhou e ergueu seu punhal para o alto, feito uma guerreira.

— Não se esqueça de que não existem coincidências, Mário. Tudo e todos estão ligados.

Ele iria fazer uma pergunta, mas Itacira fez um sinal, ele lhe estendeu a mão e, assim que ela ergueu novamente o punhal, um clarão se abriu no escritório e os dois sumiram no ambiente.

21

Júlia caminhou lentamente até a mesa. Sorriu e disse:

— Olá.

Ele se levantou. Era alto. Bem alto. Corpão em forma. Estendeu a mão, enorme.

— Prazer, Franz.

— Júlia.

Ela apertou a mão e, em seguida, ele beijou a dela, num galanteio.

— Encantado.

— Acho que nunca beijaram a minha mão — admitiu e se sentou.

— Sempre há uma primeira vez. Deve ser resquício de minha educação europeia.

— Descendente de europeus? — indagou ela.

— Não. Sou europeu, de fato. Alemão.

— Fala tão bem o português, não tem sotaque.

— Meu pai trabalhava em uma montadora alemã, foi transferido para cá quando eu tinha dez anos. Viemos assim, de uma hora para outra.

— A família toda? É uma grande mudança.

— Não foi bem assim. Mamãe não quis vir porque minha avó morava do outro lado do Muro.

— Ah, você vivia em Berlim.

— Na época em que tínhamos o Muro que separava a cidade. A minha irmã também não quis vir. Dessa forma, meus pais praticamente se separaram — Franz fez aspas com os dedos.

— E viveram assim, longe um do outro?

— Sim. Dois anos depois, meu pai se apaixonou pela secretária aqui da filial da montadora. Pediu o divórcio para minha mãe. Eles se separaram, o Muro caiu e minha mãe se casou com um antigo namorado que vivia do outro lado da cidade. Minha avó foi viver com ela. Depois, minha irmã se casou com um italiano. Vivem em Turim.

— Quantas reviravoltas! E seu pai, continua casado?

— Papai morreu há sete anos.

— Sinto muito.

— Tenho também dois meios-irmãos. Eu me dou bem com eles, mas não somos grudados.

— Uma grande família.

— É. E tenho uma filha de quinze anos.

Júlia arregalou os olhos e sorriu para não dar um gritinho de espanto.

— Nossa! Uma filha nessa idade. Que beleza! — foi o que saiu da sua boca.

— Percebi o seu espanto.

— Não, imagina!

O garçom aproximou-se e Júlia agradeceu em silêncio. Franz pediu dois cafés, duas águas.

— Quer um doce, um pão de queijo?

— Não quero nada, só o café e a água, obrigada.

— Um pudim de leite, por favor.

O garçom se afastou e Franz considerou:

— Sou alucinado por pudim de leite. Não existe essa iguaria na Alemanha. É tão brasileira. Uma delícia! Sabe fazer?

— O quê?

— Pudim de leite.

— Aprendi com minha madrasta. Posso tentar um dia.

— Adoraria que fizesse um para mim.

Ela sorriu encabulada. Disparou, sem rodeios:

— Você é casado?

— Divorciado. A mãe de Ingrid, nossa filha, casou--se de novo, mora em Porto Alegre. É feliz.

— Você vê sua filha?

— Ela vive comigo.

— Como assim? Não vive com a mãe?

— Roberta não quis. Ingrid também não.

— Não entendo. Uma filha sempre deseja viver ao lado da mãe.

— Isso é a sociedade que prega. A sociedade acha que a criança deve isso ou aquilo. Nunca pergunta o que a criança sente, o que ela quer de fato. No caso de nossa filha, na época da separação uma pré-adolescente, tudo foi fácil. Sempre tive uma afinidade incrível com Ingrid. Até escolhi o nome. Roberta pouco se importou com o nome da menina. Dei a ela o nome de minha avó materna.

— A que vivia do outro lado do Muro.

— Essa mesma. Ela viveu somente dois anos com minha mãe. Morreu de ataque cardíaco. Era uma mulher encantadora. Infelizmente, não tivemos muito contato, embora eu tivesse uma afinidade muito boa com ela. Adorava-a.

— E Roberta não visita a filha? Ingrid não visita a mãe?

— Elas utilizam as redes sociais. São amigas. Roberta está apaixonadíssima pelo novo marido. Diz que encontrou o homem da vida dela.

— Isso não o entristece?

— Por que deveria?

— Sei lá, você foi casado com ela. Não sente ciúme, ou um gostinho de fracasso?

— De forma alguma. Quando nos conhecemos, nós nos curtimos bastante. Gostávamos um do outro, era um lance de muita química, mas faltava algo que fui perceber só agora, depois de mais maduro.

— O quê?

— Não tínhamos cumplicidade.

— Como assim?

— Eu queria ir para a frente, arriscar, viver a vida como se tivesse só o agora. Roberta é muito pé no chão, tem medo do futuro, não suporta arriscar. Tem até medo de jogar na loteria.

Os dois riram. Júlia mordiscou os lábios.

"Essa Roberta é a versão feminina do Rafael", pensou. "Deveria apresentá-los. Pena que ela já se amarrou em outro."

— O que está pensando?

— Nada. Nadinha — mudou de assunto. — Sua filha não sente ciúme de você?

— Ingrid? Não. Embora seja colada comigo, está entrando na fase do namoro, das festinhas. Ela torce para eu arrumar uma namorada.

— Jura? Não acredito!

— Outro dia quis me apresentar a mãe de uma colega de escola que havia acabado de se separar. Foi tão constrangedor!

Os dois riram.

— Então sua filha quer despachar o pai.

— Para você ver. Eu preciso arrumar logo uma pretendente — ele insinuou sem tirar os olhos de Júlia, deixando-a encabulada.

Franz percebeu e, para não avançar o sinal, apaziguou a situação e empurrou o queixo para a frente, na direção da mesa de Tales.

— Eu vi que estava na companhia daquele casal e...

Ela o cortou com amabilidade.

— Como sabe que eles formam um casal e que eu não sou namorada de um dos dois?

— Pura intuição.

— Sério?

Franz riu. Depois considerou:

— Brincadeira. Antes de você chegar, os dois estavam a ponto de se agarrar aqui no café. A troca de olhares, o toque das mãos... Dá para perceber que os dois estão apaixonados. Você é carta fora daquele baralho.

Júlia riu.

— Tem razão. Aquele de cabelos para trás é meu irmão — apontou — e o outro, de óculos, é o Reginaldo. Eles se conheceram hoje.

— Então vão viver muito tempo juntos. Os olhos dos dois brilham de uma forma especial.

— É. Fazia muito tempo que eu não via meu irmão assim, tão envolvido.

— E você, mocinha? Tem alguém?

— Sim — Júlia foi direta, sem rodeios.

— Gosto de gente direta.

— Para que mentir? E, afinal de contas, foi você quem me ofereceu o bombom.

— De fato. E se veio até a minha mesa, é porque esse alguém não está mais sendo tão importante para você.

Júlia engoliu em seco, respirou fundo e começou a falar sobre sua relação com Rafael. Franz escutava tudo com seriedade. Mexia a cabeça para cima, para baixo. Concordava, às vezes discordava. Ao final de uma longa conversa, ele declarou:

— Sou bem direto.

— Percebi.

— Você também é.

— Sim.

— Vou dar um tempo para resolver sua vida, refletir, ver o que é melhor para você. Aqui está meu cartão com meu número. Prometo que estarei esperando.

— Esperando?

— É, Júlia. Esperando. Gostei muito de você. Depois que me separei de Roberta, jurei que não iria mais me envolver em relacionamento sério na minha vida. Saí e saio com mulheres porque preciso satisfazer as minhas necessidades, digamos, básicas. Mas você despertou em mim a vontade de tentar de novo. Adoraria tentar. Com você — ele sussurrou no ouvido dela, enquanto lhe entregava o cartão.

Júlia sentiu um arrepio pelo corpo todo. As pernas falsearam e ela teve de fazer um bom malabarismo para não se desequilibrar no salto. Despediu-se, e Franz, depois de pagar a conta, saiu, não sem antes acenar para os rapazes.

Ela voltou para a mesa e Tales anunciou:

— Rafael dançou.

— Dançou, sambou e suingou — rebateu Reginaldo. — Esse cara mexeu com você, Júlia.

— Não só mexeu. Ele abalou todas as minhas estruturas!

— Sério? — questionou o irmão.

— Verdade. Tivemos uma conversa maravilhosa.

— Ele é um homem bonito.

— Charmoso — completou Reginaldo.

— Quantos anos tem? — quis saber Tales.

— Trinta e cinco. E uma filha de quinze.

— Nossa! Casou cedinho. Foi pai bem jovem — observou Tales.

— Olha! Vem com pacote completo — acrescentou Reginaldo, entre risos.

Caíram na gargalhada e continuaram conversando amenidades. Por mais que tentasse, Júlia não conseguia tirar Franz do pensamento.

22

Estava um lindo dia de sol, com pouquíssimas nuvens no céu. Aproveitando o ar fresco da manhã, as pessoas caminhavam em silêncio pelas alamedas. Algumas apreciavam o sol, outras apreciavam a paisagem, outras só oravam, cabisbaixas.

Havia um grupo de pessoas que permanecia alheio a tudo: ao sol, à paisagem, à oração. Nem sabiam onde estavam e o que estavam fazendo. Aliás, nem tinham noção de que haviam morrido. Muitas ainda não aceitavam a condição de mortas. Assim era a vida no posto de tratamento onde Mara e Celina viviam.

Mara, apreciando o sol, sentou-se em um banco, na pracinha onde apanhavam a água energizante. Uma senhora, aparentando pouco mais de cinquenta anos, aproximou-se e pediu:

— Posso me sentar?

— Sim. Por favor — Mara fez um sinal com a mão.

— Obrigada. Ainda está fresco, mas já já vai esquentar e me esqueci de colocar um chapéu.

— Está um dia lindo — observou Mara.

A mulher contemplou o sol, olhando-o com a mão sobre a testa, cobrindo um pouco os olhos.

— Bonito, não posso negar. Pena que a maioria não aprecie quase nada. Vê como a maioria das pessoas aqui anda cabisbaixa? — fez um sinal com o queixo para a frente.

Mara observou as pessoas passando entre elas. Realmente, a maioria andava com o rosto voltado para o chão, alheias a tudo. Ela estava acostumada com a cena. Vivia ali havia tanto tempo, não lhe era nenhuma novidade ver pessoas tão apáticas andando de um lado para o outro, feito robôs, sem muita noção de onde estavam.

— Aqui é um local de tratamento, de transição. A maioria fica alheia a tudo.

— Você é bem esperta. É diferente das demais.

— É bem observadora — afirmou Mara, sorrindo.

— Sou. E também percebi que não é orientadora, tampouco guia.

— Faço parte dos habitantes do posto. Vivo aqui há muitos anos. Poderia ter ido embora, mas preferi ficar.

— Por quê?

— Porque aqui fui bem acolhida, aprendi muita coisa sobre vida, sobre morte, sobre valores eternos do espírito. Quando é hora de ir buscar alguém perdido em locais do astral inferior...

A mulher a interrompeu:

— Você quer dizer, umbral?

— Pode se chamar de umbral. Em vez de generalizar, eu prefiro dizer que vou a todos os lugares onde há espíritos que necessitam de uma mão amiga.

— Não tem medo dos marginais, dos espíritos ruins? Fiquei sabendo que há muitos perigosos por esse mundão afora.

Mara fez que sim com a cabeça.

— Eu me previno. Não saio só. Sempre vou acompanhada de guardas. Eles me protegem, caso apareça algum mau elemento no meio do caminho.

— Você é importante.

— Não. Sou uma prestadora de serviços. Gosto de ajudar. Esse serviço me dá contentamento, realiza meu espírito, preenche minha alma. Simples assim. No dia em que eu sentir vontade de alçar novos voos, partirei daqui. Por ora, não tenho intenção.

— Mas aqui é tudo muito comum, muito pobre — a mulher baixou o tom de voz, meio envergonhada. — Não há cor, não há festas, somente um punhado de árvores comuns, umas plantinhas aqui e ali, umas florezinhas mixurucas.

Mara riu da franqueza.

— Não sou muito ligada em estética. Entendo a senhora.

— Eu gostaria de viver em um lugar com mais alegria, mais cor, com uma arquitetura mais bela.

— Quem sabe, seu pedido poderá ser atendido? Como dizem as Escrituras, há muitas moradas na casa do Pai. Existe um monte de lugar para viver, desde que haja compatibilidade energética para tanto, é claro.

— Já aprendi sobre isso. Sei que não posso ir para qualquer lugar. É como funciona na Terra. Tem de tirar um visto antes de entrar em determinados países. E ainda corre o risco de, mesmo com o visto, não entrar, se a Imigração do país não for, digamos, com a sua fachada.

— Isso mesmo. Aqui no astral funciona mais ou menos da mesma forma. Só que troca-se o visto pela energia do espírito. Se a energia for afim com a cidade astral, ele entrará. Caso contrário, nem com reza brava.

A senhora riu de forma descontraída.

— Estava precisando dessa risada. Você me ajudou bastante.

— Percebi que estava tensa.

— Estava mesmo. Antes, gostaria de me apresentar. Meu nome é Inês.

— Prazer. Meu nome é Mara — ela estendeu a mão.

— Eu sei quem você é.

— Sabe?

— Estou aqui há dois anos. Só que vivo do outro lado do posto. Sempre fiquei de olho em você.

— Ganhei uma fã? — indagou Mara, desconfiada.

— Não precisa ficar com o pé atrás comigo. Eu soube, por amigos, que você teve amizade com Hélio Gomez Castillo.

Mara teve um sobressalto.

— Helinho?

— Esse mesmo. Das colunas sociais. O ricaço. Quer dizer, ricaço que ganha dinheiro de maneira torpe.

— Não julgo as pessoas. Elas são responsáveis por si. Levei um bom tempo para entender que não existe certo nem errado, caso contrário, Deus não permitiria acontecer um monte de coisas. Mas só aprendi esses conceitos, mudei minha maneira de pensar, depois que vim para cá. Levei um bom tempo para deixar de julgar os outros. Na verdade — Mara levou o dedo no queixo — eu deixei de julgar os outros no dia em que parei de me criticar.

Inês arregalou os olhos.

— Você não se critica? Não tem crise de consciência? Não se julga?

— De maneira alguma. Tudo o que fiz já foi feito, certo? De que adianta me lamentar? Importa o que eu sou agora. Eu posso me modificar agora, neste momento. O passado já se foi.

— E o futuro?

— O futuro não existe, só posso responder pelo agora. Não posso responder por algo que não existe ainda.

— Não se sente culpada por ter feito mal a alguém, ou por ter feito mal a si mesma?

— Não. Culpa é pretensão de ser melhor. Só causa estrago ao espírito, aniquila seus potenciais. A culpa não serve para nada, só serve para nos fazer sofrer.

Inês fitou um ponto indefinido à sua frente. Ficou pensativa. Mara concluiu:

— Você só poderá ser feliz quando se aceitar incondicionalmente. Quando isso ocorrer, nunca mais vai se criticar nem se julgar. E, depois disso, naturalmente não vai mais saber o significado de culpa, sofrimento ou arrependimento em sua vida. São emoções incompatíveis para uma pessoa que fica do seu lado vinte e quatro horas por dia, sete dias da semana.

— Tudo isso que disse mexeu muito comigo. Eu queria culpar alguém pelo que está acontecendo com minha filha na Terra.

— O que está acontecendo?

Inês deu uma fungada, respirou fundo e esclareceu, voz triste:

— Minha filha, Tamires. Ela é uma moça linda, uma jovem de rara beleza. Foi miss, sabe?

— Parabéns.

— Antes eu ficava feliz, me enchia de orgulho. Hoje, talvez, preferiria que Tamires não fosse tão bonita.

— Por quê?

— Depois que ganhou o concurso, vieram convites para desfiles, anúncios e, obviamente, posar nua. Tamires aceitou tudo. Nesse meio tempo, eu já enfrentava uma doença, ela se agravou, morri. Tamires ficou só no mundo e envolveu-se com más companhias. Acabou ficando muito amiga de Helinho Castillo. Influenciada por ele, acreditou que precisava melhorar a aparência. Começou a esticar a pele, fazer preenchimentos, cirurgias plásticas...

Inês não conseguiu mais falar. A voz tremeu e o choro veio rápido.

— Não fique assim — Mara falou numa voz tranquilizadora, enquanto apertava a mão dela com delicadeza.

— Desculpe o destempero, mas entro em desequilíbrio quando penso no que está acontecendo. Tamires iria posar nua para uma revista de grande circulação e, para ficar mais exuberante, resolveu fazer uma lipoaspiração. Durante a cirurgia, teve um choque anafilático e está em coma. Os orientadores do posto disseram que está nas mãos dela ficar lá ou vir para cá.

Mara abraçou-a, transmitindo-lhe força e procurando, mais uma vez, tranquilizá-la. Depois, afastando-se, asseverou, com carinho, embora mantendo firmeza na voz:

— Em primeiro lugar, não veja Helinho como responsável.

— Foi ele quem a influenciou.

— Não, Inês. Não tampe o sol com a peneira. Já aprendeu aqui que cada um é responsável por tudo o que acontece. Não é porque Tamires é sua filha que será diferente. Ela se envolveu com Helinho, ela se deixou influenciar, ela quis fazer a cirurgia. Foi tudo "ela". Não se esqueça de que temos o livre-arbítrio. Por mais que sejamos influenciados, sempre teremos o *nosso* — ela enfatizou — poder de escolha. Ninguém tem mais poder do que nós. Por mais que você me obrigue, me chantageie, sou eu quem vai decidir por mim. Tamires decidiu por ela.

— Ela estava gostando dele. Acho que, no fundo, fez tudo isso por estar apaixonada.

Mara levantou os ombros. Não respondeu. Inês questionou, um tanto revoltada:

— Hélio não leva culpa de nada?

— Não. Atraímos os outros pelo nosso teor de energia.

— Ele a levou para um mau caminho.

— Hélio a levou para um caminho que o espírito dela estava propenso a seguir. É cômodo colocar no outro ou no mundo a responsabilidade de seus atos. Um traficante é responsável pela pessoa ser drogada? Uma cadeia de fast-food é culpada por uma pessoa ser obesa ou ter colesterol elevado? Um prostíbulo é culpado por alguém ter sede de sexo? As tentações no mundo são as mais diversas, em todas as áreas. Sempre foi assim, desde que os primeiros homens habitaram o planeta. Reencarnamos para dominar os impulsos e, consequentemente, alcançar a felicidade.

— Entendo o que diz. Prometo que vou refletir melhor sobre a questão. Nunca havia pensado sobre esse ângulo — a voz de Inês era sincera. — No entanto, minha filha está lá, em coma.

— O espírito dela está inseguro, com medo. Não sabe se fica, com sequelas, e daí terá uma vida diferente, limitada; ou se volta, teme arrepender-se, pois julga ser cedo demais para morrer.

— O que eu posso fazer?

— Ore. Peça a Deus para que o melhor aconteça à sua filha. O espírito dela sabe o que é melhor. Ocorre que há muitas pessoas, inclusive você, que ficam em cima, preocupadas, chorosas, penalizadas, jogando sobre Tamires uma energia densa, de comiseração. Isso atrapalha sobremaneira o raciocínio dela. Faz com que ela não consiga refletir direito sobre as decisões a tomar.

— Ela tem um guia, um mentor. Todos nós temos um guia. Ele não pode fazer nada?

— Não. Nesse estado em que ela se encontra, ele não pode fazer nada, somente vibrar, porque o espírito dela está carregado dessas vibrações densas de pena, tristeza, revolta. Faça uma oração de perdão ao Helinho e a outras pessoas que você acredita que tenham feito mal a sua filha — sugeriu Mara. — Depois, com todo o amor do mundo, faça uma oração especial para Tamires. Contudo, não se esqueça de, enquanto estiver fazendo a oração, imaginá-la sorridente, feliz, bem, ganhando o concurso de miss, por exemplo.

Inês sorriu.

— Vou tentar.

— Eu vou fazer isso com você.

— Jura?

— Sim. Onde é sua casa?

— Venha comigo, vou lhe mostrar.

Inês abriu um sorriso cativante. Enlaçou o braço no de Mara e caminharam por entre uma alameda de paralelepípedos e algumas flores.

23

Leda terminou sua aula de pilates. Limpou o suor da testa com uma toalhinha, enrolou seu tapetinho e o colocou numa mochila. Despediu-se dos colegas e já estava pensando nas aulas sobre o poder do pensamento que daria via web quando, ao apertar o controle do carro para abrir a porta, sentiu o ar faltar e uma sensação terrível no peito.

Quando Leda tinha esse tipo de sensação, sabia de cor o que era: morte. De alguém conhecido, bem próximo.

Ela entrou no carro, respirou fundo. Colocou uma música suave no aparelho de som e, antes de dar a partida, veio nitidamente a imagem do ex-marido. Ela balbuciou:

— Rubens!

Sentiu o coração trepidar por um instante. Imediatamente fez uma prece, imaginou-o se desligando do corpo físico, do mundo, conversou com o espírito dele e finalizou, deixando escapulir uma lágrima.

— Está tudo bem, Rubens. A vida é eterna e sua consciência está entrando em outra dimensão. Não tenha medo. Há muitos amigos que o esperam. Boa sorte.

Antes mesmo de dar partida, seu telefone tocou e ela leu no visor: Desconhecido. Ela atendeu e falou, em inglês:

— Não chore, Sofia. Nós já sabíamos que era uma questão de tempo. Que seu pai descanse em paz.

— Como você soube?! — Sofia estava histérica do outro lado da linha.

— Sabendo.

— Você e suas bruxarias. Eu me esqueço desse seu lado.

— Vou relevar, porquanto o momento permite que você tenha um ataque nervoso.

Sofia falava português. Aprendera com o pai e tinha um leve sotaque. Automaticamente mudou o tom, o idioma, e passou a falar num português quase impecável:

— Minha mãe está arrasada, pobrezinha — Sofia foi fria, implacável, referindo-se à madrasta. — Não sei o que fazer.

— Nessa hora ninguém sabe — tornou Leda, imperturbável. — Fique com ela, não saia de perto. Dê amor, carinho. Sarah vai precisar muito de seu apoio.

Sofia sentiu o sangue subir. Odiava o equilíbrio de Leda. Alfinetou, ou tentou:

— O funeral será amanhã e Sarah vai se mudar para a casa do meu irmão Michael, no Arizona.

— Você vai continuar na América?

— Não. Vou para o Brasil.

— Seu pai sempre me disse que você tinha horror ao Brasil. Por que viria? Mudou de ideia?

— Para passar um tempo, resolver assuntos particulares, ver você. Pode preparar o quarto de hóspedes, estarei aí...

Leda a cortou com amabilidade e firmeza:

— Querida, primeiro, este é um contato nosso depois de vinte anos; segundo, eu não recebo na minha casa.

— Você não entendeu. Eu sou sua filha, faz anos que não nos vemos, vou para o Brasil. Tenho uns assuntos a resolver. Ficarei uns tempos na sua casa.

— Quem não entendeu foi você, Sofia. Eu não recebo ninguém na minha casa, nem filho. Se quiser, posso procurar um bom hotel para você e...

O telefone ficou mudo.

Leda deu de ombros.

— Que eu tenha todo o equilíbrio do mundo. Aí vem bomba. Essa garota é lobo em pele de cordeiro. Eu gerei, eu sei o que é.

Deu partida e seguiu para casa, fazendo um trabalho mental para se livrar dos pensamentos tóxicos que a conversa travada com a filha tentava colar-se à mente.

Do lado de cima do globo, Sofia atirou o celular na parede, comendo o ódio, fungando feito o cão da morte. Michael ouviu o barulho e entrou no quarto.

— O que foi, irmãzinha?

Sofia fez beicinho e atirou-se nos braços dele.

— Oh, Michael! Estou tão triste com a morte do papai. O que será da nossa vida sem ele? — murmurava, fingindo um choro que já estava cansada de demonstrar.

"Que barbada! Se soubesse que uma briguinha faria papai cair duro no chão, teria armado um barraco há mais tempo. Mas tudo bem. O importante é que ele bateu as botas e agora pego a minha parte da herança e vou dar um giro rápido no Terceiro Mundo. Vou cumprir o último desejo de papai e faturar uma boa grana em cima disso. No entanto, vai ser difícil dobrar a bruxa velha", pensou.

— O que está pensando?

— Como será minha vida, longe de vocês?

— Mamãe foi categórica. Quer vender a casa e ir embora comigo. Não quer você por perto. Por que brigou com papai daquele jeito, Sofia?

— Foi uma discussão boba.

— Mamãe disse que foi por conta dessa briga que ele teve o ataque e morreu. Você sabia que ele não podia passar nervoso. É verdade?

Ela afundou ainda mais a cabeça no peito de Michael, para ele não ver o rosto dela. Respondeu, enquanto sorria de forma maquiavélica:

— Jamais faria isso com papai. Ele era meu ídolo, meu herói. Quando você foi morar em Tucson, eu fiquei sozinha aqui com eles. Deixei meu emprego em Washington para vir para cá, no meio do nada. Mamãe tinha ciúme da nossa relação. Não leve a sério o que ela diz. E, você sabe, ela está doente.

— É — confirmou Michael de maneira triste. — Soube que está esquecendo as coisas.

— Pois é. Vai saber se não está desenvolvendo Alzheimer?

— Pobre mamãe.

Ela se estreitou ainda mais sobre o peito do irmão.

"Michael é tão manipulável. Pena que não tem um tostão. É um pé-rapado. Não vejo a hora de me despedir dele e nunca mais vê-lo. Na vida!"

Sofia era esse encanto de pessoa. Até a adolescência, era uma menina bacana, legalzinha. Dava-se bem com o pai, travara boa amizade com Sarah e preferira viver com a madrasta e o pai em Denver, no Colorado, nos Estados Unidos a vir para o Brasil com a mãe.

Quando Sofia completou catorze anos, Michael nasceu e o relacionamento familiar mudou um pouco. A atenção, obviamente, voltou-se ao bebê. Sofia sentiu-se preterida. Teve até vontade de matar o irmãozinho, mas não via uma maneira eficaz, em que ela não fosse apontada como a culpada por tal atrocidade.

Daí ela começou a andar com más companhias, conheceu o mundo dos componentes ilícitos. Amou as drogas, as bebidas, o sexo. Namorou, envolveu-se com todo tipo de malandro e transformou-se em uma mulher fria, esperta e exímia manipuladora. E bonita. E sedutora.

Aos trinta e cinco anos, depois de levar uma surra e ser jurada de morte por um dos tantos companheiros que tivera, resolveu sumir e passar uma temporada com os pais. Retornou para Denver.

Naquele tempo, Michael já havia se formado em engenharia, tinha um bom emprego e morava em Tucson, no Arizona. Rubens havia sofrido um infarto, tinha colocado umas pontes de safena e tinha tido um princípio de acidente vascular cerebral. A pressão era controlada, assim como o diabetes e o colesterol. O homem era uma granada prestes a ter o pino a ser puxado a qualquer momento e explodir. Sarah cuidava dele com todo o carinho do mundo.

De olho na herança — a casa e umas terras no Colorado — Sofia começou a paparicar o pai para que ele deixasse a papelada em ordem, porquanto lá nos Estados Unidos, diferentemente de como ocorre no Brasil, não há obrigatoriedade de os pais deixarem cinquenta por cento de seus bens para os filhos. Lá, os pais podem deixar a herança para quem quiser.

Com medo de que Rubens se esquecesse da princesinha, ela passou a tomar o lugar de Sarah e tratar o pai com toda a devoção do mundo, até conseguir que ele deixasse em testamento, ao menos, as terras do Colorado para ela. A casa ficou para Sarah e Michael.

Nessa fase amigável, que durou pouco mais de um ano, Rubens acreditou que podia se abrir com a filha. Chamou-a para uma conversa e pediu:

— Guarde este envelope.

— Por quê?

— Caso eu morra, quero que o leve ao Brasil e procure a pessoa cujo endereço está anotado aí. Não o abra. Está lacrado. Conto com sua discrição.

— Não fale assim, papai. Você não vai morrer.

— Não sou mais jovem. Sinto que não vou durar muito. Esse envelope é importantíssimo. Quando eu morrer, você tem que levá-lo a essa pessoa — apontou.

— Vai ajudar uma família. E eu poderei descansar em paz.

Sofia mordiscou os lábios. O que teria no envelope? Por que o pai fizera tanto suspense e só agora, à beira da morte, entregava-lhe esse envelope envelhecido?

Naquela noite, Sofia foi para a cama e, obviamente, abriu o envelope. Conforme via e lia o conteúdo, seus olhos brilharam de cobiça. Mas só poderia descer para o Brasil depois que o pai morresse. Era imperioso que Rubens batesse as botas.

— Esse velho tem que morrer. Preciso agilizar a morte dele. Mas como? — indagou a si mesma, refletindo sobre mil maneiras de provocar a morte de Rubens.

Feito isso, começou o inferno. Atormentação diária, doses cavalares de brigas, discussões, bate-bocas. Tudo, claro, quando Sarah não estava em casa. Para apimentar o quadro e deixar tudo mais verossímil, Sofia começou a se deitar com um enfermeiro casca-grossa. Ele conseguia umas doses cavalares de remédios para enxaqueca, que deixavam uma pessoa normal, caso o tomasse, em estado meio grogue. Sofia amassava o remédio e colocava umas doses na comida de Sarah. A mulher perdia um pouco o rumo. Esquecia as coisas, dormia fora de hora. Houve até uma situação em que quase dormira ao volante.

Sarah, mesmo sem saber que estava tomando uma droga de tarja preta, percebia o estado alterado do marido quando chegava em casa, mas Sofia estendia um sorriso falso nos lábios e dizia:

— Papai tentou ir até a cozinha a passos largos. Isso não pode. Pode?

Sarah começou a desconfiar. Até que flagrou Sofia discutindo violentamente com Rubens. Sofia, ao se ver flagrada, não tinha mais nada a perder. Jogou um monte de barbaridades na cara de Sarah, insultando-a na frente do pai, dizendo que ela arruinara o casamento de Rubens e Leda, criando mentiras, inventando situações estapafúrdias.

O remédio ajudava a alterar o estado mental de Sarah. Ela tinha uns espasmos, entrava na historinha com facilidade, pois as ideias ficavam meio embaralhadas; mas Sofia sorria e se contentava, e Rubens ficava mais vermelho e nervoso.

Ele saiu da sala. Sofia e Sarah quase se pegaram no tapa. Eram acusações pesadas, dos dois lados. Ambas perderam o respeito uma com a outra. Até que Rubens reapareceu na sala, branco feito cera. As duas o encararam e ele mostrou o envelope aberto para Sofia.

— Por que o abriu? Eu pedi para você...

Ela foi rápida. Avançou sobre o pai e arrancou o envelope das mãos dele.

— Isso é meu! Não tem o direito de mexer nas minhas coisas.

Sarah não entendia patavinas do que estava acontecendo.

— O que é isso?

— Papai delirou. Não diz coisa com coisa.

Ele avançou sobre Sofia para resgatar o envelope e ela deu um passo rápido para trás. Rubens desequilibrou-se e tropeçou. Não deu outra. Ele teve um colapso ali na frente das duas. Caiu estatelado no chão. Plaft! Sarah quase desmaiou. Tentou ressuscitar o marido, enquanto Sofia, abraçada ao envelope, gritava:

— Olha o que você fez! Matou o meu pai! Matou o meu pai! Assassina!

Os paramédicos chegaram, constataram a morte. Michael foi chamado, e Sarah, abaladíssima, queria terminar tudo o mais rápido possível. E nunca, nunca mais nesta encarnação, queria botar os olhos em Sofia ou cruzar com ela.

Foi numa manhã nublada e com a cabeça um pouco pesada, mas cheia de planos diabólicos, que Sofia chegou a São Paulo. Da janelinha do avião, olhou para a cidade e não gostou do que viu.

— Que horror! Vou ter de viver nesse inferno, nesse lugar de quinta? Ainda bem que é por pouco tempo. E, ademais, o que não faço para me dar bem...

24

Júlia terminou de colocar o café na térmica quando Rafael apareceu na cozinha.

— Bom dia.

— Bom dia. Acabei de fazer café.

— Prefiro leite puro.

— Você sempre gostou de café com leite — disse ela, colocando a térmica sobre a mesa arrumada para o desjejum.

— Mudei de ideia. Aliás, ultimamente, tenho mudado bastante as minhas ideias.

— O que está acontecendo com a gente?

— Com a gente eu não sei, mas você mudou bastante — tornou ele, enquanto enchia a caneca de leite.

— Rafael, eu não mudei absolutamente nada. Continuo sendo a mesma. Aliás, até melhorei.

Ele deu uma risadinha irônica.

— Melhorou? Em que você melhorou? Poderia refrescar a minha memória?

Ela respirou fundo para manter o equilíbrio. Sentou-se próximo dele e alegou:

— Eu não tenho mais implicado com você, por exemplo.

— Isso lá é verdade. Mas não quer dizer que tenha melhorado. Não pega no meu pé, no entanto me censura com olhares.

— De forma alguma. De onde tirou essa ideia?

— Eu percebo. Você não aprova meu jeito de ser.

Ela se remexeu na cadeira.

— De fato, um tempo atrás, eu me incomodava com sua postura acomodada, porém percebi que cada um é um, e ninguém muda ninguém.

— Bom ter notado isso porque eu gostaria que você fosse diferente e sou obrigado a aceitá-la do jeito que é.

Aquele "sou obrigado a aceitá-la" não desceu bem. Ficou entalado na garganta. Júlia o repreendeu:

— Ninguém é obrigado a nada — ela ressaltou o tom na voz. — Não é obrigado a aceitar ninguém.

— Como não? Se eu não fechar os olhos e fizer esforço para aceitar determinadas posturas e maneiras suas de comportamento que me irritam sobremaneira, não teríamos condições de estar juntos. Fechar os olhos para determinadas coisas, engolir sapos, fazer de conta que está tudo bem é o preço que se paga para manter uma relação estável.

— Eu não concordo. De maneira alguma. Acho isso completamente desrespeitoso. Uma relação afetiva tem de fluir tranquila, em harmonia, agradável. Não pode ser um fardo, não se pode pagar um preço para viver uma relação. É insano.

— Nossos pontos de vista, com o passar do tempo, foram ficando cada vez mais diferentes.

— Rafael — Júlia o encarou com seriedade —, creio que chegamos a um ponto em que temos de tomar uma decisão: ou mudamos a maneira de nos relacionar, ou terminamos.

— Eu não tenho de mudar para agradar você.

— Não disse isso. Disse que precisamos mudar a maneira de nos relacionar, rever conceitos, discutir alguns pontos...

Ele se levantou da mesa fazendo um gesto vago com a mão.

— Não tenho saco para esse tipo de papo. Acho que está claro: eu quero continuar levando a vida desse jeito, e você quer uma vida grandiosa, um megaemprego, um apartamento incrível, viagens mil.

— Não é bem assim.

— No fundo, é. Eu poderia ter tudo isso, porque sou herdeiro de uma grande fortuna. Só que prefiro levar a vida na maciota, no bem-bom. Não preciso nem quero me preocupar com nada. Deixo as coisas acontecerem.

— Tem todo o direito de fazer o que bem entender da sua vida, contudo, eu não sou herdeira de uma grande fortuna.

— Tem que ralar para conseguir, é isso?

— Não, não tenho esse pensamento sacrificante. Mas sou a favor de explorar meus potenciais, descobrir minhas capacidades, crescer por mim, realizar-me e prosperar por mérito próprio. O sabor é outro.

— Mas você usufrui bem ao meu lado, não?

— Como assim?

— Por mais que tenha esse discursinho ético de crescimento por mérito, por que foi justamente namorar um cara como eu, herdeiro de uma fortuna? Ah, Júlia, você tirou uma boa lasca, aproveitou, fartou-se em ótimos restaurantes, fez viagens caras, hospedou-se em hotéis que seu salário classe média jamais poderia bancar.

Ela sentiu-se extremamente ofendida.

— Está me dizendo que namorei você por conta de seu dinheiro?

— Se for analisar friamente, tudo indica que sim.

A vontade que Júlia tinha era de dar um tapão no rosto de Rafael. Contudo, para quê? Pensando bem, dava vontade de dar um tapa em si mesma, porquanto naquele momento parecia que ela estava saindo de uma espécie de sono, de anestesia. Como podia ter se sujeitado a viver ao lado de um rapaz com uma cabeça tão pobre, tão infantil, tão imatura?

Em vez de chorar, ela sentiu alívio. Agradeceu por enxergar a verdade, por mais que estivesse sentindo uma pontada alfinetando o peito. A dor era incômoda, por certo. Mas passaria, assim como muita coisa ruim que ela já enfrentara e passara na vida.

Júlia não saberia explicar, mas, antes de responder o que quer que fosse a Rafael, viu à sua frente a imagem de Franz. Havia até se esquecido e, depois de alguns meses, a imagem do homão simpático aparecia ali, no meio daquela discussão patética.

Ela olhou friamente para Rafael.

— Tudo indica que sim. É verdade. Talvez eu tenha ficado com você por conta da grana, já que é o único atrativo que você tem. Se não fosse a grana, não tem nada aí — ela fez um gesto com a mão, apontando-o da cabeça aos pés — que me satisfez. É bom que terminemos. Assim eu paro de fingir, inclusive os gritinhos de prazer. Vou fazer minhas malas e partir.

Júlia falou e saiu, rosto abaixado para Rafael não perceber o sorriso com ar vingativo. Ele espumava de ódio. Quis ofendê-la, espezinhá-la e, no fim das contas, ela o ofendera, mexera com seu brio, com sua virilidade.

Sentou-se à mesa e disse para si:

— Essa mulher pensa que é uma deusa. Vou lhe mostrar que posso pegar mulher muito mais interessante que ela. Júlia que me aguarde.

O orgulho o roía por dentro. Rafael sentiu até um gosto amargo na boca.

— Deve ter sido o leite — contemporizou.

Foi até o armário e apanhou a lata de chocolate em pó.

No quarto, tentando manter o equilíbrio, Júlia abriu o armário e, enquanto ajeitava as roupas em duas malas, ligou para o irmão.

— Tales?

— Oi, querida. Está tudo bem?

— Sim. Você está ocupado?

— Intervalo de aulas.

— Teria algum problema se eu passasse uns dias na sua casa?

— De forma alguma. O seu quarto está lá, montadinho.

— Eu sei, mas agora você está namorando. Não quero atrapalhar.

— Não. Fique tranquila. Reginaldo tem horários malucos por conta da profissão. Geralmente eu é que vou até o apartamento dele. Pode vir.

— Pode ser hoje?

— Pode ser agora, se quiser. Você tem as chaves, tem o controle do portão, tem vaga na garagem.

— É que...

Tales a cortou com amabilidade:

— Não interessa o que aconteceu. Quero que você fique bem. Vá para casa. Quando eu chegar, à noite, pedimos uma pizza e conversamos, está bem?

— Obrigada! Sabia poder contar com você.

Meia hora depois, Júlia desceu com duas malas e uma sacola.

— Se eu lembrar de alguma coisa mais, ligarei para marcar e pegar, está bem? Aqui estão as chaves — ela as entregou para Rafael.

— Vai ser uma pena caso se lembre de alguma coisa que deixou aqui, porque amanhã vou chamar uma diarista e, se encontrar alguma coisa sua, vou mandar diretamente para o lixo.

Júlia moveu a cabeça para os lados.

— Não precisávamos terminar dessa maneira. Vivemos uma relação intensa, bonita.

— E falsa — ele completou. — Você mesma admitiu que viveu comigo pelo dinheiro, que não tenho atrativos.

— Não vou mais discutir. Adeus, Rafael.

Ela saiu e encostou a porta, sem bater.

Rafael ficou observando-a sair e, por mais que tentasse ser firme, não conseguiu deixar que algumas lágrimas descessem pelos cantos dos olhos.

25

Helinho só não contorceu o rosto de ódio porque o botox limitava a expressão facial. Bastante. Bateu a mão na mesa, chutou o cesto de lixo ao lado da escrivaninha, gritou alguns palavrões cabeludos, desnecessário serem transcritos aqui. Era como se o ódio tivesse se transformado em uma entidade e incorporado nele.

— Malditos! Canalhas! Não podem me tirar assim do jogo.

Angelita entrou no escritório aflita.

— Escutei os gritos lá da copa. Os empregados estão assustadíssimos.

— Devem ficar assustados. Muito assustados. Se as coisas continuarem desse jeito, logo todos estarão no olho da rua.

— Calma. O que foi?

— Os dois maiores partidos políticos do país estão cogitando me tirar da jogada. Se isso acontecer de fato, eu não participo mais do esquema de formação de caixa dois.

— A notícia veio assim, do nada?

— Houve uma reunião. Decidiram que, se fizerem uma investigação, poderão facilmente chegar até mim por conta dos escândalos.

Angelita levou a mão à cabeça.

— Eu avisei você para não se meter em encrenca. Esse pessoal não gosta de exposição na mídia. Todo mundo que trabalha com eles deve estar na surdina, mesmo que seja gente influente, entende?

— Não.

— Como não, Helinho? Mais de vinte anos metido nisso e não sabe como jogar? Esqueceu-se das regras básicas?

— Disseram que tem gente jovem cobrando menos, com esquemas mais modernos, com uso de tecnologia de ponta.

— Isso é desculpa. Você não para de sair nas colunas de fofocas. Está sempre aprontando. Está passando a imagem de fanfarrão.

Helinho grunhiu:

— E daí? Agora vai ficar jogando na minha cara que eu sou o culpado?

— Não é questão de ser ou não culpado. Você está muito bem financeiramente. Não seria o momento de parar?

Hélio não conseguiu arregalar os olhos porque eles já estavam artificialmente arregalados.

— Você está tomando algum remédio de tarja preta?

— Pare com isso. Estou falando sério.

— E eu também. É louca? Acha que eu vou deixar de mamar? Nunca.

— Não precisa mais. Temos muito, até mais do que precisamos. Poderemos sustentar três gerações, se quisermos.

— Negativo. Já não basta eu ter de dividir minha herança com o paspalho do meu irmão e com o bastardinho? Vou ficar com quanto?

— Não gosto quando fala dessa maneira. Respeite Valdir e Rafael.

Hélio deu de ombros.

— Valdir se contenta com pouco. Se eu der a ele outro apartamento na Praia Grande com vista para a estátua de Iemanjá e uma pensão mixuruca, ele ficará feliz — ajuntou, em tom jocoso. — A tonta da esposa não se mete, é espiritualizada, não enche o saco. O problema é o bastar... — ele pigarreou — quer dizer, o Rafael.

— O que tem ele?

— Moleque, ainda. Vive sem fazer nada da vida, adora ganhar as mesadas da vovó. Ele é um encostado. Vai dar trabalho. Por isso não posso parar. Senão a fonte vai secar.

— A fonte nunca vai secar. Que pensamento mais tosco!

— Veremos.

— O que vai fazer em relação aos partidos?

Os olhos de Hélio brilharam rancorosos.

— Eu sei o que vou fazer. Logo você vai saber. Aguarde.

Angelita saiu do escritório e, ao fechar a porta, Hélio pegou o telefone e teclou.

— Oi. Tudo bem? Quanto você está cobrando para montar um dossiê? É. Sim. Falso, obviamente. Está bem. Vou pegar um voo para Brasília. Quinta-feira, onze horas. Fechado.

Helinho desligou o telefone. Os lábios repletos de preenchimento distenderam num sorriso.

— Tudo vai se resolver. Tudo!

Angelita subiu até o quarto, apreensiva. Abriu a porta do closet, afastou alguns cabides e digitou o código do cofre. Ele se abriu e ela apanhou uma pasta. De lá tirou uma caderneta com anotações. Havia alguns números, cifras anotadas. Ela sorriu, telefonou e uma voz conhecida dela atendeu.

— Preciso fazer nova transferência — determinou Angelita.

— Pois não, madame. Para aquela mesma conta?

— Sim.

— Vou precisar que assine a transferência. Quando poderá vir até a agência?

— Quinta-feira.

— Perfeito. Vou aguardá-la.

— Obrigada.

Shirley finalizou o penteado da cliente. A moça agradeceu pela tintura e pelo corte.

— Como sempre, ficou tudo perfeito, Shirley.

— Fiz como pediu.

— Obrigada. Onde acerto?

— Lá no balcão — apontou. — Acerte com Rodinei, meu marido.

A moça despediu-se dela com um beijinho e foi pagar a conta. Shirley e mais uma funcionária terminaram de varrer o salão, ajeitar os produtos. O telefone tocou e ela atendeu.

— Mãe, tudo bem?

— Tudo, Maicom. Onde você está?

— Em casa. Estudando as apostilas que o Tales deixou comigo.

— Daqui a pouco eu e seu pai estaremos em casa. Jantaremos juntos.

— Mãe, tive outro sonho.

— O que foi?

— Vi dois homens entrando no salão. Uma moça loura saía, depois de alguns minutos entravam dois homens armados e assaltavam. Eu via papai, você e Dinorá amarrados.

Shirley levou a mão ao peito. Procurou contemporizar:

— Você está estressando por conta do vestibular que se aproxima. Fique sossegado que logo eu e seu pai estaremos em casa, está bem?

— Sim. Em todo caso, fiz aquela prece que a Jessica me ensinou lá no centro. Diz ela que a prece ajuda.

— Obrigada, meu filho.

Shirley desligou o telefone e imediatamente ligou para um amigo policial.

— Arruda, tudo bem?

— Tudo. O que manda, Shirley?

— Teria como enviar uma viatura aqui para os lados do salão, assim, sem mais nem menos?

Arruda sorriu.

— Está com alguma intuição de coisa ruim?

Ela mentiu.

— Minha funcionária viu dois homens passando pela porta várias vezes. É quase hora de fechar o salão. Estamos com medo.

— Pode deixar. Vou avisar pelo rádio.

— Obrigada, Arruda. Diga à Marlene que a mão e o pé da sexta-feira são por minha conta.

— Não faça isso, senão ela vai pedir para você me ligar toda semana!

Shirley riu, tentando ocultar a opressão no peito.

— Obrigada, Arruda.

— De nada.

O policial contatou dois colegas pelo rádio. Estavam passando na redondeza e, em menos de dez minutos, estacionaram na porta do salão. A moça loura pagou, saiu. Depois de um tempo, Dinorá se despediu, Rodinei apagou as luzes, fecharam as portas e acionaram os alarmes. Saíram e os policiais cumprimentaram:

— Boa noite.

— Boa noite, seu guarda — respondeu Rodinei.

— Boa noite — tornou Shirley.

— O Arruda nos telefonou. Vamos esperar vocês saírem e faremos ronda aqui na área. Ultimamente o índice de furtos e roubos aumentou bastante.

— Agradecemos a atenção — devolveu Rodinei.

No caminho, dentro do carro, Shirley contara sobre a ligação de Maicom e o pedido de ajuda que ela fizera a Arruda.

— Não sei — Rodinei coçou a cabeça. — Não gosto dessas coisas.

— Maicom tem mediunidade. Lembra-se dos pesadelos quando era criança? Dos vultos que ele via?

— Sei, nós o levamos a um centro, ele melhorou. Mas não quero meu filho metido com nada disso.

— Agora que está namorando Jessica, fico mais sossegada. Ela é espírita, pode ajudá-lo. Não vê que ele tem se debruçado sobre alguns livros, estudado...

— Pode ser.

— Está frequentando o centro espírita aos sábados e melhorou o rendimento nos estudos.

— Isso lá é verdade. Maicom está mais bem-disposto.

Rodinei sorriu.

— O que foi?

— O quê?

— Está rindo de quê?

O rosto de Rodinei iluminou-se. Ele abriu um sorriso de lado a lado.

— Essa disposição tem mais a ver com a Jessica do que com o Espiritismo.

— Pode ser. Esse namoro está mais firme do que eu pensava, se quer saber.

— Meninão danado!

— É, Rodinei. Seu menino já está virando homem!

— Como o tempo passa...

Eles iam conversando animados. Não perceberam dois indivíduos que haviam cruzado a rua, dois sinais atrás, irritadíssimos.

— Poxa, meu! Disse que a barra era limpa, que a gente ia faturar fácil aquele salão.

— Não sabia que o dono era amigo de coxinha — justificou o outro, usando o apelido vulgar dado a policial militar na cidade de São Paulo.

— É. De lá, pelo jeito, não podemos nos aproximar. Teremos de arrumar outro lugar para assaltar.

— Tem razão.

— Que tal uma farmácia?

— Vamos dar um giro. Mas longe desses caras.

26

Celina entrou em casa e foi direto para o quarto. Antes, porém, encontrou Esperidião sentado no jardim interno, conversando com Mara.

— Olá! Como estão?

— Tudo bem — tornou Mara.

— Como tem passado? — indagou Esperidião, voz suave.

— Indo — respondeu Celina, sem muita animação na voz.

— Por que o desânimo? — quis saber Mara. — Nossa última conversa foi tão boa!

— Pedi a Esperidião que me ensinasse o poder da mentalização. Ele não me ajuda, faz corpo mole.

Ele sorriu.

— Não é questão de fazer corpo mole. Você quer aprender a fazer mentalização para rever seus filhos.

— Tenho esse direito. Eles são a única coisa boa que deixei no mundo e pela qual me arrependo de fazer o que fiz.

— As coisas não funcionam dessa maneira — interveio Mara.

— Como não? Você já foi para o planetinha azul uma vez. Não adianta mentir, porque sei que é verdade.

— Sim, fui à Terra, algumas vezes. E acompanhada.

— E soube que a sua amiguinha Inês teve permissão para visitar a filha moribunda no hospital, também lá no mundo, que, aliás, está para morrer.

— Desencarnar — corrigiu Esperidião.

— Desencarnar, morrer, empacotar, partir, fazer a passagem. O significado é o mesmo — disparou Celina, alterada.

— O caso de Inês é bem diferente — corrigiu Esperidião, paciente.

— Por quê? Quero saber.

— Porque Inês está bem lúcida, bem consciente sobre o estado da filha. Sabe que Tamires está entre a vida e a morte do corpo, sabe que pode ficar em coma por um bom tempo ainda, ou desencarnar quando o espírito dela decidir e ser conduzida para este posto de tratamento.

— E eu só quero ver meus filhinhos. É pedir muito?

— Não é isso...

Celina o interrompeu, ríspida e desconfiada:

— Já sei! Agora entendi tudo!

— Entendeu o quê? — perguntou Mara.

— Estão fazendo esse jogo sórdido comigo para me punir.

— Punir você, por que faríamos isso? — quis saber Esperidião.

— Por que Mara, a coitadinha, foi assassinada. Inês, a senhorinha, teve um piripaque e morreu.

— Não estou entendendo — admitiu Mara.

— Eu me matei. Eu pus fim à minha vida. Eu pratiquei suicídio. Cometi o maior de todos os pecados. É por isso que ninguém me ajuda.

— Você acredita que cometeu um pecado. É coisa da sua cabeça — observou Mara.

— Aqui ninguém julga ninguém. A punição está em você. Você é o seu próprio juiz — salientou Esperidião.

— A maneira como me olham. De espreita, de rabo de olho. Sei que sou vista de outra forma. Todos me tratam de maneira diferente porque sou a suicida.

— Ninguém faz essa diferença aqui no posto — afirmou Mara. — E, de mais a mais, faz muito tempo...

Esperidião tossiu e a cortou:

— Celina, você está com a mente perturbada. Ainda.

Ela falava e os olhos giravam sobre as órbitas.

— Só estou um pouco fora de mim.

— Não. Está perturbada. Louquinha. O acidente comprometeu bastante o seu cérebro perispiritual. Estamos tentando ajudá-la todo esse tempo com medicação, tratamento, carinho e orações. Um dia, quem sabe, terá condições de visitar seus filhos.

— Um dia é muito vago. Quero agora.

— Agora não há condições. Você ainda não está em seu juízo perfeito. Quem sabe, daqui a uns anos...

Celina levou as mãos à cabeça. Teve um acesso de raiva.

— Daqui a uns anos?! Como? São loucos? Daqui a uns anos meus filhos estarão crescidos, nem vão se lembrar mais de mim.

— Calma, Celina — Mara falava e mordiscava os lábios, aflita. Olhou para Esperidião como a perguntar: "E se ela descobrir a verdade? E se Celina souber que já faz mais de vinte anos que morreu?".

Esperidião ergueu as mãos para o alto, a fim de dar um passe calmante em Celina. Todavia, a vontade de Celina era maior que tudo. Naquele momento ela desejava ardentemente ver os filhos. Mentalizou Tales e Júlia com uma força tão poderosa que não houve como detê-la no posto de atendimento. Num piscar de olhos, ela sumiu na frente deles.

Mara levou a mão à boca. Nunca havia visto um espírito desaparecer na sua frente daquela forma. E pior, em desequilíbrio.

— E agora, Esperidião?

— Agora vamos fazer uma prece e entregar Celina nas mãos das forças inteligentes que regem a vida. Não temos mais o que fazer — respondeu ele, numa calma de fazer gosto.

Celina abriu os olhos. A dor de cabeça era imensa. As pontadas na testa eram tão fortes que ela pensou que a cabeça iria explodir. Latejava, sentia pontadas em todos os lados. Ela apertava o crânio com força, como se fosse ajudar a abrandar a dor. Nada. Nadica de nada.

Depois de gemer uns minutos e caminhar sem saber por onde, a dor começou a passar. Foi passando, passando, e ela começou a enxergar com mais nitidez. Percebeu um caminho nublado, acinzentado, passando por um campo aberto, com neblina. Ela passava as mãos à frente e fazia movimentos para os lados, como se empurrasse a massa para os lados, e a neblina, dessa forma, fosse desaparecer. Negativo.

Chegou a um ponto que Celina não sabia mais por onde estava andando. Se estava indo em linha reta ou em círculos. Estava perdida.

— Lugar escuro, silencioso e com neblina? Onde será que estou?

Ela parou e resolveu agachar. Tateou o chão, percebeu ser terra úmida. Sentou-se e adormeceu. Horas depois sentiu uma cutucada leve. Meio confusa, pensou estar em seu quarto, no posto. Demorou para juntar as ideias até que escutou a voz de uma mulher:

— Levanta daí. Vai passar a eternidade nesse chão de terra?

— Quem é você? Onde estou?

— Uma pergunta por vez.

A mulher ajudou Celina a erguer-se. Assim que se levantou, conseguiu, no meio da neblina que se dissipava, ver o rosto.

Era uma mulher belíssima, corpo esguio. Devia ter cinquenta e poucos anos, trajava um vestido longo, vermelho, todo bordado com pedrinhas que cintilavam como uma fantasia luxuosa. O rosto parecia uma porcelana finíssima, alvo, sedoso. Os cabelos eram cacheados, negros, compridos, lindos! Ela tinha um par de olhos verdes grandes, lábios carnudos e usava salto alto. Colares, pulseiras, brincos e anéis reluziam. O leque na mão era um charme à parte. Um deslumbre. Uma mulher de rara beleza no meio daquele pântano de energias pesadas.

— Meu nome é Nena. Você está no inferno — ela gargalhou.

Celina assustou-se, mas lembrou-se das crianças.

— Tem como sair do inferno?

— Depende. Tudo aqui é na base da troca.

— Como assim?

— Eu ajudo você a sair, ajudo você a fazer o que quer. Em troca, você me faz um servicinho.

— Que servicinho?

— Não sei. Vou avaliar o seu caso.

— Preciso saber qual é o serviço.

— Está nesta penúria e ainda exige? É muita arrogância!

Nena falou uma palavra num dialeto estranho, fez um sinal com os dedos e abanou o leque com elegância. Virou-lhe as costas e foi caminhando por entre a neblina. Celina sentiu medo de continuar ali, sozinha, sem saber para onde ir. E se demorasse para outra pessoa aparecer? E se aparecesse alguém bem pior? E se alguém a escravizasse? Lembrou-se das histórias que já ouvira sobre pessoas que saíram do posto e foram escravizadas, abduzidas. Celina sentiu um frio congelar a espinha. Gritou:

— Nena! Eu aceito!

A mulher sorriu e voltou-se na direção dela.

— Trato é trato — puxou um punhal da bolsinha que carregava e passou rapidamente pelo pulso de Celina. Ela deu um gritinho.

— Ai!

Nena não disse nada. Passou o punhal no próprio pulso e encostou o seu pulso no de Celina. O sangue de uma misturou-se com o da outra. Um brilho espocou naquele instante.

— O trato foi selado. Agora não dá para voltar atrás. Isso é magia.

Celina limpou o pulso no vestido.

— Sou de palavra.

— Vi muitos como você afirmarem a mesma coisa. Eu ajudo, depois, quando têm de fazer o que eu peço, querem dar para trás. Mas com o trato não tem como. Porque eu acho você no buraco mais fundo do inferno.

— E quem não quiser cumprir com a sua parte?

— Nem queira saber.

O brilho frio nos olhos de Nena era tão intenso que Celina sentiu um mal-estar tremendo. Engoliu em seco e foi logo ao assunto, a fim de esquecer o tal do trato, por ora.

— Quero ver meus filhos.

— Onde eles moram?

— Na cidade de São Paulo.

— São grandes ou pequenos?

— Pequenos. O menino, Tales... — e assim Celina contou sobre os filhos, sobre sua morte, sobre o posto de atendimento.

Depois de tantos anos, foi permitido a Nena novo encontro com Celina. Contudo, ela não podia ser direta. Tinha recebido ordens de entrar no jogo de Celina até o limite do suportável. Nena adorava esse tipo de desafio. Além do mais, também tinha um carinho para lá de especial por Celina, porém, deveria manter aquela postura firme. Celina estava fora de si, acreditava que o tempo não havia passado. Tinha de fazer algo, com jeito, para arrancá-la dessa ilusão.

Nena coçou o queixo.

— Estranho.

— Estranho o quê?

— É muito estranho acolherem uma pessoa que se mata com tanta rapidez.

— Fui privilegiada — alegou Celina, com uma ponta de orgulho na voz.

— Tem certeza de que morreu há três meses?

O tempo tinha congelado na mente de Celina. Não passava de três meses. Nunca.

— Se fizer as contas direitinho, acho que agora deve fazer uns três meses.

— Não pode ser.

— Claro que pode.

— Tudo bem. Não vamos pensar nos filhos.

— Por que não?

— Porque as emoções podem atrapalhar. Se eles forem protegidos por guias espirituais, não poderemos chegar até eles.

— Não sabia disso.

— Agora sabe. Nena tem experiência. Trabalho para gente séria, honesta. Não trabalho com charlatão.

— Como vou localizar meus filhos?

— Calma. Vamos começar pelo básico. Feche os olhos e mentalize a casa onde moram.

Celina fechou os olhos e mentalizou o sobradinho onde moravam. Numa questão de segundos estavam em frente ao sobrado. Nena deu um tapinha nas costas de Celina.

— Pode abrir os olhos. Chegamos.

Celina abriu os olhos e os apertou, fazendo força para se certificar de que estavam no lugar certo.

— O que foi? — quis saber Nena.

— A casa está muito diferente.

— Diferente como?

— Está revestida com um tipo de azulejo, de piso, sei lá.

— E?

— A nossa casa é pintada de amarelinho, com o portãozinho de ferro na cor azul-marinho. Esse portão parece ser feito de alumínio.

— Você disse três meses. Seu marido pode ter feito uma reforma.

Celina ficou meio desconfiada.

— Rodinei não liga para esse tipo de capricho. Não é do feitio dele.

— Vai ver ele se casou de novo.

Celina sentiu um aperto na garganta.

— Imagina! Rodinei não se casaria de novo. Nunca.

Nisso, Celina viu uma moça sair da casa. Era uma moça bonita, aparentando uns trinta anos. Desceu rápido as escadinhas do sobrado. Falava ao telefone enquanto mexia na bolsa.

— Será que seu marido não se casou de novo?

— Eu vou matar essa sirigaita agora!

Nena interveio e se interpôs entre as duas.

— Não é assim que funciona. Você não pode atacar as pessoas do nada.

— Essa vagabunda está com meu marido. Deve estar cuidando dos meus filhos.

— Você nem sabe!

Celina ficou pensativa e mastigando sua raiva. Observava a mulher, a casa. Passou a olhar ao redor. As casas vizinhas estavam parcialmente modificadas. E, para seu espanto, na esquina, dois sobrados tinham dado espaço para um prédio com mais de vinte andares.

— Nena.

— Diga.

— Tem como construírem um prédio de vinte andares em poucos meses?

— Ainda não tem tecnologia para tanto.

Celina observou melhor a mulher e perguntou:

— O que é aquele aparelho em que ela fala tanto? O que é aquilo grudado na orelha?

— Um celular.

— Um o quê?

— Celina, sabe a data da sua morte? O ano já ajuda.

— 1992.

— Ah-ah! — Nena meneou a cabeça para cima e para baixo. — Querida, vamos até uma praça. Acho que chegou o momento de termos uma conversa séria. Bem séria.

27

O interfone tocou e Leda atendeu, simpática:

— Olá, Josué. Pode mandar minha filha subir.

— Como a senhora sabe que é ela?

— Sofia me ligou há pouco avisando — mentiu.

— Sim, senhora. Estou liberando a entrada.

— Ah, Josué, por favor.

— Sim, dona Leda.

— Não é porque Sofia é minha filha que você vai liberar a entrada dela no prédio a qualquer momento. Se ela aparecer, sempre deverei ser interfonada. Eu não autorizo, de maneira alguma, que ela suba sem eu ser avisada.

— Fique sossegada, dona Leda. O visitante só sobe mediante autorização do morador.

— Obrigada.

Leda fechou os olhos, contemplou o ambiente e vibrou uma luz calmante no recinto. Repetiu para si:

— Estou fria e serena diante da vida. Tudo está bem no meu mundo.

A campainha tocou e Leda abriu a porta. Sofia fez voz chorosa e abriu os braços:

— Oh, mamãe! Quanto tempo! Quanta saudade!

Leda abraçou-a e a fez entrar.

— Como vai, Sofia. Entre.

Sofia entrou mordiscando os lábios com raiva.

"Achei que fosse amolecer a velha. Vai ser difícil", pensou.

Sorriu e sentou-se.

— Estou cansada. Procurar hotel nesta cidade não é tarefa fácil. Está ocorrendo uma feira internacional de grande porte, está quase tudo lotado. Quer dizer, até encontrei vaga, mas são diárias caríssimas.

— Você não ia ficar na casa de um conhecido que fez amizade por meio de rede social?

— Ele viajou, esqueceu de deixar as chaves.

— Que pena!

— Poderia ficar aqui uns tempos? Só até meu amigo voltar.

— Fui clara com você. Não recebo na minha casa.

— E o que estou fazendo aqui? — o tom de Sofia estava um pouquinho acima do normal.

— É minha convidada. Aliás, eu a recebo de braços abertos. Deveria ter me ligado antes. Não gosto de receber visitas de surpresa.

— Estava desesperada. Não tinha para onde ir.

— Aqui não poderá ficar. Tenho meus hábitos, meus horários, meu jeito de conduzir a casa e não abro mão da minha privacidade.

Sofia deixou-se indignar.

— É minha mãe!

— Você, desde garota, escolheu Sarah para ser sua mãe. Depois de mais de vinte anos, resolveu me chamar de mamãe? Ora, Sofia, por favor.

— Como pode ser tão fria?

Leda refletiu por instantes.

— É bom. A frieza me traz maciez. Eu me sinto como uma borboleta etérea, estranha, misteriosa, mas completamente doce. É como sentir uma doçura fria, indiferente. Fria, Sofia, é não ligar para as coisas do mundo; é ficar na sua, ficar em si.

— Você não tem um pingo de consideração por mim, por ninguém.

— Você é americana, sabe bem o que estou dizendo. Não queira se fazer de tonta — Sofia abriu e fechou a boca. Leda prosseguiu: — Foi lá que aprendi: eu não tenho que ligar para os outros. Cada um na sua, cada um cuida do seu problema. Os outros só ajudam quando você pede ajuda. Aqui em nosso país, consideração é se meter na vida dos outros.

Sofia sabia que Leda falava a verdade. Não podia dar o braço a torcer. Tinha raiva porque era difícil manipular um americano, por exemplo. Conseguira fazer isso com Michael porque era seu irmão e ela se fizera de coitadinha, de vítima. E eles se viam muito pouco, o que ajudara Sofia a mascarar suas intenções sempre amalucadas.

— Dessa forma, você nunca ajuda ninguém? Vive numa bolha, sozinha?

— Não. Muito pelo contrário. Não faço as coisas por obrigação. Não faço porque "tenho que". Se eu sentir no fundo do meu peito que quero ajudar, vou e dou uma mão, ajudo de coração, de vontade, porque quero, não porque tenho que ajudar. Se eu não sentir vontade de ajudar, também não ajudo. Não me sinto culpada. Quando você ajuda os outros por obrigação, acaba por se envolver na energia dessa pessoa, do mundo, se mistura e acaba sendo falsa.

— Você não liga para ninguém.

— Não preciso ligar para ninguém — afirmou Leda. — Só ligo para quem eu quiser. Não tenho a obrigação de ajudar ninguém; só faço o que gosto.

— Eu sempre desconfiei. Você nunca foi boazinha.

Leda sorriu.

— Jamais! Nunca fui e jamais serei boazinha. Tenho pavor de gente boazinha. Eu sou bondosa. Porque uma pessoa bondosa gosta do que é bom.

Sofia queria morrer. De ódio. Sabia que iria perder a batalha, mas esperava que levasse mais tempo. A mãe se transformara em um escudo intransponível. Ela jamais iria conseguir manipular Leda. Nunca. A mãe não era como a tonta da Sarah.

"Aqui não vou ganhar nada", pensou, reconhecendo a derrota.

Sofia levantou-se e caminhou até a porta, sem encostar na mãe.

— Podia ter mentido. Não precisava ter jogado esse monte de verdades na minha cara.

— A verdade é a única coisa que cura — ponderou Leda. — Porque você fala com doçura, mesmo que seja cruel. E a pessoa escuta. Você escutou tudo. E eu não entrei no seu jogo. Eu não sou a Sarah nem o Michael.

Leda falou encarando Sofia de uma maneira que a desconcertou. Sofia sentiu uma ponta de medo, como se sua mente tivesse sido despida e Leda tivesse acesso a todas suas maluquices. Foi a primeira vez que ela se sentiu ameaçada. E, quando isso acontecia, tomava duas providências: ou se livrava da ameaça, ou sumia. Preferiu sumir, por enquanto.

— Adeus, Leda.

— Cuide-se, Sofia. Boa estada aqui no Brasil.

Sofia saiu e Leda sentiu um pequeno aperto no peito.

— Eu estou bem, mas ela vai aprontar. Enfim — Leda deu de ombros — cada um está onde se põe.

Rodou nos calcanhares e foi para a cozinha, fazer um chá de camomila e comer umas torradas com geleia.

228

Sofia estava irritadíssima. Em sua mente, matou Leda de várias formas: assassinada, levando tiro, sequestrada, tendo ataque, enforcada, enfim, cenas e cenas que davam fim à vida da mãe biológica. Depois, para aliviar a raiva, ainda via Leda no caixão. Abaixava-se e dizia:

— Chegou a hora de ir para o inferno, bruxa!

Ela se hospedou em um hotel modesto, próximo do centro da cidade. Deixou as malas, tomou um banho. Arrumou-se, mas o fuso horário não a deixava conciliar o sono. Resolveu sair, andar um pouco. Passou em uma lanchonete, comeu um sanduíche.

Depois, sedenta por agito, acompanhou um grupo de gente alternativa e caiu numa balada, no Baixo Augusta. Sofia adorou tudo. Expressava-se bem no português, tinha um sotaque gracioso, era bonita, sedutora, tinha um corpo bem-feito.

Conheceu um fulano, bebeu com um sicrano e caiu numa balada animadíssima. Dançou, bebeu, fumou e cheirou. Ficou maluquinha. Beijou um, outro, outra... Mostrava as tatuagens, principalmente as localizadas nas regiões, digamos, impróprias para menores.

Divertiu-se a valer, até que, quando o sol começou a riscar o horizonte, ela foi convidada por uma moça para participar de uma festinha privê.

— Estou cansada. Acabei de chegar de viagem. Agora meu corpo sentiu a carga do fuso horário.

— Ah, meu amigo ali observou você a noite toda. Achou você uma doida varrida. Você o beijou do jeito que ele gosta. Ele gamou.

— Eu o beijei?

— Beijou.

— Beijei tantos — Sofia fez ar de sonsa.

— Me beijou também — acrescentou a moça.

— Eu estava bem alta. Ainda estou um pouco. Chapada.

O homem aproximou-se. Ofereceu uma bebida. Sofia apanhou o copo.

— Eu beijei você? Não lembro.

Ele abaixou e meteu a boca na dela, dando-lhe um beijão. Afastou-se e perguntou:

— E agora, lembrou-se?

Sofia estava meio tonta. Passou a língua entre os lábios.

— Doce. Lembrei. O homem do martíni.

— Eu mesmo.

— Beijo bom.

— Não é só o beijo.

Ela sorriu, apanhou o copo e bebeu.

— E então? Aceita o nosso convite — insistiu ele.

— Aceito.

— É estrangeira?

— Nasci e fui criada nos Estados Unidos, mas sou filha de brasileiros — ela estendeu a mão e se apresentou: — Sofia.

— Prazer, Sofia. Eu me chamo Hélio. Mas todos me chamam de Helinho.

— Prazer, Helinho.

— Vamos?

— Vamos.

Sofia estendeu a mão. Helinho a puxou e saíram abraçados para uma festinha do outro lado da cidade, regada a muita bebida, droga e música eletrônica.

Ao entrarem no carro, Sofia notou o rosto esticado.

"Deve ter sido bem bonito no passado. Mas agora parece o Coringa, do Batman", pensou e gargalhou.

Helinho perguntou:

— O que foi?

— Nada. Estou chapada. Aumenta o som!

28

Noeli e Valdir, de certa forma, voltaram a viver razoavelmente bem. Ele passou a rever alguns conceitos, mudou alguns padrões de pensamento. Noeli, por sua vez, passou a se dedicar mais ao trabalho e à sua própria vida. Estava prestes a se aposentar e queria tomar mais conta de si. Passou a se dedicar à leitura dos livros sugeridos por Leda e, de vez em quando, marcavam um chá para tirarem dúvidas, conversarem sobre assuntos gerais.

A campainha tocou e Noeli atendeu:

— Como vai?

— Muito bem, querida.

— Entre.

Cumprimentaram-se e, depois que Leda acomodou-se e o chá foi servido na copa, Noeli exultou:

— Ler e assimilar ensinamentos que têm mudado positivamente a minha vida não tem preço. Sabe, Leda, hoje ainda não posso dizer que sou uma mulher cem por cento em paz comigo, há alguns ajustes a fazer, mas estou no meu caminho.

Leda serviu-se do chá e, ao pousar a xícara sobre o pires, avaliou:

— Não mudamos da noite para o dia. Claro que há pessoas que têm mais facilidade para mudar conceitos e regras de comportamento. Contudo, cada um é um. Temos de respeitar o nosso tempo.

— Você é calma, serena, equilibrada. Sempre foi assim, mesmo antes de mudar-se para o exterior. Depois que teve contato com a Igreja do Novo Pensamento, voltou melhor ainda — considerou. — Você é o modelo que eu quero seguir.

— Não faça isso, Noeli.

— Por que não? É bom eu me comparar a alguém que me inspire positivamente.

— Sim, olhar para alguém que a inspire positivamente e daí despertar sua própria força e seguir seu caminho à sua maneira é uma coisa, mas seguir seu caminho comparando-se, querendo seguir igual ao outro, é machucar-se. Ninguém pode se comparar neste mundo. Cada um é único. Deus nos fez semelhantes, porém diferentes. Nunca haverá alguém como você, com esses olhos, esse sorriso, esses cabelos, essa boca, esse corpo... Você é única em tudo, até mesmo nos órgãos internos. Jamais, em toda a criação, houve ou haverá alguém igual a você, mesmo que você morra e renasça tantas vezes quantas forem necessárias. Por isso, deve agradecer por ser quem é, com todas as qualidades e pontos que ainda precisam ser mais bem estimulados. Ame-se e jamais compare-se, nem mesmo à pessoa mais maravilhosa que você tenha em conta nesta vida.

Noeli emocionou-se.

— Eu nunca me dei tanto valor assim.

— Pois deveria. Todos nós deveríamos nos dar total valor. Somos um pedacinho vivo da Criação, somos parte de Deus, somos divinos! Temos muito valor. Somos joia rara!

— Cresci escutando que deveria melhorar, que era imperfeita, que deveria ser mais bonita, mais estudiosa, mais inteligente. Sempre tive a sensação de ser menos por conta do bombardeio lá em casa. E a sociedade também nunca foi uma boa amiga: sempre tive de ter um cabelo igual ao de uma artista, o corpo igual ao de uma modelo, a inteligência parecida com a de uma intelectual assim ou assado. Tudo sempre me foi mostrado como se eu nunca fosse boa o suficiente, como se estivesse sempre em falta e fosse imperfeita.

— É. O mundo tenta fazer com que nos sintamos dessa forma. Assim sendo, nossos pais também foram bombardeados com essas mesmas premissas e não tiveram força interior para combatê-las; eles absorveram todos esses conceitos como verdadeiros e simplesmente nos transmitiram, como se estivessem nos fazendo um tremendo bem.

— Agora é diferente — tornou Noeli, secando uma lágrima e sorrindo. — Agora eu percebo que muito do que escutei não é a minha verdade. Eu me deixei sufocar por muitos conceitos que me impedem de ser eu mesma e, portanto, me impedem que eu seja feliz.

— Quando aprendi a força transformadora do pensamento no dia a dia, lá nos Estados Unidos, a minha vida virou de cabeça para baixo. Rubens percebia que eu estava diferente e chegou a um ponto em que ele pediu a separação.

— Pensei que você tivesse pedido a separação — considerou Noeli. — Eu e toda a família. O que me conta é uma grande surpresa.

— Rubens notou que eu não era mais a esposa obediente e não fazia tudo o que ele queria, do jeito dele. Foi se afastando, até que conheceu Sarah. Ela era aluna dele, dedicadíssima, por sinal.

Ambas riram.

— Percebe-se o quanto Sarah se dedicou — emendou Noeli.

— Confesso que não senti nada, nem ciúme, nem raiva. Eu estava tão mudada, tão diferente que estava preocupada com os meus sentimentos. E olha que, quando nos separamos, eu só havia lido algo a respeito. Não tinha tido contato com a Igreja. Foi depois da separação que conheci o ministro, ele me encantou com os conhecimentos da ciência da mente, e a partir daí eu não parei mais.

— E Sofia não vivia mais com você.

— Ela já havia decidido ficar com o pai. Nessa época morava com Rubens e Sarah. E eu estava feliz de não tê-la comigo.

Noeli levantou o sobrolho.

— Como assim?

De maneira calma, Leda esclareceu:

— Sofia era uma menina birrenta. Desde pequenininha, tinha mania de atirar as coisas ao chão e chorar. Eu não ligava para seus chiliques e seus choros. Sabia que ela estava tentando me manipular. Infelizmente, Rubens não percebia isso. Brigávamos bastante por conta da maneira como nossa filha deveria ser educada — Leda respirou e prosseguiu — até que, aos onze anos, eu a escutei conversando com amiguinhas no quarto. Ela as obrigava a fazer a lição para ela, em troca de chantagem.

— Era uma menina terrível.

— Sim. Foi a primeira vez que perdi as estribeiras e dei-lhe um tremendo chacoalhão. Mas ela, espertíssima, esperou o pai chegar e distorceu completamente o ocorrido. Foi a palavra dela contra a minha. Rubens tinha uma queda natural pela filha. Creio que esse episódio contribuiu para o fim de nosso casamento, aliado à minha maneira nova de enxergar e compreender a vida.

— Se uma menina de onze anos faz isso e não tiver limite, imagino depois de adulta.

Leda sorriu.

— Sofia está no Brasil e veio me visitar.

— Não acredito! Está aqui? Fazendo o quê?

— Não contei a você que Rubens morreu recentemente.

Noeli passou delicadamente a mão sobre o braço de Leda.

— Meus sentimentos.

— Rubens foi um amigo querido. Não nos falávamos havia bastante tempo. Eu era mais amiga de Sarah. Ela me escrevia, enviava e-mails. E me contava barbaridades a respeito de Sofia.

— Pelo jeito a menininha virou um dragãozinho...

— Virou o que quis virar. Cada um está onde se põe. Eu não sou responsável por Sofia. Ela é adulta. Sabe manipular as pessoas com muita facilidade. É especializada nisso.

— Como foi o encontro?

— Como eu esperava. Ela tentou aplicar para cima de mim o golpe de filha carente, tentou usar as armas do sentimentalismo barato. Eu a tratei com respeito, mas com profunda indiferença. Ela saiu de casa soltando fogo pelas ventas.

— Sabe onde está e quanto tempo vai ficar aqui?

— Não faço a mínima ideia. Disse a ela que minha casa está aberta para recebê-la, desde que me ligue antes para marcar a visita.

Noeli quase deixou o chá escapulir pelas narinas. Tossiu e gargalhou.

— Leda, só você! Não conheço neste mundo mãe tão indiferente e terna ao mesmo tempo como você.

— Vivendo e aprendendo.

— Acredita que Sofia vá embora logo?

— Vai passar um tempo e depois vai embora. E minha intuição diz que ela vai aprontar. Feio.

Noeli respirou fundo e engoliu em seco. Não gostava quando Leda falava nesse tom porque era tiro e queda. Acontecia.

29

Sentadas em um banco, numa pracinha perto do sobradinho, Nena fingia espanto com tudo o que ouvira.

— Você está assim por eu ter feito o que fiz? — quis saber Celina.

— Não. Estou acostumada com mortes mais cabeludas que a sua — respondeu Nena. — E tem mais.

— O quê?

— Eu não julgo ninguém. Meu trabalho é ajudar as pessoas. Eu ajudo os espíritos que sinto que precisam de ajuda. Mais nada. Não julgo, não aponto o dedo, não fico nesse envolvimento mundano de atirar pedras. O mestre que reencarnou para mudar o patamar de consciência do planeta não disse para atirar a primeira pedra quem não tivesse um pecado que fosse?

— É, tem razão.

— O julgamento está na sua cabeça, Celina. Você é quem vê como feio.

— Mas foi um ato...

— Foi, falou bem. Foi. Passado. Pretérito. Já aconteceu. Não existe uma máquina do tempo como nos filmes do cinema em que você pode voltar e mudar o que aconteceu. Não dá.

— Não?

— Não. Não dá. Não existe. Só mesmo na ficção.

— Então...

— O melhor é aceitar — emendou Nena. — Aceite o fato, querida. Quando você aceita, sente-se melhor. Depois vai analisar o resto. Mas primeiro precisa aceitar.

— Como faço?

— Feche os olhos — Celina fechou e Nena prosseguiu: — Coloque a mão esquerda no peito; a direita, coloque sobre o joelho. Agora diga em voz alta: "Neste momento aceito a minha morte; não importa como aconteceu. Eu morri e aceito este fato; quem vai lidar com as consequências deste ato é o meu espírito e eu deixo o meu espírito em paz para decidir a melhor maneira de lidar com esta morte. Antes de mais nada eu me perdoo; depois, com o tempo, Deus vai me orientar para que eu faça o melhor, porque a partir de agora eu só quero o melhor para mim. Contudo, neste momento, eu me perdoo.

Celina pronunciou as palavras com força e, ao abrir os olhos, sentiu alívio.

— Está sentindo menos peso? — perguntou Nena.

— Estou. Só o fato de aceitar já me deixa melhor. Estou também me sentindo menos fraca.

— Bom. Então agora você tem forças para encarar a verdade.

— Que verdade? Que morri? — Celina deu risada. — Isso eu já sei. Aceitei esse fato.

— Claro que sim. As pessoas passam na rua e não nos notam.

Nesse momento um senhor passou bem próximo delas e Nena esticou o braço. O senhor passou e o corpo dele transpassou o braço de Nena.

— Viu? Somos invisíveis aos olhos humanos. Somente pessoas com sensibilidade bem desenvolvida têm a capacidade de nos ver ou de nos perceber.

— E eu sempre achei que fosse mentira, que os mortos estavam todos enterrados. Nunca acreditei em espíritos.

— Agora que é um, difícil não acreditar na existência deles, certo?

Celina fez sim com a cabeça.

— Se acredita na existência dos espíritos, está dando um passo para aceitar mais verdades.

— Que verdades? Não estou entendendo? Quer me preparar para uma tragédia? Quer dizer que meu marido se casou nesse curto espaço de tempo? Até aguento isso, mas só quero ver meus filhinhos.

Nena girou os olhos nas órbitas.

— Vamos lá. Serei didática, na medida do possível.

— Está certo.

— Você reparou na sua casa. Viu que ela está diferente.

— Sim.

— E na esquina da sua rua, onde havia dois sobradinhos, agora há um prédio enorme.

— É. Estranho, mas está ali, não tem como não ver — apontou.

— E você viu a moça com um objeto estranho ao ouvido.

— Sim. Muito estranho.

Nena puxou a mão de Celina e pediu para ela olhar as pessoas andando na rua.

— Observe as pessoas. Repare nas roupas, nos objetos que carregam nas mãos, o que elas têm nas orelhas.

— Por quê?

— Por nada. Só veja. Bote reparo.

Celina começou a observar as pessoas. Olhou um, depois outro, depois mais outro. Espremeu os olhos, viu uma mulher falando enquanto segurava um objeto na mão; depois viu uma moça com um aparelhinho entre as mãos e um fone de ouvidos bem grande; depois viu dois rapazes com várias tatuagens.

— Nossa! Que gente diferente!

— Diferente, né? — avaliou Nena. — Agora preste atenção também nos carros. Lembra-se dos modelos que você estava acostumada a ver na rua três meses atrás?

— Recordo-me dos modelos, mas esses carros são diferentes também.

Celina começou a gemer, era hum pra cá, hum pra lá. Depois, meneando a cabeça para os lados, encarou Nena:

— Burra, eu não sou. Por acaso, você está querendo me mostrar que eu morri há mais de três meses? Faz alguns anos?

— Muito bem. Começa a perceber a realidade.

Celina mexeu a cabeça para cima e para baixo.

— Não tem problema. O que são três, quatro anos? Tales está com catorze e Júlia com oito anos. Vou ver meus filhinhos mais crescidinhos. É até bom. Ainda dá tempo de acompanhar o crescimento deles.

Nena era paciente, mas tinha um limite. Chacoalhou as pulseiras, puxou o braço de Celina, encarou-a firme e declarou, abanando o leque com vigor:

— Coração, tentei ser sutil até agora, mas você não me dá outra opção que não seja ser direta. Muito direta.

— Fala. Acertei na mosca, né? Pode dizer.

Nena respirou, contou até três e disparou:

— Celina, você morreu há mais de vinte anos. 1992 se foi há muito tempo. Nós já viramos o século, passamos pelo ano 2000 faz mais de dez anos. Agora dá para entender? Ou quer que eu conte ano por ano? Posso também desenhar uma escala de tempo e...

Não adiantaria mais Nena continuar falando. Celina rodou a cabeça, seus olhos começaram a embaçar, e ela desmaiou ali mesmo, no banco da praça.

Nena meneou a cabeça de maneira negativa.

— Agora não tenho o que fazer. É esperar voltar do susto. Pelo menos soube a verdade.

Júlia entrou no restaurante e, quando a recepcionista aproximou-se, ela sorriu e apontou para a mesa no canto.

— Meu acompanhante está logo ali.

— Eu a levarei até ele.

A recepcionista conduziu-a até a mesa. Júlia cumprimentou Franz, a recepcionista puxou a cadeira, ela se sentou.

— Obrigada.

— O garçom logo virá atendê-los.

— Obrigado — respondeu Franz.

Quando a moça se afastou, ele encarou Júlia e disse:

— Está linda. Radiante.

— Não vou dizer que são seus olhos. Estou me sentindo linda e radiante.

— Adoro mulher confiante e segura de si — ele tornou e pousou a mão sobre a dela.

— Fico feliz que tenha aceitado meu convite.

— Agora sou uma mulher livre. Por que não aceitaria?

— Porque sou um homem apaixonado e, se você permitir, não vou lhe dar tempo de ficar solta.

Júlia sorriu.

— Estou bem comigo mesma. Viver uma relação afetiva não é sinônimo de prisão, para mim. Eu sou partidária de que duas pessoas podem conviver, mas ambas têm vontades, desejos, têm suas manias, seus segredinhos, coisinhas que gostam de fazer sozinhas. Há momento para os dois e momentos para cada um também. Muitos acreditam que é obrigatório conviver vinte e quatro horas juntos. Essa obrigação é que mina a relação.

— Você é a primeira mulher que me diz o que sempre pensei, contudo, todas que namorei, inclusive aquela com quem me casei, não tinham essa visão. Sempre viviam cobrando, querendo, exigindo atenção. Eu tenho, naturalmente, meu lado germânico. Sou menos efusivo na expressão dos sentimentos. Não significa que eu não sinta. Claro que sinto! Mas os demonstro de outra forma. Mais contida.

— Sei como é. Os brasileiros são naturalmente mais expansivos. Qualquer demonstração menor de afetividade é visto como frieza, falta de sentimento ou até mesmo falta de consideração. Eu não vejo assim. E, em relação a cobrança e atenção, não sou mulher que cobra ou exige, porque eu me dou atenção. Só gostaria de ter um companheiro que pensasse de forma parecida comigo. Meu relacionamento foi por água abaixo porque meu namorado era o oposto de mim. Eu queria arriscar, ele não; eu queria viajar, ele não; eu queria sair, ele não; dessa forma, fica difícil conciliar os gostos, compartilhar, conviver.

— Entendo você, porque penso da mesma forma.

— E tem outra questão, que gostaria de deixar claro logo no início.

— Por favor.

— Não sou de enrolar e digo logo, porque isso pode encerrar o relacionamento aqui e agora.

Franz arregalou os olhos, surpreso.

— Uau! O que tem de tão forte para contar?

Júlia o encarou e asseverou, séria:

— Não nasci para ser mãe.

— Não sente vontade de ter filhos?

— Não.

— Nem de adotar?

— Também não.

— Acredita que possa ter tido um trauma, algum bloqueio na infância?

— De forma alguma. Não sinto a mínima vontade. Vejo minhas amigas casando, tendo filhos, fazendo ode à maternidade. Eu não tenho talento para ser mãe. Não deve estar no meu programa reencarnatório — ela sorriu. — E, além do mais, acredito fazer parte de um grupo que reencarnou para trazer equilíbrio ao planeta.

— Por quê?

— Porque há muita gente no mundo. A mulher levou anos para se impor na sociedade. Há menos de cem anos começamos a votar e não faz nem cinquenta que tivemos controle sobre nosso corpo, com o advento da pílula anticoncepcional. Agora podemos decidir se queremos ou não ser mães. É outro salto na escala dos valores femininos, porque a sociedade sempre impôs à mulher a procriação como algo inquestionável.

— Toda mulher tinha obrigação de se casar e ter filhos.

— Imagine alguns anos atrás uma mulher que não desejasse, ou pior, uma mulher estéril. O peso da sociedade era, e ainda é, muito forte. Aos poucos estamos nos tornando mais donas de nós e sem medo de dizer o que queremos e o que não queremos.

O garçom chegou com o vinho e os serviu. Fizeram os pedidos, o garçom se foi e brindaram. Júlia acrescentou:

— Desculpe a franqueza, Franz, mas eu não podia dar um passo, mínimo que fosse em nossa amizade ou no rumo que esse encontro possa tomar, sem abrir meu coração.

Ele bebericou o vinho e esclareceu:

— Estava um pouco nervoso com nosso primeiro encontro.

— Por quê?

— Por vários motivos. Primeiro porque eu gostei de você desde a primeira vez que a vi — Júlia sorriu encabulada e ele prosseguiu: — Depois, fiquei um pouco ansioso aguardando você me ligar. Confesso que desejei esse encontro, esperando que estivesse livre para podermos iniciar algo sério. E, terceiro, como sou divorciado e tenho uma filha...

Ele bebericou novamente o vinho. Júlia também bebeu e completou:

— Sim, já sei da sua filha que quer que você arrume logo uma namorada.

Franz sorriu.

— Em nosso primeiro encontro eu lhe revelei isso. Tem razão.

— E?

— É que eu fiz vasectomia. Sei que posso fazer a cirurgia para reversão, mas tenho plena convicção de que só serei pai de Ingrid. Não tenho mais idade para escutar choro de bebê, trocar fraldas e educar uma criança. Fiz a vasectomia consciente de que não queria mais ter filhos.

Júlia questionou:

— Você deve espantar muita mulher com essa sinceridade.

— Nem tanto. Só revelei esse pormenor para uma namorada, logo depois que realizei a cirurgia. A mulher praticamente fugiu no meio do jantar — os dois riram e

Franz prosseguiu: — A esmagadora maioria das mulheres quer ser mãe. Mesmo as separadas. Elas querem constituir um novo núcleo familiar.

— Eu quero constituir um núcleo, mas com meu companheiro. Só com ele. Sabe, tem gente que se força a casar e ter filhos. Infelizmente, vão pelos ditames sociais e acabam se frustrando. Eu tenho um amigo — Júlia confidenciou — que não tem talento para ser marido. Nunca deveria casar na vida, só namorar. No entanto, viu os amigos casando e achou que também tinha de se casar. Encontrou uma mulher, casou, teve um filho e hoje amarga uma relação conflituosa. É infeliz no casamento, está se divorciando. Não aguenta ficar com uma mulher só. É da natureza dele viver livre, solto.

— Todos querem se encaixar num modelo, querem ser iguais.

— Não tem como, Franz. Somos diferentes. Cada um nasceu com um talento. Muitos nasceram com instinto para casar e ter filhos. Outros só para casar. Outros ainda, só para ter filhos.

— E alguns que não têm vocação e nem talento para casar tampouco para ter filhos.

— Exatamente — concordou Júlia.

— E o que diz de mim? — quis saber Franz.

Ela bebeu um pouco mais de vinho e piscou:

— Você já tem uma filha no pacote. Para mim, está de bom tamanho. Encaixa-se no perfil que tem vocação mais talento para casar. Só.

— Júlia, eu não sei de onde você surgiu. Eu quero me relacionar com uma mulher bonita, que não pegue no pé, que seja cúmplice e não tenha a maternidade como pedra fundamental do relacionamento.

— Eu só quero amar, ser amada e ter um parceiro. De preferência que não dependa financeiramente de mim.

Ele piscou e rebateu:

— Nesse ponto pode ficar sossegada, não vou lhe pedir um tostão.

Ele soergueu o corpo da cadeira e avançou para a frente. Deram um beijo e, assim que voltou para a cadeira, Franz fez o convite:

— Quer dar férias para seu irmão e passar uma temporada lá em casa?

— Assim, de uma hora para outra?

— É. Pode começar neste fim de semana. A Ingrid vai viajar com as amigas do colégio para a praia na quinta e voltará no domingo à noite.

Júlia sentiu um friozinho na barriga. Um friozinho gostoso.

— Eu topo!

30

Depois que se separou de Júlia, Rafael sentia-se um garotão de dezoito anos. Saía do trabalho e ia direto para um boteco qualquer. Cada dia era um bar diferente. Encontrava amigos, fazia novas amizades, conhecia mulheres dos mais variados tipos, idades, cores e tamanhos. Ele não era muito seletivo. Depois de certa dose de caipirinhas, as mais variadas, ele não fazia distinção. Desde que fosse mulher, traçava qualquer uma que lhe desse bola.

Com o passar dos meses, o trabalho não era mais tão atraente. A mesada da avó equivalia ao dobro do seu salário.

— Para que trabalhar e ralar tanto se você ganha esse dinheirão da velha? — questionou certa vez uma das ficantes.

Aquilo ficou matutando a cabeça dele. Dias. Semanas. Foi conversar com o pai.

— O que me diz, pai?

Valdir convidou-o a sentar-se. Serviu-se de café e tornou:

— Quando eu era jovem e você tinha acabado de nascer, surtei.

— Surtou? Como?

— Eu era muito certinho, achava que o mundo deveria seguir de acordo com as minhas regras, de acordo com o meu código moral. Não aceitava a maneira como meu pai e seu tio Hélio ganhavam nosso dinheiro. E decidi abandonar a vida que tinha e viver às minhas próprias custas.

— O dinheiro da vovó é sujo?

— Não — Valdir fez um gesto vago com as mãos e procurou disfarçar.

Na cabeça de Rafael, a avó e o tio eram criadores de gado. Nunca fizera associação do dinheiro deles com tráfico de influências, caixa dois de campanha eleitoral e afins.

— Então você voltou atrás...

— Na época não me dava bem com sua avó. Ela sempre me desprezou. Nosso relacionamento nunca foi bom, desde que me conheço por gente.

— Sempre notei um clima estranho entre vocês. Achei que tivesse mais a ver com a Noeli.

— Sua avó implicou bastante com ela durante anos, não aceitava que a babá do meu filho se tornasse minha esposa.

— Noeli é minha mãe. Não consigo vê-la de outra forma. Acho que vovó, depois de tantos anos, depois de ver como eu e minha mãe nos damos bem, mudou a maneira de tratar Noeli.

— Sim. Percebo isso. Sua avó está mais idosa, mais madura. Vê a vida de outra forma, com a lente das experiências pelas quais já passou. E, a cada dia que passa, seu tio Hélio mete os pés pelas mãos.

— Um escândalo atrás do outro. Ele não toma jeito.

— Nunca vai tomar. Helinho sempre foi mimado, nunca teve limites, sempre fez o que quis. Deu nisso.

— Ele não gosta de mim.

— Gosta, mas tem um jeito estranho de se relacionar.

— Não, pai. Tio Hélio me encara de maneira esquisita. É como se eu não fosse bem-vindo. Quando eu era pequeno, achava que era ciúme por conta de a vovó se dividir entre mim e ele. Agora, adulto, percebo que ele não gosta mesmo de mim.

Valdir não soube o que responder. Sempre notou essa animosidade, sem sentido, no irmão. O que poderia dizer ao filho? Procurou contemporizar e voltar ao cerne da questão, ao ponto que levara Rafael a conversar com ele.

— Depois de muitos anos relutando, descobri de que nada adiantava viver uma vida apertada sabendo que minha família podia me dar um suporte, o que me era de direito, visto que sou herdeiro legítimo.

— O que aconteceu?

— Sua mãe não gostou muito. Tinha sido difícil para ela aceitar o apartamento que ganhamos logo depois que você nasceu. Quando passei a receber os rendimentos extras, vindos lá da minha família, percebi que não estava atrapalhando a vida de ninguém. Só estou recebendo o que é meu de direito.

— Eu tenho ralado muito no trabalho, não estou satisfeito. Também não sei o que tenho vontade de fazer.

— Por que continua no trabalho?

— Porque acho feio ficar sem fazer nada. Mamãe teria um ataque se soubesse que larguei o emprego e passei a viver da mesada da minha avó.

— Sua mãe não tem nada a ver com a sua vida.

— Júlia também não aprovaria tal atitude. Foi um dos motivos de nossa separação. Não sou homem de arriscar, de me aventurar. Prefiro ficar no meu lugar, quietinho, vivendo minha vidinha. Se for para levar a vida assim fácil, recebendo mesada, pagando minhas contas, está tudo ótimo. Tenho também minha casa e não preciso de mais nada.

— É bom ser assim comedido, filho. Vai levando sua vidinha simples, sem ambição, pagando suas continhas, saindo de vez em quando, conhecendo umas gatinhas — os dois riram, Valdir prosseguiu: — E, aos poucos, você analisa o que gostaria de fazer, de estudar.

— Não tenho vontade de fazer nada — confessou Rafael, apanhando a xícara de café.

— Tem de haver algo que gostaria de fazer.

— Não no meu caso, pai. Eu tenho vontade de ficar de bermuda, camiseta, sandálias e curtir a vida. Mais nada.

— Se é assim que quer viver, viva.

Valdir falou e, mesmo encorajando o filho, sentiu uma sensação estranha. Rafael era um moço capaz, inteligente. Ficar largado, vivendo de brisa, sem fazer nada? A vida é tão rica, com tantas possibilidades, impossível não haver algo pelo que o filho não pudesse se interessar: um estudo, um serviço que despertasse seus potenciais, ou mesmo um trabalho voluntário. Afinal de contas, todos nós viemos ao mundo cheios de capacidades. Existe alguma coisa para cada um de nós. É só sentir lá no fundo que a alma responde, dá as dicas do que gostamos de fazer.

Às vezes, a cabeça pensa em uma coisa e a alma deseja fazer algo completamente diferente. É por isso que vemos casos interessantíssimos de um ator famoso que, antes de entregar-se à carreira, trabalhava, por exemplo, como auxiliar de escritório. Ou o brilhante advogado que fora cantor; da miss que se tornou empresária de sucesso; do empresário que fora um simples empregado; e por aí vão exemplos os mais diversos.

Rafael precisava do aval do pai para tomar as decisões. Não pensava por si, não sentia lá no coração o que gostava ou não de fazer. Só vislumbrava tardes regadas a sonecas, filmes, clubes, mulheres. Pelo resto da vida. A cabeça dele queria isso, exigindo que ele tomasse uma série de atitudes até contrárias ao seu bem-estar. Sua alma estava sufocada, presa, sem condições de emitir um sinal que fosse dizendo a ele que tudo isso estava errado.

Ele se levantou, despediu-se do pai e foi para casa, contente. No dia seguinte, chegou cedinho ao trabalho, conversou com o chefe, acertou o pedido de demissão. Livre e levando a vida que idealizara na cabeça, Rafael foi a um dos bares que costumava frequentar amiúde. Sentou-se, pediu uma cerveja bem gelada. Apanhou o copo, bebeu e, antes mesmo de passar a língua pelos lábios, escutou uma voz bem pertinho do ouvido, quase um sussurro:

— Nossa, essa cerveja desceu bem, hein? Posso tomar uma com você, gatinho?

Ele olhou para os lados, viu que o bar estava praticamente vazio naquele meio de tarde.

— Quer tomar uma cerveja comigo?

— Demorou — ela respondeu, sorrindo e sentando-se na banqueta ao lado dele.

Rafael fez o pedido de outro chope ao barman e a olhou de cima a baixo. Era um tipo interessante, mais velha — ele gostava —, olhos verdes profundos, boca carnuda e aparência agradável. O corpo era bem-feito.

Ela piscou:

— Está conferindo o material?

— Desculpe. Só queria dar uma geral. Ver se você é real ou um avatar.

Ela riu alto.

— Engraçadinho.

O chope chegou e ela virou o copo de uma vez, estalando a língua no céu da boca.

— Uau! Você é rápida!

— Depende da ocasião. Rápida, demorada, sigo a vontade do parceiro...

Rafael abriu e fechou a boca. Antes que ele dissesse alguma coisa, ela frisou:

— Não sou garota de programa, nem prostituta. Trabalho, tenho grana, carro, divido apartamento com um amigo.

— Eu não estava pensando...

Ela o cortou com docilidade na voz, passando a mão por entre as pernas dele.

— Não, sei que não. Eu só me antecipei — ela tirou um cartão do bolso e o entregou. — Sou relações públicas.

Rafael olhou o cartão. Era bonito, discreto.

— Sofia O'Neill? Inglesa?

— Americana. Filha de pai brasileiro — ela preferiu omitir que a mãe também fosse brasileira. — Adotei o sobrenome de minha mãe americana.

Ele estendeu a mão.

— Rafael Sousa Castillo. Sousa da mãe e Castillo do pai.

— Prazer.

— Tem um sotaque adorável.

— Obrigada.

— Está aqui há muito tempo?

— Há três anos — mentiu, descaradamente.

— É comprometida.

— Até o momento, não.

O "até o momento" deixou Rafael excitado. Gostou da maneira direta da mulher.

— Está livre o resto da tarde?

Ela fingiu consultar o telefone. Mexeu aqui, passou o dedo ali, depois abriu a bolsa, pegou uma agenda. Teclou um número, virou o rosto para o outro lado, mas Rafael pôde ouvir:

— Ilze, desmarque a reunião das cinco da tarde. Diga que estou presa no trânsito e não vou chegar a tempo.

Remarque para, deixe-me ver — ela folheou a agenda —, para depois de amanhã, no mesmo horário. Obrigada. Até amanhã — virou-se para Rafael e anuiu: — Respondendo à sua pergunta, estou livre o resto da tarde.

— Quer dar uma esticadinha lá em casa?

— Adoraria.

Rafael pagou a conta e saíram.

— Está de carro? — quis saber ele.

— Por sorte hoje é dia do meu rodízio. Estou usando táxi.

— Ótimo, me acompanhe.

Sofia sorriu e, assim que entrou no carro, sabia que teria um fim de tarde para lá de agradável.

31

O dia começou com sol forte, sem uma mancha de nuvem no céu. Angelita decidiu, por esse motivo, tomar café da manhã à beira da piscina.

— Falta mais alguma coisa, dona Angelita? — perguntou uma das empregadas.

— Não, querida. Está tudo bem.

Outra empregada se aproximou e interrogou:

— Dona Angelita, seu Helinho desceu e pediu para trazer o café dele para cá. Posso arrumar a mesa novamente?

— Claro. Fique à vontade enquanto dou uma volta pelo jardim.

Angelita apanhou o chapéu, os óculos escuros e, com sua saída de banho esvoaçante, caminhou por entre as alamedas nos arredores do jardim.

— Estranho Helinho acordar tão cedo. Será que está com algum problema em Brasília? — indagou a si mesma.

Ao voltar da caminhada, encontrou o filho discutindo com a empregada:

— Eu disse que queria couve com gengibre. E pepino cortado bem fininho para descansar a pele do rosto. Não entende português? Preciso escrever e desenhar? Gente burra!

A empregada afastou-se. Angelita veio até ele.

— O que foi, meu filho?

— Esses empregados cada vez mais burros, ignorantes. Você pede uma coisa e eles fazem outra completamente diferente. Pedi suco de couve e a mentecapta bateu alface com gengibre. Não sabe diferenciar.

— No fim tudo tem o mesmo sabor — Angelita tentou contemporizar.

Hélio a fuzilou com o olhar duro, porquanto as órbitas não se moviam.

— Preciso tomar tudo conforme me foi receitado. Depois preciso colocar sobre a pele o pepino em rodelas. A idiota os cortou em tiras. Não vou comer o pepino.

Angelita riu.

— Eles se confundem. Calma. Você acordou cedo. Está tenso.

— Não acordei. Eu não dormi, ainda.

— Como?!

— É. Tomei um preparado para me deixar acordado. Não tenho tempo a perder. Tenho muito o que fazer. Dormir é perda de tempo.

— A noite foi feita para descansar.

— Qual nada! — ele apanhou o copo com suco que a empregada acabara de trazer. Bebericou, fez uma careta e mandou a menina sair com um gesto de mão. — Fui me divertir, dancei bastante, queimei calorias. Agora preciso resolver uma série de problemas relativos ao nosso negócio. Ainda estou sentindo o baque por ter levado aquela rasteira. Nosso dinheiro está minguando.

— Que exagero! É até pecado falar dessa forma. Você não fica pobre nem que queime dinheiro.

— Você não tem noção das coisas. Neste país? Tenho de tomar muito cuidado com o que tenho.

— Esqueça isso, Helinho. Para quê? Vá curtir a vida, dançar, viajar, fazer suas cirurgias plásticas, tentar ficar jovem para sempre — ele grunhiu e ela continuou: — Jogue um pano quente sobre os negócios. Passe o bastão.

— Até pensei, mas teria de ser alguém de muita confiança. Melhor eu continuar até perceber que cheguei ao esgotamento.

Angelita serviu-se de café com leite, passou geleia numa torrada.

— Nunca considerou preparar seu sobrinho para substituir você nos negócios?

Ele quase engasgou com o suco. Não podia contorcer o rosto porque o botox não permitia. Só dava para perceber que ficara irritadíssimo com o comentário por conta dos lábios que se moviam indiscriminadamente para a frente.

— É louca? Colocaram droga no seu café com leite? Volte a fita e escute de novo a barbaridade que disse.

— Nada de mais. Rafael tem todas as qualidades para tomar a frente dos negócios, caso queira.

— Aquele desqualificado? Seu neto não leva jeito para nada. Ah, sim, leva jeito para mamar nas tetas da avó, viver de mesadinha.

— Ele só está desorientado.

— Não. Ele não está. Ele é — corrigiu Hélio. — Rafael pode ser seu neto, mas foi criado pelo Valdir, mãe. Não sei se tenho pena ou raiva. Valdir sempre foi um homem sem opinião, sem gosto, sem sal, sem nada.

— Mas...

Hélio a cortou, seco:

— Sei que sou extravagante, preocupo-me em demasia com a estética. Sou assim. Vivo do jeito que gosto.
Posso ter exagerado um pouco nos procedimentos estéticos, porém, tudo que fiz foi porque eu quis, decidi, foi por
minha vontade, desejo. Valdir nunca fez nada que realmente quisesse. Sempre viveu na sombra do mundo. É
um perdedor.

Angelita fixou um ponto no jardim. Helinho dizia
ali umas meias-verdades. Exagerado um pouco nos procedimentos cirúrgicos? Não. Ele tinha passado de todos os
limites. Sem julgamento, mas seu rosto já estava desfigu-
rado. Helinho já era uma caricatura de si mesmo. Este
assunto não vinha ao caso, por ora. No entanto, o que ele
falava de Valdir lhe fazia certo sentido.

"Valdir sempre foi medroso, nunca deu um passo
sozinho. Não saía sozinho, não tinha iniciativa para nada.
Nesse ponto, Hélio tem razão. Será que é por isso que eu
tinha lá minhas diferenças com ele?", pensou Angelita.

Era verdade. Desde pequeno, Valdir fora uma criança
insegura. Tinha medo de bicho, de formiga, de aranha, de
cachorro, até de passarinho. Não gostava de dormir na
casa dos amiguinhos, tinha medo de dormir sozinho, só
dormia com o "seu" travesseiro, tinha muitas esquisitices.

Angelita achava aquilo tudo meio normal; na adolescência, ficou patente que ele era um garoto sem iniciativa.
Não participava de nada, de festa, de campeonatos. Se não
participasse porque não gostasse, era uma coisa. Mas
Valdir não participava porque não tomava iniciativa.
Tinha medo de arriscar, de perder, de ficar em segundo
lugar, de dar vexame para o pai.

No fundo, no fundo, era tudo vaidade. Crescera
cheio de orgulho, com medo de não errar, de não ser
o certinho, de fazer feio para o mundo, de fracassar e

depois ter de encarar os outros. E agora Angelita percebia que Rafael estava se tornando uma cópia do pai. Agia como Valdir. Indo por esse raciocínio, como um rapaz com esse perfil poderia tomar a frente dos negócios? Ela tinha de dar a mão à palmatória e, nesse aspecto em particular, concordar com Helinho.

Ela teve uma ideia.

— E se eu trouxesse Rafael para passar uma temporada conosco?

— Não entendi — Hélio já estava com a cabeça deitada, com o rosto coberto de rodelas de pepinos.

— Ele poderia ficar aqui uns tempos, notar seu jeito de lidar com as coisas, com o trabalho. Poderia até sair com você, ir às festas, conhecer seus amigos...

Helinho abriu a boca e engoliu duas rodelas de pepino. Tossiu bastante. Perdeu a compostura:

— Está louca?

— Eu, por quê?

— Acha que agora eu vou ser babá de homem feito?

— É seu único sobrinho. Você bem que podia...

Helinho jogou o resto de rodelas de pepino para tudo quanto foi lado. Saiu pisando firme para dentro de casa e deixou Angelita falando sozinha.

— O que deu nele? Por que tem tanta birra de Rafael?

32

Celina abriu os olhos. Tateou para se certificar onde estava e abriu os olhos aos poucos. Tudo foi clareando e, quando firmou a vista, Nena sorria, segurando um copo d'água com uma mão e abanando o leque, com a outra.

— Oi.

— Estou com a garganta seca.

— Tome esta água, primeiro. Vai lhe fazer bem.

Celina bebeu todo o copo. Sorveu o líquido com prazer. Depois que terminou, passou as costas das mãos sobre os lábios.

— Ah! — suspirou. — Melhorei. Nossa, Nena! Tive um sonho esquisitíssimo. Andava com você na cidade, achava que tinha morrido havia pouco e de repente tinham se passado...

Nena a encarava sem mover um músculo do rosto. O olhar era firme. Celina sentiu a seriedade do momento. Olhou ao redor, notou que ainda estavam na praça, onde haviam conversado anteriormente.

— Então, o que conversamos... — balbuciou — não foi...

— Não foi um sonho — concluiu Nena.

Celina levou a mão à boca e uma lágrima correu pelo canto do olho.

— Não pode ser. Eu não posso ter perdido a noção do tempo dessa forma.

— Perdeu. Acredite ou não, mais de vinte anos se passaram.

Celina moveu a cabeça para os lados, negativamente.

— Fiquei perturbada por tanto tempo assim?

— Ficou. Depois que morreu, você teve um lampejo de consciência e percebeu que a vida continuava. Teve a certeza, por rápidos instantes, de que a morte não era o fim. Desesperada, entrou em parafuso, em tormento. Cobrou-se, atormentou-se, entrou em profundo estado de culpa e perturbação. Seu espírito não tinha outro lugar para ir a não ser o umbral.

Celina ouvia e as lágrimas desciam.

— Não me recordo, entretanto, tenho certeza de que devo ter ido para o tal Vale dos Suicidas.

— Não. Veja bem, Celina. A Terra segue os passos do plano astral, em termos de modelo de vida, de reestruturação, urbanização, evolução. Às vezes, encontramos um lugar degradado no planeta, em determinada região. Por muito tempo, esse local permanece ali, atraindo pessoas doentes, ou marginais, ou bandidos, ou drogados. O tempo passa, a sociedade evolui, e aquele local sofre uma tremenda mudança. Vem a melhoria, o progresso, e aquelas pessoas são ajudadas, estimuladas a melhorar, levadas para outros locais. Aquele lugar feio, sujo e desordenado dá espaço a um parque, um conjunto de casas bonitas, uma avenida que vai aproximar bairros e diminuir o tempo de trajeto das pessoas.

— E o que tem isso a ver com o Vale?

— Aconteceu o mesmo com o Vale dos Suicidas. Há mais de trinta anos, antes mesmo da sua morte, o local já havia sido visitado por arquitetos do astral superior para ser reorganizado e revitalizado, porque tudo se transforma para melhor no universo. Os espíritos ali alojados receberam ajuda; alguns foram encaminhados para postos de tratamento, como aquele onde você vive; outros decidiram reencarnar; outros, ainda, decidiram arregaçar as mangas, parar de se lamentar e dar a volta por cima; houve também grupos que, ao sentirem melhora, passaram a se dedicar a ajudar os que chegam ao astral da mesma forma.

— O Vale não existe mais?

Da maneira como era descrito em livros antigos, não. No local onde ele existiu, há postos de tratamento e escolas, centros de treinamento. É como se o local tivesse passado por um grande projeto de reurbanização.

— E eu fiquei perambulando todos esses anos no astral inferior?

— Alguns anos. Perturbada e culpando-se a todo instante, você não tinha outro lugar para ir. A sua energia estava em total desequilíbrio. Depois de pouco mais de dez anos que morrera, houve um dia que a equipe de Esperidião a levou até o posto.

— Não me lembro como cheguei ao posto.

— Chegou muito mal. Precisou passar por um tratamento de limpeza das energias tóxicas que se apoderavam do seu corpo. Depois de um ano, mais ou menos, foi encaminhada para o grupo de oração e viver na casa com Mara.

— Isso há mais de dez anos, também.

— É. Mara a conhece há todo esse tempo.

— Ela nunca me disse nada.

— Para não chocá-la. Mara é uma boa amiga. Não queria que você se perturbasse novamente.

Celina pensou em Mara com profundo carinho. Em seguida, um pouco mais aliviada, observou:

— Nena, meus filhos são adultos. Será que vou reconhecê-los?

— Claro que sim. Você os gerou. No momento que bater o olho neles, vai saber quem é Tales e quem é Júlia.

— Meu Deus, quantos anos!

— Agora que você sabe da verdade, quer ir vê-los?

— Eu posso?

— Só um pouco.

— Eles vão se lembrar de mim?

— Talvez sim, talvez não. Faz tanto tempo, não, Celina?

— É que...

Nena a cortou com docilidade na voz:

— Em vez de se questionar e entupir a mente com o que ainda não aconteceu, que tal serenar e irmos quietas até eles?

Celina sorriu e fez sim com a cabeça.

— Vamos até Júlia, primeiro. Ela vai se encontrar com o namorado.

— Namorado? Não se casou?

— Até agora, não.

— Vamos.

Celina deu a mão para Nena e foram caminhando pela cidade. Celina não percebeu, mas Nena caminhava numa velocidade bem mais rápida que o natural. Celina estava tão empolgada para ver a filha que nem notava a rapidez com que andavam.

Chegaram até o apartamento de Franz. Júlia terminava de se arrumar. Trabalhara só meio expediente aquele dia. Tinha umas horas extras e iria gastá-las na companhia de Franz. Estava aguardando-o para irem a uma exposição. Depois iriam jantar e esticar em um bar. Ingrid estava na casa de uma colega da escola e insistira para dormir fora.

Nena e Celina entraram no apartamento e Nena apontou:

— Sua filha.

Celina olhou Júlia de cima a baixo. Era tudo muito estranho. Estava com a mente tão fixada em sua garotinha que era esquisito olhar para uma mulher de vinte e tantos anos. E, por mais que tentasse encontrar traços seus na filha, Celina não os encontrava. Nenhum. Ela ficou desapontada.

— O que foi? — indagou Nena.

— Nada.

— Como, nada? Você vem ver sua filha depois de anos e fica com essa cara?

— Pensei que, adulta, talvez ela fosse bem mais parecida comigo.

— Ela tem alguma coisa sua. Os olhos, o contorno dos lábios.

Celina espremeu os olhos e, por mais que tentasse, não conseguia ver essa semelhança.

— Não vejo. Ela é muito bonita. Bem-arrumada, elegante. Veste-se bem, tem um sorriso encantador, os dentes são brancos e perfeitos. Eu não era assim.

— Porque não se cuidava.

— Olhe as unhas, os cabelos. Ela se trata muito bem.

Celina aproximou-se e, em vez de abraçar a filha, sentiu o perfume que dela emanava. Aspirou o aroma e encantou-se.

— Júlia é perfumada. Gostaria de abraçá-la.

Nesse instante, Franz entrou no apartamento. Celina deu um passo para trás. Nena fez um sinal com o queixo:

— Vamos para aquele canto — apontou. — Fique quieta e só observe.

— Está bem.

Celina obedeceu, deu a volta no cômodo, postou-se num canto. Nena ficou ao seu lado, como a dar suporte energético.

— Oi, meu amor. Está pronta? — perguntou Franz.

— Prontíssima! Não perco essa exposição vinda do Museu do Louvre por nada.

Franz a abraçou por trás.

— Fique tranquila que em breve eu a levarei pessoalmente até o Louvre.

Os olhos de Júlia brilharam emocionados.

— Nunca fiz uma viagem para fora do país. Adoraria conhecer outros países, principalmente os da Europa.

— Por que a Europa? Só porque seu futuro marido é alemão?

— Não, bobinho. É um sonho que cultivo desde a infância. Em casa, havia um calendário, desses com gravuras de bosques, jardins, paisagens. Lembro que meu irmão dizia serem lugares da Europa. Eu era muito pequena.

— Nunca me contou muita coisa de sua infância — tornou ele, enquanto procurava um relógio para colocar no pulso.

Júlia ajeitou os cabelos no espelho, penteando-os.

— Eu tive uma infância maravilhosa, se quer saber.

Celina estufou o peito. Sentiu-se valorizada.

— Pelo menos deixei alguma lembrança boa — comentou com Nena.

— Fique quieta. Não fale. Não podemos alterar o campo energético do ambiente.

— Estou só fazendo um comentário, oras.

— Guarde-o para mais tarde — Nena a censurou.

— Está bem — Celina amarrou a cara, mas, em seguida fixou o semblante na filha e sorriu. Júlia continuava a falar.

— Brinquei muito, fui muito amada, muito feliz.

— Seus pais são pessoas fantásticas. Seu Rodinei é bem conversador e sua mãe é uma criatura adorável.

— Mamãe é espetacular! Um modelo de mulher que respeito e admiro. Amo-a.

Celina sentia o peito encher-se de contentamento. Franz prosseguiu:

— Shirley não é sua mãe biológica, certo?

— Não. Quando ela se casou com meu pai, eu tinha uns quatro anos.

— Não se recorda da sua mãe verdadeira?

— Não, nem um pouco. Tales um dia até mostrou uma foto nossa, com minha mãe biológica. Eu não me recordo dela. Ao olhar-me em seu colo, senti como se estivesse sendo segurada por uma estranha.

— Lembra-se o nome dela?

Júlia levou a mão ao queixo.

— Também não lembro. O Tales era maiorzinho, tinha dez anos quando ela sofreu o acidente e morreu. Nunca guardo o nome. Tenho de olhar na minha identidade. Celmira, Celina... nunca consigo fixar. O nome da minha mãe é Shirley. É e sempre será. Por que está me perguntando isso?

Franz coçou a cabeça.

— Não sei. Deu vontade. Curiosidade. Queria saber mais sobre sua vida. Só isso — ele consultou o relógio que acabara de colocar no pulso. — Se não sairmos agora, vamos pegar trânsito pesado e você vai brigar comigo.

Ela o abraçou e o beijou com delicadeza nos lábios.

— Nunca vou brigar com você. Não brigo com o homem que amo.

— Agora me ganhou. Pode escolher o restaurante que quiser. Eu pago!

Júlia apagou a luz do quarto. Saíram abraçados e felizes.

Celina não se mexia. Sentia uma dor imensa no peito e o estômago dava sinais claros de enjoo. Nena a encarou, séria:

— Ouviu a verdade.

— A verdade dói — Celina tentava apoiar-se em Nena para não cair. A voz estava fraca, as lágrimas começavam a descer.

— A verdade não dói, não machuca. O que dói é a desilusão. Você criou a ilusão de que seria eternamente lembrada, seria a mãe que os filhos iriam guardar sempre na memória e no coração. Achou que Júlia estaria andando com uma foto sua na carteira e beijando-a todos os dias, mostrando a todo mundo a mãe maravilhosa que a vida ceifara tão cedo...

Celina não dizia nada porque era isso mesmo que pensava. Era o que queria que tivesse acontecido. Ela só mexia a cabeça para cima e para baixo.

— Quanta pretensão, quanto orgulho! Que horror!

— Como pode falar assim comigo? Minha filha apagou-me da memória e você me chama de pretensiosa, de orgulhosa? Ainda me dá bronca?

— Claro! Você só pensou em você na hora de se jogar na frente daquele ônibus. Ou pensou em Júlia e Tales?

— Bem, eu...

Nena não dava trela. Nada de passar a mão na cabeça.

— Quando os deixou na escola e os viu pela última vez, nem sentiu um pingo de arrependimento. Agora vem com essa cara de mãe abandonada, sentindo-se vítima, triste por ter sido esquecida? Bem feito! Júlia tinha mais que esquecer. Por que se lembrar de alguém que a abandonou com quatro anos de idade?

Celina levou as mãos aos ouvidos.

— Não quero mais ouvir. Você está me deixando louca. Chega!

E saiu do quarto feito uma doida varrida. Ganhou a rua e correu sem direção, passando por pessoas, carros, postes, cruzando com espíritos. Até os espíritos desocupados e desorientados se afastavam ao vê-la.

Nossa, olha que doida! — observou um.

— Deve ter se ligado em droga — acrescentou um outro. — Melhor nem chegar perto.

Nena moveu a cabeça para os lados.

— Essa menina está me dando mais trabalho do que pensei — disse para si, enquanto abanava o leque. — Que Deus me dê mais forças!

33

Noeli chegou em casa cansada. O plantão no hospital fora cansativo. Cobrira o turno de uma colega. Tudo bem que fizera horas extras, ganharia mais no fim do mês, mas estava exausta. Não era mais uma mocinha de vinte anos. As pernas estavam um pouco inchadas. Subiu pelo elevador de serviço e entrou pela porta da cozinha. Ouviu ao longe barulho de tevê ligada e vozes. Não deu muito crédito. Estava muito cansada.

— Tudo o que quero é tomar um banho, esticar as pernas e assistir um pouco de tevê — disse para si, enquanto jogava a bolsa sobre a mesa da cozinha.

Ao jogar a bolsa, levou um susto. Latas de cerveja estavam espalhadas por todo canto, pratos com restos de comida sobre a mesa, sobre a pia. Parecia que uma festa de arromba ocorrera ali. Muita sujeira, tudo desorganizado. E, obviamente, sobraria para ela ter de ajeitar tudo, porquanto a diarista viria só dali a três dias.

Noeli sentiu o sangue subir e uma veia querer saltar no lado esquerdo do pescoço.

— Desde que Valdir se aposentou, a casa virou esse inferno — rosnou, enquanto jogava os restos de comida dos pratos no lixo.

Valdir entrou na cozinha com dois estranhos.

— Oi, Noeli. Esses são Artur e Manoel. São amigos de bocha do clube.

Ela exprimiu um oi sem olhar para eles e continuou a arrumação.

— Vieram para assistir ao jogo. Hoje é quarta-feira. A geladeira está lotada de cerveja. Tirei algumas coisas e...

Ela olhou para o canto da pia e viu alguns potes de comida que acondicionara na geladeira no dia anterior. Pela quantidade de tempo que os potes estavam fora do refrigerador, já estavam estragadas. Noeli bufou de ódio.

— Por que fez isso? Aqui tinha comida para três dias.

— Qual é o problema?

— Era meu almoço para levar ao hospital. Por que toma essas atitudes idiotas, Valdir? — explodiu, enquanto apanhava a bolsa sobre a mesa e jogava sobre uma cadeira.

Os rapazes perceberam o clima estranho e voltaram para a sala. Ele encostou a porta e foi até ela, baixando o tom de voz, irritado.

— Escute bem: aqui é minha casa e faço o que bem entender.

— O que está acontecendo com você?

— Nada.

— Como nada? Desde que se aposentou, vive largado, passa o dia de moletom e chinelos de dedo. Só quer saber de ir ao clube, jogar bocha.

— Trabalhei muito, ralei bastante. Nada mais justo que receber minha aposentadoria, mais o complemento da minha mãe e viver minha vidinha.

— Indo ao clube, tomando cerveja o dia todo, deixando a casa imunda dessa forma? O que é? Resolveu ser moleque de novo?

— E se resolvi? Qual é o problema? Só porque virei os cinquenta? Não sou velho.

— Não é isso, mas tenha compostura.

— Não é você quem vai agora ficar dizendo o que tenho ou não tenho que fazer. Já disse. A vida é minha, a casa é minha. Eu faço o que quiser.

— Eu vivo com você. Vamos tentar entrar num equilíbrio aqui em casa.

— Não. Você é quem mora de favor. A casa está no meu nome.

Noeli sentiu raiva. Muita raiva. Parecia ver Valdir pela primeira vez na vida.

— Posso ser tonta, mas não sou burra. A casa é sua, sim, senhor, mas estamos juntos há mais de vinte anos e regularizamos nossa situação logo depois que Mara morreu. Metade desta casa é minha e ainda arranco uma parte da sua aposentadoria. E se ficar mais enfezada, pego o apartamento da Praia Grande.

Valdir gelou.

— Como?! Está louca? Você trabalha. O juiz não vai lhe conceder pensão.

— Arrumo um advogado bem ordinário, faço o diabo, Valdir, e arranco pensão de você.

— Não seria capaz — o suor escorria pela testa. Ele começava a gaguejar.

— É, não seria.

Ele tranquilizou.

— Ufa!

Ela riu maliciosa.

— Eu sou capaz. Verbo no presente do indicativo. Sou capaz de largar meu emprego, abrir mão da minha aposentadoria para arrancar um naco dos seus rendimentos — ele abriu e fechou a boca e ela prosseguiu:

— E eu quero este apartamento. Só para mim.

— Não! Metade dele é meu!

— Vamos fazer um acordo. Você fica com a merreca da sua aposentadoria e continua mamando lá na sua mãe. Fica com o apartamento da Praia Grande e eu fico com este aqui e a escritura passada no meu nome. E com IPTU e condomínio pagos para sempre.

— É impossível calcular!

— Fazemos uma conta — ela sorriu. — Eu sou boa de conta. Não se preocupe. Sua mãe não vai se importar de me depositar a quantia.

— Sua...

Sua o quê? — Noeli o desafiou. — Vamos, Valdir! Diga. Depois de todos esses anos, acha que iria tripudiar sobre mim? Acredita que iria me colocar de escanteio e dar tchau? Pensa que sou besta?

— Você é diabólica.

— Não, sou prática. Objetiva. Só quero o que é meu de direito.

Ele sentiu enjoo. Largou a lata de cerveja, abriu um dos armários e apanhou um sal de frutas.

— Vou assistir ao jogo. A nossa conversa não terminou.

— Não. Não terminou. Ainda temos de conversar sobre a Ivete. Quer dizer, dependendo do que conversarmos, eu posso querer exigir mais coisas. Pense bem... otário.

Valdir tomou o sal de frutas, arrotou de propósito e correu para a sala. Noeli sorriu. De ódio. De desapontamento. De alívio. Eram muitos sentimentos misturados. Desde que uma amiga do hospital lhe confidenciara que flagrara Valdir com uma morena numa roda de samba, meses atrás, Noeli deduziu ser Ivete, uma boazuda da redondeza cujo deleite era paquerar homens casados.

Conversa daqui e conversa dali, Noeli apertou a diarista e conseguiu a confirmação. Nem precisava ir mais a fundo. Ivete frequentava o clube. Valdir agora ia todos os dias, de segunda a segunda, com o pretexto de jogar bocha, como se bocha fosse algo que ele praticasse desde que nascera. Mentira. Valdir ia ao clube para encontrar-se com Ivete.

Desde a discussão tempos atrás, no dia do almoço que ofereceram a Rafael e Júlia, Tales e Reginaldo, com a participação extra de Leda, o casamento entrara em declínio. Noeli percebia que ela é quem precisava preencher suas necessidades. Valdir era do jeito dele, não iria mudar. Ela não podia exigir nada dele. Aprendera que, em um relacionamento afetivo, primeiro precisamos estar bem conosco para depois nos envolver com o outro. Noeli estava na fase de aceitar-se incondicionalmente. E sabia que a separação estava por um fio.

Entretanto, não iria sair com uma mão na frente e outra atrás. Aquele apartamento era dela. Só queria o imóvel e as contas básicas dele pagas para sempre. Mais nada. Nem o apartamento da praia. Valdir era de família rica, podia oferecer a ela esse mimo.

— Eu mereço. Ele vai fazer isso por mim.

Terminou de arrumar a cozinha, passou pelos três na sala, deu um boa-noite simpático e dirigiu-se a sua suíte.

Um dos amigos ainda fez um comentário, para raiva de Valdir:

— Nossa, até que sua esposa é bem simpática!

Angelita desceu para o café, apanhou o jornal, leu as notícias. Depois, foi até o escritório e telefonou para o neto.

— Rafael, meu querido, como está?

— Bem, vó.

— Precisamos conversar. Tem uma horinha para passar aqui?

— Quando?

— Pode ser hoje? — ela fez a pergunta de uma maneira a não transparecer tanta ansiedade.

— Pode.

— Venha almoçar comigo. Seu tio viajou para Brasília, voltará amanhã.

— Que horas?

— Meio-dia.

— Está bem. Meio-dia, estarei aí.

Um beijo, meu querido.

— Outro, vó.

Angelita desligou o telefone um tanto aflita.

— Precisarei ter tato para conversar com ele. Rafael é muito parecido com Helinho. Impressionante! Criado por Valdir, mas tem o temperamento parecidíssimo com o do Hélio.

Antes que algum pensamento quisesse cutucar sua mente, uma das empregadas bateu na porta do escritório, entrou e anunciou:

— Seu Valdir está na sala.

— Valdir?

— Sim. Acabou de chegar.

— Diga que estou indo.

— Sim, senhora.

Angelita ajeitou os cabelos no espelho próximo da porta, sorriu para sua imagem refletida no espelho e saiu. Entrou na sala. Valdir andava de um lado para o outro, aflito.

— Soube que Helinho viajou. Ainda bem.

Ele a cumprimentou e Angelita indagou, preocupada:

— O que foi?

— Meu casamento, mãe. Acabou.

Angelita arregalou os olhos.

— Quando eu pensava na festa de bodas de prata, que não está tão longe, você vem com uma bomba dessas?

— Acabou — ele repetiu.

— Calma. Vamos nos sentar.

A empregada passou pelo corredor e Angelita pediu:

— Dois cafés e duas águas, por favor.

— Sim, senhora.

— Meu filho, nunca imaginei que houvesse algum problema entre você e Noeli. Sempre se deram tão bem.

— As aparências enganam. Aquela mercenária quer acabar comigo.

— Não fale assim. O que está acontecendo?

Valdir colocou em rápidas linhas a discussão que tivera com Noeli no dia do jogo. Contara do jeito dele, obviamente. Angelita conhecia o filho e sabia das tintas dramáticas que Valdir adorava pintar nas situações. Considerou:

— Ela está magoada.

— Não tem motivo.

Angelita era macaca velha de sociedade. Pigarreou e o inquiriu, de supetão:

— Você a traiu com quem?

Valdir demorou para absorver a pergunta. Era como se fosse um sinal de celular procurando rede, rodando, rodando na tela do aparelho telefônico.

— Serei mais direta. Qual é o nome da outra?

Ele gaguejou e tossiu.

— Vamos, Valdir, sem chorumelas aqui. Sou sua mãe. Seu parto durou horas. E me deixou irritadíssima porque você não queria nascer. Agora não me enrole de novo. Quem é a mulher?

Ele murmurou:

— Ivete.

— Não escutei. Dá para falar mais alto?

— Ivete — ele pronunciou em som audível.

— Ah. Então Noeli não mudou da noite para o dia. Faz sentido essa irritação.

— É só um casinho, uma nuvem passageira. Uma bobagem.

— Uma bobagem que detonou seu casamento. Só.

Valdir levantou-se nervoso.

— Agora ela quer o apartamento. E quer que eu pague as contas de IPTU e condomínio. Para sempre!

— Nada mais justo.

— É um disparate, mãe.

— Não, não é.

— Você nunca foi com a fachada dela.

— Não muito. Com os anos, fui mudando de ideia.

— E a defende? Não entendo vocês, mulheres.

— Ela o aturou todos esses anos. É um prêmio mais do que justo. E Noeli não quer mais nada. Se fosse uma aventureira, uma desqualificada, iria entrar com uma ação monstruosa e arrancar muito mais de você. Quer dizer, de nós.

— Não tenho nada no meu nome. Exceto... o apartamento onde moramos e o da praia.

— Mas sua família tem muito, muito mais. Ela faria um inferno. Iria para a mídia, seria uma batalha indigesta. Ela só quer o justo. Está sendo uma dama. Admiro e respeito Noeli.

— Não acredito.

— E ainda vou dar a ela um bônus por tamanha integridade. Ela faz por merecer. Sempre foi uma mulher de princípios, desde quando pegou Rafael para criar, amar e educar.

— Também não é assim.

— Como não? Mara nem quis saber de olhar para a criança. Noeli pegou aquele serzinho nos braços como se o tivesse parido. Deu amor, carinho, educou-o. Rafael é um bom rapaz graças a ela. Claro que ele tem alguns desvios de comportamento, mas não têm nada a ver com a educação que ela se esmerou em dar a ele.

— Estou passado. Não posso acreditar que está elogiando a mulher que quer arrancar parte do meu patrimônio.

— Nosso — Angelita corrigiu.

— Eu também criei esse menino. Ele é meu filho, esqueceu? Não veio ao mundo pelo bico da cegonha.

— A mãe tem um papel forte, muito marcante, na educação de um filho, para o bem ou para o mal. Noeli teve um papel importantíssimo na educação de Rafael. Se não fosse ela, ele seria igual a...

Angelita calou-se. Tentou desviar o assunto. Valdir quase espumou de ódio:

— Já sei! Se não fosse Noeli, Rafael seria igualzinho ao panaca aqui, não é? Seria um bolha como o pai.

— Não coloque palavras na minha boca, Valdir.

— Agora me chama de Valdir. Nem de filho me chama.

— Não é isso.

— Nunca gostou de mim. Sempre preferiu o Hélio. Helinho, aliás. Helinho é o amor da sua vida. Eu sou carne de segunda. Ele é o filé-mignon.

— É questão de afinidade. Seu pai gostava mais de você.

— Não. Papai também gostava mais do Helinho.

— Valdir, agora não é o momento para discutir essas bobagens. Você já é maduro. Por que ficar ruminando essa mágoa sem sentido?

— Sem sentido? Não imagina o que é ser preterido. Não sabe o que é ser um filho jogado ao escanteio.

Angelita levantou os olhos para o alto. Aquele discurso a deixava enfadada. Fazia diferença entre os dois porque... fazia, oras. Não tinha explicação. Valdir fora uma criança chata, mimada, birrenta. Não podia comer isso, nem aquilo. Passava mal na escola, tinha todas as doenças de infância. Era um garoto-problema. Quanto mais ele tentava agradá-la, mais ojeriza ela sentia. Era como se o santo não batesse. Não descia. Gostava do filho. Só gostava. Ponto.

Helinho, não. Helinho era o principezinho. Era seu menino de ouro, seu *rayito* de sol. Enchia-o de mimos e até percebia que, devido a isso, Helinho se tornara esse homem mimado, arrogante, cheio de quereres. Se ela estragara o filho ou não, não se importava. Se nos últimos anos a relação entre os dois dera uma esfriada, também não importava. Lá no fundo, Angelita sentia por Helinho um gostar mais forte daquele que sentia por Valdir. Não tinha explicação. Ponto.

Enquanto ela pensava tudo isso, só via a boca de Valdir, nervosa, abrindo e fechando, a espuma branca se formando nos cantos dos lábios. Ele terminou de falar, a empregada entrou com a bandeja. Angelita apanhou o copo com água e o entregou a ele.

— Beba. Não gosto quando fica com essa baba branca no canto dos lábios. Parece cachorro louco.

Valdir aceitou e bebeu. Estava mesmo com a garganta seca. Ela se serviu de café.

— Não vamos desviar o assunto. Você veio aqui para falar de Noeli. Bom, converse com ela, acertem a papelada da separação. Diga que o apartamento será passado para o nome dela, escriturado, tudo bonitinho.

Antes da separação oficial, quero conversar com ela para acertar o valor a ser depositado na conta dela.

— Está dando tudo de mão beijada. Ela não merece tanto.

— Problema meu. Quem comprou o apartamento fui eu, não foi? O dinheiro é meu e faço dele o que bem entender.

Valdir sentiu-se humilhado.

— Você tem o poder, sempre teve.

— Faça por si. Teve todos esses anos para conseguir ter o seu. Por que não o fez?

Valdir engoliu em seco. Sentiu muita raiva, mas também não saberia o que responder. A mãe, de certa forma, estava certa. Ele nunca fizera nada para formar o pé de meia dele. Dependia do dinheiro da família para levar a vida que levava agora.

— Tem razão. Acho que está na minha hora.

Nem se despediu. Virou as costas e se foi. Angelita moveu a cabeça para os lados.

— Agora preciso me refazer. Vou até a piscina, tomar um pouco de sol. Daqui a pouco começará o segundo round: Rafael.

34

Mara levantou-se indisposta naquela manhã. Depois do desjejum e de uma caminhada pelas alamedas próximo de sua casa, sentiu-se um pouco melhor. Estava retornando para casa quando encontrou-se com Esperidião.

— Como vai, Mara?

— Agora estou melhor.

— Por que agora?

— Acordei indisposta. Tive sonhos estranhos.

— Que sonhos?

— Sonhei com Rafael.

— Lembra com detalhes o que sonhou?

Mara espremeu os olhos, depois fechou-os rapidamente na tentativa de se lembrar. Esperidião fez sinal para se sentarem ali num banco próximo.

— Venha, vamos nos sentar aqui. É um lugar aprazível.

— Gosto desta pracinha.

— Eu também — tornou ele, ajeitando-se no banco.

Mara o encarou e disse séria:

— Tive dois sonhos. O primeiro foram cenas de um passado talvez distante. Eu me vi em outro corpo, muitos anos atrás. As cenas passaram de maneira muito rápida em minha mente. Eu e Rafael éramos amigos, houve uma disputa amorosa, duelamos, e eu o matei.

— Nessa época em que viveram como grandes amigos, o duelo era algo naturalmente aceito na sociedade. Havia uma briga, uma discussão, e tudo se resolvia no duelo. As pessoas, mesmo se querendo bem, matavam-se.

— É horrível, Esperidião.

— Está olhando com dramaticidade. As coisas são como são. O mundo vive de acordo com seus códigos, sua moral. Na época em que você viveu essa vida em parti-cular, duelar era normal. Nessa mesma época também, as pessoas escravizavam seus semelhantes por entender que a cor da pele era um diferencial inquestionável; os brancos eram considerados superiores, e os negros, infe-riores. Até pouco tempo atrás, a mulher não tinha direito a voto. O mundo é assim.

— Hoje é um absurdo acreditar que uma pessoa seja superior ou inferior por conta de cor de pele, raça, gênero, classe social, orientação sexual...

— Isso mesmo, Mara. Porque o mundo dá saltos. A sociedade se organiza com suas regras e leis para as-segurar à população uma vida de qualidade em todos os aspectos. E vai evoluindo conforme as pessoas vão se transformando interiormente.

— Como assim?

— Primeiro é necessário haver a mudança interior, o que no Espiritismo chamam de reforma íntima. Dá um trabalhão. Você precisa olhar para dentro de si, para o próprio umbigo, e ver as partes que a fragilizam, que a deixam vulnerável; precisa encarar todas as crenças e ideias que fazem você se sentir menos, se sentir com autoestima baixa. Só quando você se sente bem, tem condições de ajudar o outro, o próximo. Dessa forma, o bem começa a se espalhar, e uma nova consciência se esparrama sobre a sociedade.

— É quando os conceitos e a moral sofrem abalos? — indagou Mara, com grande atenção.

— Sim. São momentos de grandes agitos na sociedade. Claro que, pouco antes de tais eventos, o plano espiritual já enviou espíritos com uma nova consciência, mais libertária, menos preconceituosa, para reencarnar no planeta, ajudando a disseminar essa rigidez de costumes e hábitos arcaicos.

— Por isso o fim da escravidão, do duelo...

— E da pena de morte em muitos países. Embora pareça que o mundo esteja perdido para os mais dramáticos, a sociedade deu um grande salto. Nunca na história da humanidade o homem teve tanta liberdade para fazer o que tem vontade, o que deseja. E, se for perceber com um pouco mais de sutileza, é a primeira vez que a Terra está dando a oportunidade de as pessoas pensarem por si, sem a interferência do poder da Igreja, do Estado, de ninguém.

— É. Na maioria dos países, podemos pensar o que quiser, viver como quiser, ter a vida que quiser.

— Isso era impensável alguns anos atrás. Hoje você pode nascer em um país e, na idade adulta, escolher em qual país morar, quais profissões atuar, quantas pessoas se relacionar. É um novo patamar de experiências de vida encarnada.

— Não vi dessa forma. Perdi a minha oportunidade.

— Não perdeu — observou Esperidião. — Gostava muito de Rafael e, atormentada por ter tirado a vida dele, só ficou em paz com a própria consciência dando-lhe a vida. Ele reencarnou graças a você. Está vivendo uma série de experiências, amadurecendo, crescendo, aprimorando o espírito porque você o trouxe de volta ao planeta.

Mara sorriu.

— Eu sei. Senti-me muito feliz por isso. Percebi essa verdade depois que acordei desse sonho. Foi aí que vi por que fui mãe dele, no sentido de devolver-lhe a vida. No entanto, depois que voltei a pegar no sono, tive outro sonho. Este segundo me deixou perturbada. Acordei suando frio. Foi quase um pesadelo.

— O que viu? Lembra-se?

— Mais ou menos. Vi Rafael em perigo. Como se tivesse tido uma premonição. É possível, Esperidião?

— O quê? Premonição?

— Sim.

— É possível, Mara. A premonição geralmente aparece por meio de sonhos, como no seu caso. Premonição é prever algo que está para acontecer. O futuro próximo está praticamente definido conforme nossas crenças e atitudes do presente.

— O conjunto de pensamentos do presente molda o futuro próximo?

— Sim. Pode até ser modificado, mas é muito difícil. O que não está definido é o futuro distante, porquanto ainda não sofreu influências das crenças da pessoa, que podem mudar ao longo do tempo.

— Então algo ruim vai mesmo acontecer a Rafael — ela rebateu, de maneira triste.

— Não podemos interferir. Cada um tem seu arbítrio, que é a força mais poderosa que a vida nos deu. Seu amigo é meio maria vai com as outras. Às vezes a vida precisa dar um chacoalhão para despertar.

Mara balançou a cabeça para cima e para baixo.

— O motivo de nossa discórdia no passado foi por conta disso. Rafael não era firme em suas ideias. Deixava-se influenciar pelos outros. Sempre foi facilmente manipulável.

— E atraiu alguém com forte poder de manipulação.

— Se eu chamar o grupo de oração para fazer uma boa vibração direcionada a ele, acha que ajudará a minimizar o estrago?

Esperidião sorriu, afável:

— Claro! A oração é uma ferramenta muito poderosa. Quando feita com sinceridade e desprendimento, ajuda e ampara quem a recebe. Rafael vai receber os bons fluidos dessa grande força que vamos formar. Venha, vamos procurar os responsáveis para organizar a vigília.

Mara tocou no braço dele e agradeceu, sincera.

— Não tenho palavras para agradecer tudo o que tem feito por mim nesses anos todos, Esperidião.

Não precisa agradecer. Faço porque gosto.

Ao se levantarem do banco, Mara foi surpreendida por Inês, que chegava um pouco esbaforida, mas feliz.

— Vim dar-lhe um abraço e agradecer pelo carinho com que me tratou todo esse tempo.

Abraçaram-se e Mara disse:

— Inês, gosto de você. Somos amigas. E me sensibilizei com a história de sua filha.

— Vim lhe dizer que, finalmente, Tamires resolveu vir para o nosso lado!

— Ela morreu.

— Sim. Estou tão feliz. Você não tem ideia de como esperava por esse momento.

— Veio para o nosso posto de tratamento?

— Sim. Chegou ontem à noite. Está assonada. Disseram que vai ficar assim por um tempo. Mas vou poder visitá-la todos os dias. Obrigada por tudo.

Inês a beijou com carinho, abraçou-a novamente e se foi.

Mara voltou-se ao lado de Esperidião e, caminhando junto a ele, refletiu:

— Ainda me surpreendo com esses comentários. A filha morre e a mãe fica feliz.

— Nesta nossa dimensão, a morte tem o peso e significado do nascimento na Terra.

— Dependendo do lugar, os valores são completamente diferentes.

— Isso mesmo, Mara. Tudo depende de onde, como...

Foram conversando, de braços dados, alegres. Um brilho especial, de coloração rósea, formava-se em volta dos dois. Estavam em total sintonia.

35

Sofia dormiu uma noite na casa de Rafael. Depois outra. Passou um fim de semana. Caprichou no café da manhã e, percebendo que ele não tomava um pingo de iniciativa para nada, passou a dar palpites, sugestões do tipo: "O que acha?"; "Vamos?"; "Topa?"; e as duas perguntas que fizeram Rafael ficar caidinho por ela: "Quer que eu compre?" e "Quer que eu veja isso para você?". Pronto. Ela fazia tudo, estava à frente de tudo. E mostrava-se excelente nos quesitos cama, mesa e banho, considerando o banho por pura higiene. Estava sempre limpa e cheirosa.

— Vem morar aqui comigo.

— Como assim, Rafael? — Sofia fingiu um ar de indignação que até mesmo ela se surpreendeu. — Morar aqui?

— É. Qual é o problema?

— Eu tenho o apartamento que divido com meu amigo...

Mentira. Sofia dividia uma espelunca com uma estranha que conhecera numa dessas baladas. Pagava uma mixaria, odiava o lugar. Estava contando nos dedos quantos dias levaria para se mudar para a casa dele, mas precisava se fazer de difícil.

"Homem tem que parecer estar no controle, senão fica fácil e perde a graça", pensou, habituada com os tipos com os quais estagiara ao longo da vida. "De homem, eu entendo".

— Converse com seu amigo. Aliás, nunca vi seu amigo, nunca me levou ao seu apartamento. Começo a ficar com ciúme.

— Sabe o que é, o Nino é estranho, meio punk. É da minha idade.

— Pare de falar minha idade — ele enfatizou. — Eu adoro mulheres maduras.

— Trintona, quase quarent... — ela levou a mão à boca.

— Melhor ainda — ele se aproximou, enlaçou-a pela cintura e beijou-a.

Sofia deixou-se beijar e depois desvencilhou-se, meio impotente.

— Não sei, querido. Não quero invadir seu espaço.

— Não vai invadir nada.

— Não faz muito tempo que você rompeu com a outra.

— Não tem nada a ver. Soube que a Júlia está namorando, firme, outro. Fique sossegada.

— Bom, se você insiste, tanto... — ela ainda continuou se fazendo de difícil. — Vou fazer um teste.

— Teste? Como teste, Sofia?

— Um teste. Venho passar uns dias.

— Não. Quero você aqui todos os dias. Vamos buscar suas coisas agora.

Nem pensar! Rafael não podia sequer passar por perto da espelunca em que Sofia vivia.

— Fazemos assim. Você vai cuidar das suas coisas, vai ao clube com seu pai. Eu tenho de ir trabalhar, tenho uma reunião. Depois passo em casa, converso com Nino, pego as malas e venho.

— Está bem. Mas vem hoje?

— Venho. Se é para a felicidade da nação, sim.

Rafael abraçou-a e encheu-a de beijos.

— Eu estou muito feliz.

— Eu também — ajuntou Sofia, empurrando-o com delicadeza. — Preciso terminar de me arrumar. O trabalho me chama.

— Vou preparar minha mochila para ir ao clube.

Rafael afastou-se e, ao dobrar a cozinha e subir as escadas, Sofia apanhou o telefone e teclou. Esperou e, quando o outro lado atendeu, ela exultou, ar triunfante:

— Não disse que conseguiria me mudar em menos de um mês?

— Você é rápida. Gosto disso.

— Adoro elogios, mas também adoro dinheiro.

— Americana mercenária.

Ela gargalhou.

— Tenho minhas economias, mas prefiro mantê-las para emergências.

— Marcamos no mesmo local.

— Podemos almoçar?

— Sim.

— Combinado. Beijos.

Ela desligou o telefone. Rafael, com a mochila nas costas, indagou:

— Era sua assistente?

— Era sim — mentiu Sofia. — Imagina que ela queria marcar uma reunião bem no fim da tarde? Disse que não, impossível. Pedi para transferir para o almoço. Acho que a cliente vai poder almoçar comigo. Quero ter o fim de tarde livre para apanhar minhas coisas e vir para cá.

Ele a beijou de novo e os dois saíram juntos abraçados.

Celina estava deitada num banco de praça, olhos semicerrados.

— Parece uma mendiga — provocou Nena.

— Não enche. Não estou boa. Não me provoque.

— Nervosinha? Ainda magoada com os comentários de Júlia?

— Não quero falar a respeito.

— Está bem. Em todo o caso, o tempo urge. Precisamos ir embora.

— Não sei.

— Não temos mais nada o que fazer aqui.

Celina soergueu o corpo. Ajeitou-se no banco e sentou-se. Mastigou um pouco de saliva.

— Estou com a garganta seca.

— Está com as energias do corpo em desequilíbrio. Você perde as estribeiras com muita rapidez. Precisa ter mais domínio sobre si.

— Desculpe. Fui um tanto impulsiva.

Nena moveu a cabeça para os lados, de maneira negativa. Tirou uma garrafinha de água debaixo do banco. Girou a tampa e entregou-a para Celina.

— De onde veio essa garrafa? Fez mágica?

— Digamos que sim. O importante é bebê-la. É energizante, vai lhe matar a sede e ajudar a restaurar as energias.

Celina entornou a garrafinha de água e a bebeu quase num gole só. Assim que terminou, passou as costas das mãos nos lábios, satisfeita. Sentiu-se imediatamente melhor, mais disposta.

— O que era?

— Uma espécie de energético. Você estava muito debilitada. Agora tem forças para se apoiar em mim e caminhar um pouco. Vamos embora.

— Não sei se quero.

— Por que não?

— Acho que quero ver meu filho.

— Celina, Celina! Olha lá o que você está pedindo. Depois não quero vê-la sair feito uma doida varrida, correndo feito bala de revólver.

— Prometo que vou me esforçar. Por mais duro que seja, não vou sair em desabalada carreira. O máximo que Tales pode fazer é dizer o mesmo que Júlia. Já fui anestesiada.

Nena deu de ombros.

— Bom, você é quem sabe. Ninguém é obrigado a nada nesta vida, seja na matéria ou fora dela, seja no mundo dos vivos ou dos espíritos. Você pode escolher o que quiser. É dona da sua vida.

— Ainda não me habituei com essa verdade. Estou confusa.

— Passou anos no posto de tratamento escutando isso nas palestras.

— Mas não dava a mínima atenção. Se achava que morri há três meses, não faço ideia do que aprendera ou escutara nas palestras e cursos. Só tenho uma vaga lembrança dos grupos de oração. E de Esperidião e Mara.

— Eles lhe querem muito bem.

Celina sorriu.

— Sinto isso. Mara parece ser uma boa amiga.

— É. Esperidião também se preocupa com seu bem-estar.

— Por que não vieram atrás de mim?

— Porque ninguém corre atrás de ninguém, Celina. Cada um é dono de seu próprio nariz. Você foi alertada inúmeras vezes de que não deveria sair do posto, que não seria bom partir por ora. Mas você não os escutou, foi birrenta, quis sair por conta. O que queria que eles fizessem? Viessem correndo atrás, implorando para que voltasse? Eles têm coisas mais importantes para fazer na vida.

Celina sentiu uma ferroada no estômago.

— É. Sinta mesmo mal-estar — asseverou Nena. — Você é muito orgulhosa e acha que o mundo deve correr atrás de você. Não percebeu ainda que você só é importante para você? Por que essa mania de querer que os outros lhe deem tanta atenção? Quanto mais distante estamos de nós, mais queremos que os outros nos olhem.

Celina engoliu em seco. Ficou pensativa.

— Vamos até a casa de Tales, por favor — foi o que ela conseguiu falar, enquanto sua cabeça refletia sobre tudo o que Nena lhe dissera.

36

Celina e Nena entraram em um apartamento amplo, arejado, bem decorado. Reginaldo saíra do consultório mais cedo e decidira fazer o jantar. Antes, passara no mercado para comprar os ingredientes e uma garrafa de vinho. Ao chegar em casa, colocou uma música agradável, alegre, e bebia uma taça de vinho enquanto cozinhava, cantarolando e dançando.

Celina percebia a energia alegre e contagiante do ambiente.

— Este apartamento tem uma energia tão boa! — suspirou.

— Você molda a realidade em que vive e também é responsável pela energia que circunda o ambiente em que vive.

— É contagiante. É uma energia alegre, vibrante, acolhedora, calmante. Não sei explicar, são várias sensações que sinto ao mesmo tempo. Sensações boas, claro.

— O ambiente é sustentado energeticamente pelo fluxo de pensamentos de quem vive nele. Se você é uma pessoa alegre, feliz, de bem com a vida, em paz, positiva, vai viver em um ambiente com esse teor de energia. Se é uma pessoa dramática, negativa, que pensa constantemente em coisas ruins, critica a si mesma e aos outros, acredita no pior, o seu ambiente será um lugar composto por energias densas, pesadas.

— Entendo.

— E pior. Quando o ambiente é denso, ele é propício para atrair espíritos que vibram nesta mesma faixa, ou seja, espíritos perturbados, desorientados, atormentados. Por isso, geralmente, não são os espíritos que entram ou atacam um lar; eles são atraídos ao ambiente por conta das energias afins.

— Então, se uma casa tiver só boas energias... — observou Celina.

— Esses espíritos nem percebem a casa. A energia deles é tão embaçada, tão conturbada que não vêm, não enxergam uma casa com boas energias. Ou, se conseguem ver, passam longe. É como gato quando vê água fria. Passa longe — concluiu Nena, num sorriso.

— E o contrário também pode acontecer? Quer dizer, espíritos amigos, de esferas superiores podem transitar por aqui?

— Sem dúvida. Ambientes alegres, com boas energias, são lugares ideais para que espíritos equilibrados ou mesmo de altas esferas possam circular, deixar mais energia positiva, passar um recado, dar uma orientação...

— Fico feliz que o apartamento do meu filho seja assim. Sinal de que ele é uma boa pessoa. E esse rapaz alegrinho, quem é?

— O namorado dele — Nena respondeu, de forma direta.

Celina arregalou os olhos.

— Namorado?

— É, Celina. Namorado. Por que o espanto?

— Nã... não. Nada — ela gaguejou. — Nada mesmo.

— Não há porque ficar acabrunhada. Você sempre soube que Tales era homossexual. Qual é a surpresa?

— Pensei que Rodinei tivesse dado um jeito nele.

— Ah-ah. Sei. Dado um jeito — tornou Nena. — O que é dar um jeito, na sua cabeça?

Nena abriu o leque e começou a abaná-lo com extremo vigor. O seu olhar era duro e Celina sentiu vergonha.

— Pensei que pudesse ser uma fase, quando ele se tornasse adulto, pudesse mudar.

— Tales é o que é. Nasceu do jeito que tinha de nascer.

— Acha que está tudo bem? Ele não vai enfrentar nada quando morrer?

— Por quê? Você enfrentou algum tribunal?

— Não. É que...

— Não, Celina. Quando morremos, só enfrentamos o tribunal da nossa consciência. Você se atormentou com as suas culpas, com as suas cobranças, com os seus arrependimentos. Ninguém a acusou de nada, ninguém a condenou. Nunca.

— É verdade.

— Tales vive a vida dele, do jeito dele. É feliz assim.

— Eu sei, mas...

— Entendi. Vou lhe dar uma explicação básica. Você ainda está olhando seu filho com os olhos do mundo. Está julgando-o porque acha feio e errado ser gay.

— Gay?

— Quando você morreu o termo ainda não era tão comum como hoje para designar o homossexual.

— Ah, sei.

— Só existem dois gêneros que reencarnam no planeta: masculino e feminino; reencarnamos como homem ou mulher. Agora, a forma, a maneira, como esses gêneros vão se expressar no mundo é outra coisa. Há várias combinações, que são características do espírito, assim como o temperamento. Ele, o espírito, já reencarna com essa característica. Pode ser heterossexual, homossexual, bissexual, transexual e por aí vão outras combinações, tudo de acordo com as necessidades de aprimoramento do espírito. Só isso.

— Tales escolheu reencarnar assim, então?

— É. Escolheu. Não sei se escolheu para combater o preconceito, ou senti-lo na própria pele, para ser mais forte, ou somente porque há algumas vidas se sente melhor relacionando-se com o mesmo sexo. Não importa o motivo. É problema dele, do espírito dele. Não temos nada a ver com isso. O que importa é que devemos respeitá-lo. O melhor de tudo é que ele é feliz.

— Ele é?

— Vivendo com um tipão desses, tudo bem que de vez em quando desmunheca, mas repare bem, Celina.

— É bonitão.

— E ainda cozinha? Até você se interessaria, né, Celina?

Celina foi obrigada a desarmar-se e dar uma risadinha, por ora. Nena fez aquilo para que ela deixasse o constrangimento de lado e absorvesse melhor o monte de novidades. Eram velhos conceitos que começavam a ser quebrados em sua mente, dando espaço para que novos — mais sadios — conceitos e crenças se formassem a partir de então.

Ela passou a observar Reginaldo com atenção. Era um homem bonito. Quarentão, bem-apessoado, elegante, traços fortes, jeito bem masculino — se não falasse muito e não ficasse muito animado, caso contrário ele se entregava. Reginaldo tinha seu jeito próprio de ser. Adorava ser assim. E as pessoas o admiravam e o respeitavam por essa razão.

Enquanto o observava, Celina lembrou-se da infância de Tales, das surras que Rodinei dava no menino para que deixasse de ser maricas, das brigas na escola porque chamavam o filho dela de veado. E Celina nunca o apoiara, nunca lhe escutara, nunca quisera saber como o preconceito se processava na cabecinha de um garoto de dez anos.

— Meu Deus! Como fui passiva! Esse menino deve ter sofrido horrores. Nunca o apoiei, nunca quis escutá-lo. Fingia não ver problema. Tinha medo. Como fui estúpida.

Em dado momento, a porta da cozinha abriu-se e um rapaz na casa dos trinta entrou. Era um homem também bonito, simpático, alegre, brincalhão. O rosto havia se transformado no de um homem, mas Celina o reconheceu de imediato e exclamou alto:

— Tales!

Nena sorriu.

— Seu menino de dez anos. Cresceu um pouquinho.

— Ele ficou um Rodinei melhorado.

— Você fez dois filhos bem bonitos. Caprichou.

Celina emocionou-se. Quis se aproximar, contudo Nena a segurou pelo braço.

— Não. Nada de aproximação. Só veja. E escute.

Nena concentrou-se e, como fizera com Franz, induzindo-o sutilmente a conversar com Júlia sobre a mãe, fez o mesmo com Reginaldo. Ela fez alguns movimentos graciosos com o leque, murmurou umas palavras num dialeto estranhíssimo. Depois juntou as palmas das mãos em concha, levou-as para perto dos lábios e assoprou na direção dos rapazes. Uma espécie de pó dourado voou até eles.

Celina via tudo e permanecia quieta, sem saber o que era e o porquê de Nena ter feito aquilo.

Os dois se cumprimentaram, Reginaldo serviu uma taça para Tales, conversaram amenidades. Enquanto Tales arrumava a mesa, Reginaldo indagou, do nada:

— Querido, você pode me acompanhar até o cemitério no sábado?

— Posso. Por quê?

— Tenho de pagar a manutenção do túmulo de
minha mãe. Vou aproveitar, levar umas flores, visitar os
parentes mortos.

— Vou, sim.

— Se quiser, poderemos visitar o da sua mãe.

Tales não respondeu de imediato. Celina susteve a
respiração.

— Agora ele vai falar de mim. Lá vem bomba.

— Calma, Celina. Sossegue.

Celina aquiesceu. Tales ajeitou os pratos e tornou:

— Minha mãe está enterrada em um cemitério
bem longe daqui. Não sou fã de visitar cemitério. Não
tem sentido para mim, com todo respeito.

— É um elo com os antepassados. É uma maneira
de me manter ligado à memória de minha mãe — observou Reginaldo.

— Não creio ser necessário precisar visitar um
túmulo para tal. Somos espiritualistas, mas temos diferentes pontos de vista. Acho que você morre, o corpo, este
que temos — apalpou — morre, o espírito se liberta e vai
para algum lugar.

— Nunca foi visitar o túmulo da sua mãe? Também
penso dessa forma, mas...

— Logo depois que ela morreu, fomos no Dia de
Finados e em um Dia das Mães porque a Shirley insistiu.
Depois, nunca mais.

— Você não gosta de falar da sua mãe. Desculpe-
-me — Reginaldo beijou a testa de Tales, apanhou uma
travessa para colocar o macarrão.

— Não é isso — ele refletiu. — Durante muitos
anos, tive muita raiva dela. Não gostava mesmo de tocar
no assunto. Logo depois que ela morreu, meu pai engatou

o romance com a Shirley e houve tanta sintonia e empatia entre nós que Celina foi morrendo em minha mente e em meu coração.

Celina sentiu um frio no estômago. Nena a olhou, fez sinal para irem embora e Celina insistiu:

— Vou ficar. Quero ouvir tudo.

Tales prosseguiu:

— Shirley sacou que eu era gay e, ao contrário da minha mãe, que nunca me apoiou nem me deu uma palavra de carinho, ficou do meu lado. Shirley ajudou-me a ser mais forte, a não ter vergonha de ser quem eu era, de ser quem eu sou, na verdade. E foi fazendo a cabeça do meu pai, transformando a cabeça dura do Rodinei, mostrando a ele que estava tudo certo, que ele não tinha errado na minha educação, que eu tinha nascido assim e pronto. Antes, meu pai me aceitava com reserva, gostava de mim, mas com Shirley foi diferente. Ele passou a me ver com outros olhos, mais humanos.

— Shirley foi uma bênção na vida de vocês.

— Foi. Se hoje meu pai vem à nossa casa e o trata como genro, devemos muito a Shirley.

— E não há um pingo de sentimento, nada que sobrou em relação à sua mãe?

— Para ser bem sincero, Reginaldo, depois de adulto, comecei a ver Celina com outros olhos. Um dia fui a uma palestra com uma amiga e um médium notável disse que "cada um dá o que tem", nem mais, nem menos. Não adianta querer esperar além do que o outro não pode dar. Foi aí que mudei a maneira de ver Celina.

— Ela não era tão má assim.

— Não é questão de maldade. Minha mãe nunca foi má. Era uma mulher passiva, sem vontade, sem ação, nunca se colocou em primeiro lugar. Vivia para os outros, nunca para ela. Como eu podia exigir amor, carinho, apoio, se ela nunca soube dar isso para ela mesma? No fundo, deve ter sido uma mulher muito triste e vazia. A imagem que guardo dela é de uma mulher apática, muito, mas muito triste.

— Uma pena, morreu tão jovem.

— Outro dia fiquei com uma pulga atrás da orelha, sabe?

— Por quê?

— Shirley comentou comigo que minha mãe, no dia que morreu, tinha marcado cabelo e tintura.

— Queria ficar bonita para a família — avaliou Reginaldo.

— Não. Minha mãe não se cuidava. Não era costume dela frequentar um salão de beleza.

— Pode ser que naquele dia sentiu vontade.

Tales ficou um tanto ressabiado. Nena assoprou em sua direção e ele admitiu:

— Tem razão. Acho que pensei bobagem. Vou lhe confidenciar algo que nunca contei a ninguém, nem mesmo a Júlia.

— O quê?

— No dia dessa palestra, ao final, me veio uma cena de infância que eu devia ter bloqueado. Foi um ou dois dias antes de minha mãe morrer. Lembro-me de meu pai entrando na cozinha...

Tales fitou um ponto indefinido, como a relembrar a cena. Reginaldo o incentivou:

— E?

— Ele me abraçou, disse que amava só quem se dava o respeito. E que me amava porque eu me dava o respeito.

— Nossa, que forte! Seu Rodinei lhe disse isso?

— Foi. E me lembro que perguntei algo sobre ele amar ou respeitar a mamãe, porque ele a tratava com frieza, sem um pingo de demonstração de carinho. E ele me disse que não podia amar quem não se dava o respeito.

— Dizer isso para um filho de quantos anos? Um garoto?

— Eu tinha dez. Meu pai tinha bebido umas boas doses de cachaça antes. Não era esse homem que você conhece hoje.

— Não consigo imaginar seu pai cachaceiro.

— Ele bebia. Voltando à questão, ao me lembrar disso, nesse dia da palestra, todo meu ressentimento em relação a Celina foi embora. Ela deu o melhor que pôde, fez o melhor que podia. Agradeci por ela ter me dado a oportunidade de reencarnar e, se quer saber, de vez em quando eu mando umas vibrações para que ela fique bem, onde quer que esteja.

Reginaldo abraçou Tales.

— Você é generoso, tem um coração de ouro. Por isso o amo.

Celina era só lágrimas. Nena considerou:

— Acho que agora não vai sair correndo.

Ela moveu a cabeça negativamente.

— Não. Estou sensibilizada. Confesso que vim aqui esperando ouvir poucas e boas. Fui muito omissa com Tales, fui uma mãe relapsa. Júlia tem todo o direito de nem se lembrar de mim, era muito pequena. Mas ele, não. Ele era crescido, entendia das coisas, deve ter sofrido bastante. E agora escuto esse relato verdadeiro e tocante. Além de ter me perdoado, ainda manda vibrações para mim. Não mereço tanto.

— Também não precisa usar de falsa modéstia.

— Não é isso.

— Claro que é. Está tentando agir assim para não deixar a consciência lhe dar uma martelada.

— Você é muito dura, Nena. Deus me livre! Qual foi sua última encarnação? Num campo de concentração, destruindo a vida dos judeus?

— Exagerada. Amo os judeus. Já fui judia, mas bem lá atrás, na época em que fugiram do Egito. Depois estava lá, também como judia, no massacre de Granada. Nunca vou esquecer o ano. 1066. Não sei o que foi pior. Se quer saber, já paguei meus pecados. Como não acredito mais em pecados, estou livre.

— Sorte sua. Estou arrasada. Estou me sentindo péssima.

— Então é hora de partir. Queria ver seus filhos e viu.

— Não. Só mais uma coisa.

— O que é, dessa vez?

— Só queria rever Shirley.

— Está bem. Vamos.

37

Valdir andava de um lado para outro da sala. Helinho entrou e só não piscou porque o olho não fechava a contento.

— O que foi? Por que tanta ansiedade?

— Tive de deixar o apartamento para Noeli. Assinamos os papéis.

— Devia abrir um champanhe, comemorar. É um homem livre.

— Não gostei de ter saído do casamento assim, perdendo.

— Perdendo o quê?

— Depois de todos esses anos, dormindo na mesma cama, descobri que me deitava com uma serpente.

Helinho gargalhou.

— São todas iguais. Noeli ainda foi generosa. Ficou com aquele apartamento meio cafona de vocês. E uns trocados que mamãe depositou no banco.

Valdir bufava.

— E agora tenho de passar uns dias aqui.

— Isso é desagradável. Não estou habituado com estranhos em casa. Por que não vai se enfurnar no seu muquifo na Praia Grande?

— Não quero ficar longe de Rafael.

— Pode subir e descer a serra todo dia. É um pulo.

— Prefiro ficar aqui. Poxa, Hélio, sou seu irmão. Esta casa também é minha.

— Alto lá! Sua uma ova! — rosnou Helinho. — Mamãe não disse que a casa é minha?

— O quê? — Valdir pensou que fosse ter um ataque.

— Depois que assinamos o inventário, mamãe passou a parte dela para mim.

— Eu não passei. Como a casa pode ser sua?

— Bobinho. Quantos papéis você assinou sem ler?

— Não me lembro.

— Um deles foi o termo de doação da sua parte desta casa para quem? Para o Papai Noel? Não. Para mim!

— Maldito!

Valdir iria avançar sobre Hélio, mas Angelita entrou na sala e deu um grito:

— Chega! Parem os dois. O que é isso? Dois homens nessa idade querendo se pegar no tapa?

— O verme do seu filho disse que esta casa é dele — vociferou Valdir.

Angelita sorriu de maneira sem graça.

— Não é bem assim. A casa é de Helinho, mas com usufruto em meu nome. Enquanto eu viver, ele não pode fazer nada.

— Viu como sou bom filho? — Helinho tentou piscar e se pôs atrás de Angelita.

— Como a senhora o deixou fazer isso? Esta casa também me pertence!

— Pertencia. Não sabe conjugar direito? — corrigiu Helinho.

— Não me provoca, senão eu parto para cima, mesmo com mamãe tentando defendê-lo.

— Não o estou defendendo, Valdir. Na época, anos atrás, ficamos com medo de Noeli.

— Sei. Noeli.

— Vocês acabaram de se separar. Ela assinou os papéis — avaliou Helinho. — E se der a louca e ela resolver entrar com nova ação?

— Não pode. Acertamos tudo.

— Não sei — Helinho jogou verde, só para confundir a cabeça de Valdir. — Essas mulheres são capazes de tudo.

— É, meu filho. Acalme-se — pediu Angelita. — Você vai passar uns dias aqui até eu lhe comprar outro apartamento.

— Está vendo? Reclama e ainda vai ganhar uma casinha da mamãe — desdenhou Helinho. — Fala, reclama, chora, fica nervosinho, mas não larga o osso, né, Valdir? Está ficando velho e ainda precisa da mãe para lhe dar um teto. Patético.

— Cale a boca.

— Parem os dois — pediu novamente Angelita e, virando-se para Helinho, suplicou: — Por Deus, vá trabalhar, fazer uma limpeza de pele, passear.

— Eu vou, mesmo. O ambiente está pesadíssimo!

Helinho falou e saiu. Valdir sentou-se no sofá e meteu as mãos sobre os joelhos, apoiando a cabeça.

— Vocês fazem tudo nas minhas costas.

— Tem mania de perseguição. Não é para tanto.

— Por que não falaram claramente comigo sobre a casa? Tinha de ser de maneira escondida?

Angelita não disse nada. Eram assuntos de Helinho. E ela não dava palpites em assuntos... de Helinho.

Leda e Noeli conversavam animadamente em um restaurante. Apanharam os copos coloridos e, quando o garçom se afastou, Noeli afirmou, contente:

— Agora o apartamento é todo meu. Só meu.

— Parabéns. Você conseguiu. Agora é uma mulher livre.

Levantaram os copos com suco e brindaram.

— E Rafael, como assimilou tudo isso? — indagou Leda.

— Numa boa. Os jovens atualmente não se importam muito com as decisões dos pais. Creio que Rafael já percebia que o clima entre mim e Valdir não estava bom. E, de mais a mais, ele está envolvidíssimo com sua filha. Nem nos meus devaneios mais doidos iria imaginar meu filho namorando sua filha.

Leda bebericou o suco e, ao pousar o copo sobre a mesa, ponderou:

— Não vejo esta relação com bons olhos. Aliás, é uma péssima relação.

— Está sendo preconceituosa — objetou Noeli.

— De forma alguma. Você é minha prima, sabe que nos conhecemos há séculos. O fato é que conheço a filha que gerei. Sofia não é de confiança.

— Está exagerando. Rafael me disse que se dá melhor com Sofia do que com Júlia, a empatia foi imediata e, em relação à diferença de idade, não há problema algum — ela baixou o tom de voz — porque sempre preferiu mulheres mais velhas.

— Não se trata disso, Noeli. Você não está enxergando o que precisa.

— E o que precisa ser visto? Meu filho está feliz. É o que importa. E sua filha, ao que consta, também. Não é motivo para nós duas ficarmos contentes?

— Penso que não. Minha intuição não falha.

— Pode falhar uma vez na vida.

— Já lhe disse: Sofia não é de confiança. É uma mulher manipuladora, sem dar a mínima para o sentimento dos outros. Ela está nessa relação com seu filho para tirar algum proveito. Depois que conseguir seu intento, vai desaparecer.

— Imagine!

— Conheço a peça. E temo por seu filho.

Noeli sentiu que Leda estava séria e, falando daquela maneira, imprimia um tom que não deixava dúvidas quanto à veracidade da intuição. Sentiu o peito contrair-se.

— Acha que sua filha pode fazer mal a Rafael?

— Não sei. É um ponto obscuro. Sofia não faria mal nem a uma mosca. Ela é doidivanas, mas não é má. Ela não faria mal a seu filho; no entanto, poderia metê-lo em situação de risco. Não sei ao certo. Algo me diz que devemos afastá-los.

Uma parte de Noeli sentia que Leda dizia a verdade. Outra, porém, ligada à mente social, mais forte, considerava aquilo tudo uma grande besteira. Ela não ia se meter na vida do filho a troco de suposições. Rafael era adulto, dono de si. E ainda mais agora que vivia escancaradamente grudado nas asas da avó. Não, Noeli não ia meter o bedelho. Tornou, de maneira a não magoar Leda:

— Rafael sabe cuidar de si. Sua filha também é maior de idade e vacinada. Eles que se entendam. Creio que você está exagerando. Vamos fazer os pedidos? Estou com fome.

Leda limitou-se a concordar com a cabeça. Em seu íntimo, sabia o que estava por vir. Também não adiantava se desesperar ou se preocupar. Aprendera a não se envolver na vida dos outros. Se pudesse ajudar e avisar sobre um

perigo iminente, ótimo, mas, se não tivesse como interferir, tudo bem também. Cada um tinha de enfrentar a
consequência de suas escolhas. Caberia a ela tão somente
vibrar positivamente para que tanto Rafael como Sofia
não se machucassem com os acontecimentos que ela
pressentia estarem prestes a se desenrolar. E não eram
nada agradáveis.

38

O pôr do sol deixava o céu alaranjado, tornando o fim de tarde aprazível. Celina olhou para o horizonte e sorriu.

— Fazia tempo que não via um pôr de sol tão bonito.

— Fico feliz que esteja reparando em detalhes da natureza que fazem bem ao espírito, tocam a alma.

— Estava tão presa em minhas lamentações que tudo era cinza. Mesmo quando vivia entre os meus. Acho que não reparava no sol, nas plantas, nos pássaros. Sabe que nunca dei atenção a essas belezas do cotidiano quando encarnada?

— Tem tempo para tudo. Nada de arrependimentos. O bom é que agora seu espírito começa a despertar para as belezas da vida.

— Não quero me atrasar.

— Não temos pressa. Contemple o pôr do sol. Ele já está sumindo no horizonte.

Celina respirou fundo e fixou o olhar no céu alaranjado. Enquanto observava o sol sumindo por trás dos edifícios, uma lágrima escapuliu pelo canto do olho. Em seguida, encarou Nena e disse:

— Vamos.

Caminharam alguns minutos e pararam em frente a um sobrado bem bonitinho. Celina gostou do jardim, apreciou as flores, a pintura das paredes, tudo bem cuidado. Sua atenção foi desviada para o rapaz que abria o portãozinho à sua frente.

— Quem é ele? — perguntou a Nena.

— Não vou dizer nada. Veio para rever Shirley. Observe, assim como fez com o pôr do sol.

Celina assentiu.

Maicom vinha do lado oposto da calçada. Abriu e fechou o portãozinho; passou dando um esbarrão em Celina, quase atravessando-a. Ela, assustada, deu um pulo para trás. Nena riu.

— Não precisa se mexer.

— Ele ia me atravessar, sei lá.

— Não. Ele iria transpassar, simplesmente. Estamos em dimensões paralelas. Dá a sensação de passar através de você, mas não. São só duas realidades que coexistem, cada qual com sua peculiaridade.

Celina fez que entendeu, mas estava mais interessada em sondar sobre o moço. Ele era uma cópia de Rodinei quando ela o conhecera. Imediatamente lembrou-se do dia que o vira pela primeira vez, em uma quermesse.

— Ele é o Rodinei. Melhorado e, claro, bem mais jovem. Estranho.

Nena sorriu e não disse nada. Celina foi atrás dele e também entrou na casa. Maicom foi direto até a cozinha e abraçou Shirley por trás, beijando-a nos cabelos.

— Oi, mãe.

Ela continuou mexendo na panela, sobre o fogão. Virou levemente o rosto para o lado.

— Oi, filho. Já chegou do cursinho? Por que tão cedo?

— O professor da última aula tinha compromisso e pediu para sair mais cedo. Vai repor no sábado. Aproveito para almoçar com você e o pai. Depois tiro um cochilo e estudo. O Tales me deixou um monte de exercícios de gramática para fazer. Vou treinando.

— Seu irmão está lhe dando uma grande força, não?

— Tales é um irmão de ouro, viu, mãe? A Júlia também. Agradeço por ter uma família tão maravilhosa. Você me deu irmãos que amo de paixão.

Shirley desligou o fogo e o encarou:

— Já lhe disse que eu não dei nada. Eu sou sua mãe. Seus irmãos são filhos do seu pai. Eles são filhos de outra mãe.

Maicom abriu a geladeira, serviu-se de suco. Sentou-se na mesa e ajuntou:

— Tiveram. Sei que a mãe biológica deles foi outra, mas foi você quem os criou de verdade. Eles chamam você de mãe. Ou estou enganado?

Shirley enrubesceu.

— Não posso negar que os amo como se fossem meus filhos verdadeiros. Quando me casei com seu pai, Júlia era uma garotinha, e Tales era um menino de dez anos. Nós nos demos bem desde o primeiro momento. Até pedi para Tales me chamar de tia, mas ele falou que eu representava a mãe que ele sempre sonhou ter.

Celina escutava a tudo encostada na parede, no canto da cozinha. De vez em quando, Nena olhava para ela, certificando-se de que estava bem. Celina a encarava e mexia a cabeça para cima e para baixo, numa afirmativa.

Nesse momento, Rodinei entrou. Celina precisou levar a mão à boca. Não tencionava vê-lo. Afinal, foi para se vingar dele que ela fizera tudo aquilo. Ela morrera para ele sofrer. Ele estava mais velho, obviamente, cabelos grisalhos, mas o semblante mudara. Não era mais um homem de aspecto duro, semblante taciturno. Muito pelo contrário. Era um homem de feições agradáveis, sorriso fácil, simpático. Entrou, foi direto até Maicom e, para espanto de Celina, abraçou e beijou o filho no rosto.

— Como vai, filhão?

— Tudo bem, pai.

Ele se virou e beijou Shirley nos lábios.

— E minha namorada? Como está?

— Agora está bem melhor — respondeu ela, sorrindo. — Deixou o salão nas mãos de quem?

— Da Dinorá. Vou almoçar rapidinho.

— Terminamos o almoço e vamos juntos para o salão.

— Aquele salão e eu precisamos de você.

— O velho está carente — alegou Maicom.

— Hoje é dia de pedir o que quiser para seu pai — brincou Shirley.

— Também não abusem. Sou só um velho carente e apaixonado. Mais nada.

Os três começaram a rir e conversar amenidades, enquanto pegavam os pratos e se serviam.

Celina olhava tudo aquilo com olhos esbugalhados.

— Não pode ser real. Fizeram uma montagem. Agora você grita um "Corta!" e eles mudam completamente o jeito de se relacionar — comentou, como se tivesse tomado uma caixa inteira de calmantes, daqueles de tarja preta.

— Não foi montagem — discordou Nena. — É uma família feliz. Por incrível que pareça, existem famílias assim no planeta, sabia?

— Até pode ser, mas Rodinei ser um marido amoroso, carinhoso? Um pai atencioso, afetuoso? Quantas encarnações ele viveu, depois que se casou comigo, para se transformar nessa flor de ser humano?

— Quando duas pessoas se relacionam — Nena tentava ser paciente, enquanto Celina não desgrudava da cena tipo comercial de margarina —, não importa o grau de afeto, seja amizade, relacionamento íntimo ou familiar que exista entre elas: há somente duas possibilidades, duas variações que darão a tônica para definir os laços.

— Como assim?

— Haverá compatibilidade energética, de afinidades, de gostos, de ideias. E as pessoas vão se relacionar como as que você vê à sua frente. Se não houver afinidade e as pessoas forçarem se relacionar, a relação será arrastada, sem graça, sem sal, pesada e, provavelmente, culminará na separação. No caso seu e de Rodinei, provavelmente, com o passar dos anos, se você não tivesse morrido, a probabilidade é que ele talvez se separasse de você. Vocês não têm nada a ver um com o outro, atualmente.

— Por que namoramos? Por que tivemos filhos? Não dizem que reencarnamos porque somos afins, porque temos laços? Pelo que vejo, eu não tenho laço nenhum com eles. Tales e Júlia não me veem como mãe. Rodinei era infeliz comigo. Vendo-o agora, sou obrigada a aceitar que ele ama essa mulher. Por que tive de me casar com ele? Qual é a minha ligação com ele? Será que ao menos tenho o direito de saber isso?

As lágrimas escorriam. Celina, abatida, deixou o corpo escorregar até o chão. Agachou-se e escondeu o rosto entre as pernas. Nena imediatamente fez um gesto com o leque, proferiu algumas palavras e logo uma redoma transparente se fez, cobrindo-as. Era uma capa de proteção para a família, para que as energias de tristeza e revolta emanadas por Celina não contaminassem o ambiente.

Nena abaixou-se e passou delicadamente as mãos pelos cabelos dela.

— O passado não importa.

— Como não? — ela gaguejava, entre soluços. — O passado não tem importância?

— Não. Por que haveria de ter? Você está sentida agora, não é? A dor no coração não se faz presente neste momento?

Celina fez sim com a cabeça e ciciou:

— Dói. Dói fundo em mim.

— Então. A dor está aí agora. Precisamos resolver neste momento. O ontem já foi. Não importa se a dor se originou lá atrás, no passado. Não importa se foi há vinte anos com a sua morte triste, ou há cento e trinta, quando você era madrasta das crianças e as maltratava para afastá-las do convívio do pai e tê-lo só para você, privando-as do amor paterno. Não interessa a origem. Interessa que dói agora.

Aquelas palavras mexeram com Celina. A mente estava um tanto perturbada, mas ela conseguiu vislumbrar uma cena do passado. Viu-se com roupas antigas, maltratando Tales e Júlia, enviando-os para um colégio interno distante. Queria o pai deles — no caso Rodinei — só para ela. A cena foi rápida, em flashes, mas o suficiente para fazê-la compreender que o passado estava mesmo lá atrás, que não adiantava mais mexer em situações anteriormente vividas.

Nena foi categórica:

— Entenda, meu amor. Mesmo que você volte lá atrás e queira reviver as cenas, reviver todo o processo, já não vai ser mais com os mesmos sentimentos e emoções, porque você hoje é outra pessoa, mais amadurecida, transformada, com sentimentos e emoções diferentes. Mesmo que queira voltar, o próprio passado já mudou também.

— É difícil entender.

— Serei didática, mais uma vez. Imagine uma situação que eu e você tenhamos vivenciado no passado. Isso é muito comum entre irmãos, por exemplo.

— É.

— Depois, adultos, quando ambos vão contar a mesma história que vivenciaram na infância, cada um vai contar do seu jeito. Pode ver que a história de um sempre vai ser mais ou menos detalhada que a do outro, ou completamente diferente da contada pelo outro. Tudo depende da visão de mundo de cada um.

— Acho que entendi o que quer dizer. O passado muda conforme meu amadurecimento.

— Muda de acordo como você o vê. Se amadurece, vai enxergá-lo de outra forma.

— Entendi.

— O que precisamos fazer é trabalhar com essa emoção que a machuca.

— Cansei de me enxergar como uma pessoa errada, sem valor.

— Errar é bom.

— Aprendi que errar é puro fracasso. Errar não é bom.

— Quem afirmou isso é de uma arrogância sem tamanho. Reencarnamos justamente para acertar e errar. Errar muito. Vivemos de erros e acertos. Os erros são importantíssimos para nos mostrar que não devemos seguir mais por aquele determinado caminho. Devemos seguir por outro, menos por aquele que gerou o erro. O conjunto de erros é que nos leva ao sucesso.

— Você sempre me coloca para cima.

— Sempre temos de olhar tudo pelo lado bom. Porque só há o lado bom. Precisa aprender a agradecer e ficar feliz, Celina. Você morreu e sua família sobreviveu à sua morte. Poderiam ter se desestruturado. Uma família sem mãe geralmente perde o rumo. Rodinei encontrou uma boa moça. Ela criou seus filhos como se fossem dela. Deu a eles carinho, amor, apoio. É esposa dedicada, mãe amorosa.

— E criou um novo núcleo familiar com Rodinei — ajuntou Celina. — Tiveram um filho.

— Poderiam decidir criar o menino longe dos seus filhos. Seria uma opção. Mas criaram juntos. Hoje formam uma família grande, unida e feliz, em que todos se amam e se respeitam. Aliás todos eles se amam porque se dão o respeito.

Aquilo calou fundo em Celina. Lembrou-se nitidamente da noite anterior à sua morte. Foram as palavras de Rodinei que a fizeram tomar tal atitude: "A gente só ama quem se dá o respeito, quem se dá valor".

Ela enxugou as lágrimas com as mãos. Fungou, levantou-se.

— Estou bem.

Nena desfez a redoma transparente. Celina passou ao redor da mesa. Encarou Maicom e sorriu. Depois olhou Shirley.

— Obrigada por tudo — e beijou-a no rosto.

Shirley sentiu sensação agradável, o peito expandir-se. Sorriu para o marido e para o filho. Em seguida, Celina passou por Rodinei e tocou em seu ombro, alisando-o.

— Cada um fez o melhor que pôde. Você criou bem nossos filhos. Chegou o momento de eu seguir o meu caminho. Fiquem em paz. Que Deus nos abençoe!

Ela deu a mão para Nena e sumiram no ambiente. Rodinei, sem saber o porquê, teve um lampejo e lembrou-se de quando conhecera Celina. Sorriu.

"Nossa, quantos anos não me lembrava dela. Bom, onde quer que esteja, espero que esteja bem", pensou. E voltou a se entreter com sua família.

Nena sentiu que tinha valido a pena esse passeio pelo mundo. Celina começava a despertar para os verdadeiros valores do espírito. Ela intimamente fez uma prece, do seu jeito, e murmurou:

— Graças a Deus!

39

Sofia soltou um gemido e beijou Rafael com prazer.

— Você é o homem mais especial que conheci em toda a minha vida.

Ele, arfante, feliz, declarou sorrindo:

— Você é quem me desperta. Eu nunca pensei que fosse capaz de fazer tudo isso na cama.

— Hoje descobri uma das coisas mais importantes da minha vida — ela falou, afastando-se dele e puxando os lençóis, enquanto soerguia o corpo, recostando-se na cabeceira da cama.

— O que descobriu? — ele estava curioso.

— Não sei se devo dizer. Mudei-me para cá não faz muito tempo. Tenho medo de lhe causar impressão negativa.

— Não estou entendendo — Rafael levantou o corpo e sentou-se, ajeitando o travesseiro atrás de si. — O que foi?

— Rafael — Sofia prosseguia sem desviar os olhos, encarando-o profundamente, mordiscando levemente os lábios, dando certa tensão ao que viria. — Estou perdidamente apaixonada por você — ela falou e cobriu o rosto com as mãos, envergonhada.

Ele abriu um sorriso de ponta a ponta. Segurou suas mãos e a abraçou.

— Ei! O que é isso?

Ela chorava.

— Nada. Sinto-me uma fraca, uma boba. Sou mais madura, mais velha que você. Estou me sentindo uma adolescente. Pareço ter quinze anos de idade. Mil desculpas.

Ela fez sinal para se levantar. Ele a segurou.

— Nada disso. Calma!

Rafael abraçou-a e trouxe a cabeça dela ao encontro de seu peito.

— Vai ficar tudo bem. Não entre em desespero. Você está tremendo.

— Um pouco.

— Você não sabe como me deixa feliz.

— Sério?

— Sério. Sou jovem, vinte e poucos anos, como você gosta de afirmar — eles riram e ele prosseguiu: — Mas sei o que não quero.

— Não entendi.

— Não quero mais sair com uma garota por dia. Gostei de namorar Júlia e viver com ela.

Sofia grunhiu.

— Sei que não gosta quando falo dela, mas foi graças a ela que descobri o quanto gosto de estar com alguém. Você caiu do céu, Sofia. Por incrível que pareça, adivinha o que gosto, percebe minhas vontades. Você foi feita para mim, mesmo nascendo lá longe, nos Estados Unidos.

Ela sorriu encabulada.

— Posso ainda ensinar-lhe inglês, se quiser. De graça.

Ele a beijou com sofreguidão.

— Eu a amo, Sofia. Quero viver com você.

— Oh, Rafael! Eu também quero viver com você. Não consigo mais ver minha vida sem você ao meu lado.

— Isso não é bom?

— Sabe, recebi uma proposta de trabalho para voltar aos Estados Unidos.

Ele sentiu um frio na barriga.

— E?

— Tenho uma entrevista semana que vem. Confesso que não quero dar continuidade ao processo. Não quero me separar de você. É a primeira vez que coloco minha vida pessoal acima da minha carreira. Não sei se é loucura, mas meu coração está pulsando, louco para gritar que está apaixonado.

Ele a apertou e a beijou novamente.

— Fica comigo. Não precisa trabalhar. Já lhe disse que ganho uma boa mesada da minha avó. Daqui a alguns anos vou herdar uma quantia generosa e viveremos de rendas.

— Daqui a alguns anos. Preciso pensar no dia de hoje. Não sou mais uma garotinha. E, de mais a mais, é importante ser independente. Homem gosta de mulher independente.

— Não sou muito fã — ele contra-argumentou.

— Só você!

Ela se desgrudou dele e fez o convite:

— Que tal sairmos para jantar fora? Depois podemos esticar e ir àquele bar de que você tanto gosta. De repente encontrar seus amigos...

Rafael meneou a cabeça para os lados.

— Sou o homem mais sortudo do mundo! Como posso ter uma mulher que me deixa sair com meus amigos sem ter ciúme?

— Confio em você.

Ele a beijou várias vezes.

— Vamos nos aprontar. Aonde quer ir?

— Qualquer lugar. Você escolhe.

— Naquela cantina, no centro.

Sofia sorriu. Puxou o lençol, levantou-se. Cobriu o corpo e, dirigindo-se ao banheiro, disse entre dentes:

— Ele não arrisca, mesmo. Com centenas de restaurantes e ele escolhe o mesmo. Sempre. Impressionante!

Depois do banho tomado e arrumados, saíram. Sofia estava aprendendo a conduzir automóvel com marcha mecânica e, naturalmente, tomou a direção.

— Gosto de dirigir um carro mecânico.

— Engraçado. Eu prefiro carro automático, como os americanos. É mais prático, ainda mais se ficar preso neste trânsito caótico. Não ter de trocar marchas é uma bênção — avaliou Rafael. — Estou pensando seriamente em trocar este por um modelo automático.

— Ainda não. Deixe-me sentir o gostinho. Estou adorando. Trocar as marchas me dá sensação de poder, de domínio do carro. Por favor — Sofia implorou, fazendo beicinho, enquanto engatava a marcha e dobravam a esquina.

Chegaram ao restaurante, Rafael fez o mesmo pedido: a mesma massa, o mesmo vinho, a mesma sobremesa. Nada que pudesse surpreender Sofia. Depois do jantar, Rafael pagou a conta, pegaram o carro com o manobrista, e Sofia, mais uma vez, tomou a direção. A cantina não ficava distante do bar que Rafael costumava encontrar os amigos, no Baixo Augusta.

Ele foi dando as indicações do caminho para Sofia.

— Pode parar ali — indicou. — É sossegado.

Ela fez sim com a cabeça. Fez a baliza e, quando foi desligar o motor, dois homens encapuzados saltaram cada um do lado do carro, apontando a arma para eles. Sofia gelou. Rafael, idem.

— Passa a bolsa — disse um, fazendo sinal para Sofia.

Ela entregou a bolsa. O telefone estava entre as pernas. Na pressa, enquanto apanhava a bolsa, Sofia meteu o aparelho no bolso da calça.

O outro rapaz, ao lado de Rafael, pediu o relógio e a carteira. Rafael obedeceu e entregou. O que estava ao lado de Sofia ordenou:

— Desce.

— Como? — ela indagou, nervosa.

— Desce. Salta do carro.

Sofia desceu. O rapaz pulou para o banco do motorista. O outro abriu a porta de trás e sentou-se atrás de Rafael. Encostou o cano metálico na cabeça dele e ordenou ao comparsa:

— Dê partida. Vamos dar uma volta.

Rafael, mudo, ficou impassível. Seus olhos, aterrorizados, encararam Sofia, como a pedir ajuda. Ela, sinceramente condoída, fez sinal de que, se pudesse, faria tudo para ajudá-lo.

O carro saiu sem fazer alarde. O rapaz que dirigia deu seta, saiu sem acelerar, a fim de não despertar suspeitas. O de trás fez um muxoxo e, depois de revirar a bolsa dela, atirou-a para fora do carro:

— Não tem nada aqui que valha a pena. Vamos embora.

Depois que sumiram, Sofia apanhou a bolsa no chão e juntou o batom e uma carteirinha que havia caído da bolsa. Pegou o celular do bolso da calça e teclou. Esperou e, quando o outro lado atendeu, constatou:

— Acabaram de levá-lo.

— Como você me garante?

— Não me faça de idiota — ela sorriu, com desdém.
— Estou falando com você e mirando, do outro lado da rua, um homem sentado num carro preto, à paisana. Ele vem me seguindo há dois dias. Sei que trabalha para você. Já deve ter ligado e dito que a encomenda foi entregue.

A voz do outro lado riu sem graça.

— Esperta.

— Burra, eu não sou. Agora eu quero ver a transferência do dinheiro.

— Você ganhou as pedras preciosas como adiantamento. O dinheiro do banco, eu vou transferir amanhã. Agora é tarde da noite.

— As pedrinhas foram um sinal para eu entrar no jogo. O dinheiro é o pagamento por eu ter cumprido o que prometi. E não me venha com essa de que é tarde da noite. Aqui é madrugada, na Suíça é dia. E transferência on-line não tem hora. Quero a transferência agora.

— Bem...

— Não. Sem enrolação. Daqui a meia hora vou acessar a conta pelo site. Se o dinheiro não estiver na *minha* conta — ela enfatizou —, eu vou à polícia e conto tudo.

— Não seria louca a esse ponto.

— Você não me conhece. Uma das minhas tatuagens, em região que aqui não cabe lhe dizer onde se localiza, diz: *I'm not afraid of anything. I'm not afraid of anybody. I'm strong and I'm free.* [Não tenho medo de nada. Não tenho medo de ninguém. Sou forte e livre].

— Você deveria trabalhar para mim.

— Nunca. Não me curvo a ninguém. Eu sou livre.

— Está bem.

— O dinheiro — Sofia olhou no telefone e conferiu o horário. — Vou checar no banco daqui a vinte minutos. Bye.

40

Valdir ligou mais uma vez. Precisava falar com Noeli. De qualquer jeito. Ela estava saindo do hospital quando sentiu a bolsa vibrar. Apanhou o aparelho, viu que havia sete ligações.

— Valdir passou da conta hoje. Sete ligações? Estranho.

Esperou chegar em casa. Tomou banho, arrumou--se. Quando voltou à cozinha para fazer um lanche, o telefone estava vibrando novamente. Ela olhou no visor e estava o nome de Valdir.

— Não é possível. Alô.

— Até que enfim você me atende.

— Estava trabalhando. Cheguei em casa há pouco. Ia ligar agora.

— Noeli, estou preocupado.

— O que foi?

— Tem visto o Rafael?

— Falei com ele domingo, por quê?

— Faz dois dias que ele não aparece no clube.

— Vai ver ele enjoou.

— Não.

— Ou viajou com a namorada.

— Liguei para Leda. Ela me passou o número da Sofia. Só dá caixa postal. Estou com uma sensação ruim.

Nesse momento, Noeli teve um choque de realidade. Sentiu o mesmo. Imediatamente lembrou-se de uma conversa com Leda, algum tempo atrás, sobre a preocupação da amiga com Rafael. Leda dizia que Rafael podia correr algum tipo de risco.

Noeli levou a mão ao peito.

— Meu Deus! Foi até a casa dele?

— Fui. Entrei. Está tudo em ordem, tudo arrumado. Não tem nenhum sinal dele. O carro não está na garagem. Uma vizinha diz que o viu sair com a namorada na terça à noite. Saíram abraçados, aparentemente felizes.

— Ligou para Angelita?

— Fui até lá. Minha mãe está uma pilha. Quer ir à polícia. Se ele saiu de casa na terça e não voltou, são quarenta e oito horas sumido. Podemos reportar o desaparecimento.

— Vou com vocês.

— Não precisa. Só queria saber se ele tinha ligado.

— Por que não falou comigo antes? · Noeli estava desapontada.

— Porque não queria deixá-la preocupada antes da hora, mas estou vendo que alguma coisa estranha aconteceu.

— Não vou conseguir ficar aqui em casa, quieta.

— Ligue para Leda. Além de acalmá-la, ela poderá lhe dizer onde está Sofia. A mulher sumiu.

— Será que sumiu junto com Rafael?

— Não tinha pensado nisso — considerou Valdir.

— Vou ligar já. Vamos nos mantendo informados.

— Está bem.

Noeli desligou o telefone e tomou um copo de água. Sentiu as pernas falsearem por um instante e precisou sentar-se. Uma onda de negatividade tentou apossar--se de sua mente. O medo tentou tomar conta dela. Imediatamente pegou o telefone e ligou para Leda.

— Sabia ser você, Noeli. Já fiz várias mentalizações envolvendo Rafael e Sofia. Tudo vai ficar bem.

Noeli não conseguiu segurar o pranto.

— Não sei o que fazer, não sei o que pensar. Por mais que queira manter o equilíbrio, meu coração está em frangalhos. Sinto-me impotente para tomar qualquer iniciativa que seja.

— Calma. Primeiramente, calma. Respire fundo.

— Não consigo.

— Noeli, desespero só traz dor e mais sofrimento. Nada de chilique. Vamos, feche os olhos e respire fundo. Inspire o ar pelas narinas e solte-o pela boca. Vai.

Noeli procurou seguir a orientação da prima. Inspirou, soltou o ar. Fez isso três vezes. Na quarta vez, estava menos ofegante.

— Pronto. Agora acalme-se e faça um lanche.

— Perdi a fome.

— Precisa se alimentar. Tem de estar forte para passar pela situação.

— Ele está bem?

— Estou a caminho de sua casa. Chegarei em meia hora.

Conforme o prometido, meia hora depois o interfone tocou e Leda subiu. Ao entrar, Noeli jogou-se sobre ela e abraçou-a com força.

— Você bem que me alertou. Foi sua filha quem fez mal ao Rafael?

— Não. Ninguém faz mal a ninguém, a não ser pelo mal que há na própria pessoa. Não vou negar que Sofia esteja metida nisso, mas estou com a intuição um tanto embaralhada.

— Por que diz isso? Só porque é sua filha? Está defendendo-a? — Noeli tinha certa irritação na voz.

— Não — Leda acomodou-se no sofá. — De forma alguma. Não estou aqui para passar a mão na cabeça de Sofia. Além do mais, não sabemos o que aconteceu. Só sabemos que Rafael e Sofia sumiram.

— É verdade. Desculpe-me — reconheceu Noeli, sincera. — Sofia também pode estar correndo risco.

— Um risco diferente. Aí é que está.

— Não estou entendendo, Leda. Explique melhor.

— Acredito que Rafael foi levado para algum lugar — Leda queria evitar a palavra sequestro para não impressionar Noeli. — Não sinto que Sofia esteja com ele.

— Não?

— Não. Acho que ela foi conduzida para outro lugar.

— Será que ambos foram sequestrados?

— Não sei ao certo.

— Meu coração está tão apertado, Leda.

— Sei o que sente, contudo, algo me diz que tudo vai passar, muito rapidamente.

— Tem certeza? — a voz de Noeli parecia uma súplica.

— Sim.

— Se algo acontecer com Rafael, não sei o que será de mim.

— Não dramatize. Não deixe que a negatividade entre em sua mente.

— Eu tento, mas ela é forte.

— A negatividade do mundo é muito forte. O negativo aparentemente parece ter mais força que o positivo. A maioria das pessoas dá mais crédito ao negativo. Se você comete uma boa ação, ninguém se importa. É um ato corriqueiro, sem muito valor. Mas se você comete um crime, uma atrocidade, ganha as páginas dos jornais, dos noticiários, cai na boca do povo, como se diz. As pessoas amam uma tragédia. E cultivam o assunto por tempos até gastá-lo, até que nova tragédia apareça e comece novo ciclo. Esse cultivo vai gerando uma massa no ambiente, que paira sobre o mundo. É como se fosse uma faixa. Imagine que acima de você existem várias faixas.

— Certo.

— Imagine essas faixas flutuando no ar. Você se conecta a elas dependendo do teor de pensamentos que carrega. Se for uma cabeça positiva, alto-astral, vai se conectar a uma faixa de bons pensamentos, altamente nutritiva. É a faixa das grandes inspirações, das revelações, a faixa ligada às esferas superiores da espiritualidade.

— Seriam as faixas divinas?

— Podem ser chamadas dessa forma, se for melhor para seu entendimento. Quando você cultiva a maledicência, o negativo, fala mal dos outros, é pessimista, acredita que está vivendo o fim dos tempos, que a violência está ganhando o mundo etc., automaticamente se conecta às faixas negativas, que estão alimentando as esferas do astral inferior, onde estão os espíritos perturbados, atormentados, os delinquentes e toda sorte de espíritos que só veem a maldade e a negatividade como solução para seus problemas.

Noeli passou as mãos pelos braços.

— Me dá até arrepio.

— Pois dá. Arrepio de aversão, tamanha carga densa que as ideias negativas produzem. E elas não trazem nada de bom para nós. Só emoções negativas, ruins, que embaçam os sensos da nossa alma e atrapalham a intuição. Daí o desequilíbrio.

— Não quero de forma alguma entrar nessa faixa.

— Por isso é preciso ficar bem consigo, alimentar bons pensamentos em relação a si e aos outros. Mesmo em situações que aparentemente não nos sejam agradáveis, como esta que estamos enfrentando.

— O que fazer?

— Entregar nas mãos das forças inteligentes que regem a vida. Ou Deus, no seu vocabulário. Entregue nas mãos Dele, Noeli. E tire a preocupação do seu peito. Não vai ajudar em nada. O que tiver de acontecer vai acontecer. Vamos vibrar para Rafael não se desesperar e ficar bem; que, onde quer que esteja e com quem quer que esteja, todos possam estar envolvidos por energias calmantes.

— Está bem. Vamos vibrar pelo meu filho.

Neste mesmo momento, na casa de Angelita, Valdir estava fora de si.

— Mamãe, tenho certeza de que sequestraram Rafael. Claro! Ele é um Castillo. É um herdeiro. Família tradicional, cheia da grana. Ele não anda com segurança.

— Tudo culpa minha. Deveria ter contratado seguranças para andar ao lado dele, vigiá-lo. Nunca iria imaginar que fossem atrás dele. Seu irmão é conhecido, ligado a grupos poderosos. Ninguém faria uma coisa dessas assim, a troco de nada.

Hélio entrou na sala rapidamente. Nem cumprimentou a mãe ou o irmão. Angelita o parou na soleira da escada.

— Aonde vai?

— Tomar banho. Sair. Por quê?

— Aconteceu algo terrível.

— O que foi?

— Seu sobrinho desapareceu.

Helinho baixou a cabeça e piscou o olho duas vezes. Era o antigo cacoete que mostrava estar mentindo.

— Bobagem! Desapareceu? Como assim?

— Sumiu! — gritou Valdir. — Meu filho sumiu.

Helinho se recompôs, olhou para o irmão e teve vontade de gritar que Rafael não era filho dele. Mas conteve-se. Quem sabe um dia esfregaria a verdade na cara do irmão? Agora não era o momento. Fez um esgar de incredulidade.

— Como tem certeza de que ele sumiu?

— Faz dois dias que não aparece no clube.

— Vai ver está de amores com a namorada balzaquiana — provocou. — Ou metido num museu. Ele não adora relacionar-se com coisas velhas, múmias?

Valdir iria partir para cima de Helinho, mas Angelita se meteu entre eles:

— Agora não é hora para brigas. Rafael sumiu. Temos de ir à delegacia.

— Ele vai aparecer logo — tornou Helinho, subindo as escadas para o quarto.

— Ele não está nem aí com nada, mãe.

— Deixe seu irmão. Helinho sempre foi avoado. É o jeito dele.

— Mesmo em situações como essa você o defende.

— Agora não, Valdir. Por favor! — Angelita protestou.

— Está bem. Vamos até a delegacia.

— Vou ao escritório apanhar minha bolsa — avisou Angelita.

Ela se trancou por instantes. Não queria que ninguém a visse aflita, desalentada. Angelita tinha horror em demonstrar suas fraquezas. Naquele momento, porém, pensar que algo de ruim pudesse estar acontecendo ao neto deixou-a desnorteada.

— Não posso perder o controle. De maneira alguma.

Fechou os olhos e a imagem de Nossa Senhora de Caacupê imediatamente apareceu nítida em sua mente.

— *Gracias*! — Angelita agradeceu e murmurou a prece que aprendera com a avó.

O espírito da índia Itacira estava ao seu lado, desta vez sozinha, sem Mário. Enquanto Angelita orava, Itacira lhe alisava os cabelos, procurando transmitir-lhe energias de equilíbrio e força.

— Tudo vai dar certo, *cariño*. Acredite.

Angelita terminou a oração sentindo-se mais calma. Serviu-se de um copo de água sobre a cômoda, apanhou a bolsa e saiu.

Valdir sentia a boca do estômago querer saltar, tamanha aflição. Estava desnorteado. Sentia perigo iminente e, pela primeira vez na vida, arriscaria tudo para salvar Rafael.

— Vou achar você, Rafael. Nem que tenha de morrer por isso. Você é tudo para mim.

Angelita vinha do escritório, já com outra percepção do ambiente, envolvida pelas energias sutis de Itacira quando ouviu as últimas palavras. Era como se ela estivesse vendo Valdir pela primeira vez na vida. O corpo dele estava mais ereto, a voz mais firme. Ele parecia um homem decidido, dono de suas vontades. Aquilo agradou-a sobremaneira. Sentiu orgulho e sorriu com satisfação. Esticou o braço para ele.

— Vamos, filho.

— A senhora demorou.

Angelita disfarçou, ajeitando a bolsa.

— Estava conferindo os documentos. Vamos para uma delegacia, nunca se sabe ao certo o que vão pedir.

— Tem razão.

Valdir procurou ocultar a emoção. Sua mãe o tratava de maneira diferente. Ele sentia, nas entrelinhas, um carinho genuíno, um respeito, uma afetuosidade que nunca sentira em toda a sua vida. Estendeu o braço para Angelita e anunciou, num sorriso:

— Vamos buscar meu filho.

— O doutor Bastos está nos esperando. Vamos apanhá-lo na casa dele.

— Sim.

— É importantíssimo estarmos acompanhados do advogado da família.

O telefone tocou e uma das empregadas veio avisar. É para o senhor.

— Para mim? — indagou Valdir. — Estão me procurando aqui?

— É da delegacia.

Ele e Angelita gelaram.

— Vai, Valdir. Atende.

Ele voltou até a soleira e apanhou o aparelho da mão da empregada. Conversou quase nada e desligou. Encarou a mãe e comunicou, aliviado:

— Estão com Rafael na delegacia.

— Como? O quê?! — ela estava aturdida.

— Calma, mãe. O importante é que ele está bem. Vamos.

Angelita levantou as mãos para os céus.

— Minha Virgem ouviu minhas preces!

Enquanto eles saíam, com o coração aos pulos, Helinho, no quarto, espreitava pelo canto da janela. Ele não tinha se dado conta da ligação. Em sua cabeça, tudo corria conforme o idealizado. Olhou Valdir entrar no carro e rangeu os dentes:

— Idiota! Vai até a delegacia a troco de nada. Vai voltar sem informação alguma. Quero ver amanhã, quando for chamado para reconhecer o corpo de um jovem que bate com as descrições físicas do filhinho dele lá no Instituto Médico Legal. Essa, eu não vou perder.

41

Mara estava terminando de regar o jardim interno da casa quando sentiu um certo torpor. Imediatamente a imagem de Rafael lhe veio à mente. Ela fez uma rápida vibração positiva dirigida a ele.

— Tudo está certo. Você vai ficar bem, meu querido. Você pensa demais antes de agir. O mundo é feito de ação, precisa de movimento. Se você quer crescer e se renovar, precisa de ação, de comprometimento, mas não quer arriscar porque tem medo. Sei que isso é um trauma causado pelo nosso duelo, lá atrás, contudo o medo está aí, forte, e é hora de você destruí-lo. Precisa reaprender a tomar decisões. Arriscar é bom, afasta-nos da dúvida. O mundo está se modificando, o planeta está mudando, o seu corpo também. Tudo está se transformando num ritmo adequado, sem afobação. Há tantas coisas para realizar e você não age... Então você sofre. Portanto, só o sofrimento vai tirá-lo dessa situação e fazer você enxergar a vida com outras lentes. Sinceramente, torço por você, meu amigo.

Mara proferiu as palavras com sinceridade. Desejava, do fundo do coração, que Rafael pudesse acordar para a vida e aproveitar as chances dessa etapa reencarnatória. Tinha muita coisa boa que ele podia fazer. Tudo era uma questão de escolha. Depois da reflexão, ela respirou fundo, enviou um beijo e um abraço para ele. Imaginou-o bem, sorridente. Já não o via mais como filho, mas como um amigo de longa data.

Logo em seguida, Celina entrou, meio sem graça. Mara deu um gritinho de alegria:

— Que bom revê-la!

Abraçou-a com tanto carinho que Celina sentiu-se emocionada.

— Fiz tanta falta assim?

— Mais do que imagina. Você não tem ideia do quanto me senti sozinha no quarto sem a sua companhia.

— Está dizendo isso só para levantar meu astral.

— Ué, passou um tempinho na Terra e ainda não aprendeu a se valorizar? Pensei que os dias com Nena fossem lhe fazer bem.

Celina levantou o sobrolho:

— Conhece Nena?

— Claro.

— Ela disse que não podia entrar no posto. Falou que aqui não é lugar para ela.

Mara riu bem-humorada.

— Isso é bem da Nena. Aqui não é lugar que combine com ela. Nena é muito extrovertida, faz parte de um grupo de mulheres que trabalham com as forças femininas, com a sedução, com a valorização da mulher. A cidade onde ela mora é totalmente diferente daqui. Lá é tudo vibrante, colorido, alegre, divertido. As pessoas saem para cantar, dançar, divertem-se bastante.

— Não consigo imaginar um lugar onde as pessoas cantem e dancem.

— Por quê? No mundo onde viveu não havia bares, cantorias, festas?

— Havia.

— Então. Na cidade de Nena tem festa de montão.

— E aqui não tem nada. É tudo sem sal.

— O lugar aqui é de recuperação. É uma outra vibração, outra proposta.

— Gostaria de conhecer a cidade onde Nena vive.

— Do jeito que está, não tem como entrar lá.

— Como assim?

— Um dos requisitos para entrar na cidade é ter uma boa autoestima, a pessoa precisa se enxergar com bons olhos. Você ainda está com a autoestima baixa. Precisa melhorar. A aparência também não está lá essas coisas. Se for assim na cidade da Nena, vão achar que está vestida para uma peça de teatro de terror.

Celina protestou.

— Pare! Não estou tão feia assim.

— Não? Quanto tempo não se olha no espelho?

Espelho! Sem contar que Celina até então acreditava que morrera havia poucos meses, fazia bem mais de vinte anos que ela não se via. Por duas vezes, ali mesmo no posto de tratamento, recusara-se a se ver. Tinha medo. Agora estava curiosa. Correu até o quarto, abriu o guarda--roupa e encarou-se.

A imagem refletida era a mesma de sempre. Olhos fundos, pele esbranquiçada, apática. Os cabelos presos em coque, alguns fios brancos teimavam em sair da raiz, no alto da testa. E o vestido? O mesmo que a enterraram. Simples demais. Modelinho das antigas. Celina não gostou do que viu. Voltou ao jardim, indignada:

— Não suporto mais esta aparência.

— Aqui não tem salão de beleza — brincou Mara.

— Como faço? Quero mudar minha aparência. Para melhor.

Mara aproximou-se e tomou-lhe as mãos.

— Primeiro, precisa fazer a mudança interior.

— Mudança interior?

— Sim. Valorizar-se, colocar-se em primeiro lugar.

— Não sei ao certo.

— Por que a hesitação?

— Porque aprendi que se colocar em primeiro lugar é egoísmo. Não é uma atitude caridosa.

— Eu também pensava dessa forma até chegar aqui — considerou Mara.

— É?

— Sim.

— E o que a fez mudar de opinião?

— O meu conceito de egoísmo é que estava errado. Colocar-se em primeiro lugar é valorizar-se, é olhar para você e abençoar seu corpo, seus pontos fortes, fracos, tudo o que você é, porque você é única, Celina. Deus a fez única. Você é uma parte de Deus. Merece colocar-se em primeiro lugar.

Celina emocionou-se.

— Eu, única...

— Única. Só você com você, por toda a eternidade. Não há um único espírito em todo o universo que seja igual a você. Olha que maravilha!

— E quanto ao egoísmo?

— Egoísmo é querer que o mundo se dobre aos seus caprichos, é querer que todo mundo faça tudo para você, do seu jeito. É querer que os outros façam para você.

— Entendi. Se eu fizer por mim e para mim, não estarei sendo egoísta.

— Não, de forma alguma — Mara observou-a de canto de olho. Celina estava pensativa, refletindo sobre a conversa.

"Ela está bem receptiva às mudanças positivas", pensou.

— O que me diz de assumir-se por inteira. Está disposta?

Celina fez sim com a cabeça.

— Estou. Juro que estou. Depois das experiências pelas quais passei com meus filhos, é tudo o que mais quero.

— Então venha, vamos começar agora.

— Como?

— Conte-me tudo o que experienciou no planeta. Quero saber de todos os detalhes: o encontro com seus filhos, com seu marido.

— Como sabe que reencontrei Rodinei?

Mara piscou.

— Pensa que o espírito sai daqui assim, sem mais nem menos? Você estava com um tipo de GPS atrelado ao corpo. Instalamos um chip sem você perceber e monitoramos todos os seus passos.

— Um o quê? — Celina não entendeu.

— Vamos ao mais importante: as experiências. Tenho todo o tempo do mundo para escutá-la.

Celina animou-se e sentaram-se no banco do jardim. Mara era toda ouvidos. Celina contou emocionada todos os passos que deu, desde o dia que decidira sair do posto de tratamento por conta e risco: o encontro com Nena, os medos que sentira, o choque por não ter notado quanto tempo já havia passado, o encontro com os filhos e finalizou com o encontro na casa de Rodinei e Shirley.

— E o mais interessante — avaliou —, durante esses encontros, tive alguns lampejos de uma existência anterior a esta.

— É natural. Seu corpo perispiritual é mais sutil, menos denso que o corpo físico. Está menos perturbada, sua mente está atingindo um ponto de razoável equilíbrio. Depois de tantos anos desencarnada, ou morta, como preferem afirmar alguns, é normal que se lembre com naturalidade de eventos passados.

— Foram só passagens. Se quer saber, não quis ir mais fundo; elas não significam nada, porque o que vale, como Esperidião sempre diz, é o que estamos vivendo agora, sentindo agora. Não importa o que vivi, o que de mal passei ou fiz passar lá atrás. O que importa é que eu possa, de certa forma, ter condições de, neste momento, livrar-me da dor que me foi causada ou causei, seja por meio de uma nova consciência, seja por meio de perdão, seja até por meio de uma nova experiência.

Mara sorriu.

— Isso mesmo, Celina. É olhar daqui para a frente. Você precisou reencontrar seus filhos, tomar um choque de realidade para perceber que cada um é um, ninguém depende de ninguém, e somos responsáveis cem por cento por tudo o que atraímos em nossa vida.

— Sim. Se não sei disso de maneira consciente, meu espírito sabe.

— De onde tirou isso?

— Foi Nena quem me disse.

— Ah, Nena! Pelo jeito, gostou dela, não?

— Sim. Simpatizei bastante. No começo fiquei ressabiada, achei-a meio durona. Depois percebi que ela tem um jeitão firme de ser. Ela tem essa natureza. Se não fosse ela ao meu lado, eu não teria feito um décimo do que fiz. Devo muito a Nena.

Esperidião entrou no jardim e cumprimentou:

— Seja bem-vinda, Celina.

Ela se levantou e o abraçou com força.

— Desculpe, Esperidião. Prometo que não vou mais fugir.

Ele acariciou os cabelos dela e questionou:

— Nem se for para viver em outra cidade?

— Não sei, sinto-me muito segura aqui com Mara, com você.

— Às vezes podem aparecer outras oportunidades de aprendizado, de vivências.

— O que quer dizer? — ela estava desconfiada.

Esperidião afastou-se e encarou-a:

— Celina, você ficou muitos anos atormentada em lugares horríveis do astral, culpando-se por sua morte.

— Tenho uma vaga lembrança. Minha cabeça fica pesada, minha mente embaça, parece que vou perder os sentidos quando tento me fixar nessa época.

— Não, não precisa fixar-se nessa época. Já foi. O que quero dizer é que você já se atormentou demais, machucou-se muito depois de morrer. Ficou anos vagando sem direção, culpando-se. Depois foi recolhida por nossa equipe, veio para cá, permaneceu dez anos fazendo cursos, assistindo a palestras, participando de grupos de oração.

— Achava que estava morta havia três ou quatro meses apenas.

— E daí? Sua mente queria fugir da dor e criou essa linha imaginária de tempo. Não importa: acreditando que estivesse conosco há três meses, três dias ou dez anos, você recebeu auxílio, seu espírito absorveu conhecimento. E agora que você está mais no domínio de si, todo esse conhecimento começará a vir à tona.

— É como se eu começasse a sair de uma prisão, de um pesadelo?

— Exatamente. Depois desse passeio pela Terra, onde foi obrigada a enxergar a verdade, a ilusão começou a ser quebrada. Agora começa a ter condições de conseguir equilíbrio para vencer novas etapas e, quem sabe, viver em outros lugares, onde poderá valorizar-se mais, a vida...

— Eu poderia viver em qualquer lugar?

— Desde que seja compatível com seu nível de energia. Imagine que você tivesse um passaporte e determinadas cidades astrais aceitassem o seu passaporte. Outras, não.

Celina arriscou, mordiscando os lábios.

— Por acaso, a cidade de Nena aceitaria o meu passaporte?

Esperidião fez um ar matreiro:

— Quem sabe?

— Tudo é possível — Mara completou.

Celina os abraçou com grande emoção.

— Tudo o que mais quero é melhorar e seguir adiante. Aprendi que a vida é o bem mais precioso que existe. Não quero mais desperdiçar um segundo da minha existência.

42

Valdir embicou o carro no pátio da delegacia. Escutaram o barulho de sirenes, correria. O advogado que os acompanhava tranquilizou-os. Doutor Bastos era a calmaria em forma de gente.

— Fique calma, dona Angelita. É perfeitamente normal a entrada e a saída de viaturas, policiais e investigadores agitados.

— Não gosto desse tipo de ambiente. Nem nos filmes. Para buscar meu neto, enfrento qualquer lugar.

— Vamos, mãe. Não temos tempo a perder.

Angelita novamente surpreendeu-se com a atitude de Valdir.

Os três entraram na delegacia apertando o passo. Ao passarem na entrada, perguntaram pelo delegado de plantão. Um guarda simpático fez sinal para uma saleta. Assim que lá chegaram, viram um homem alto, meio carrancudo. Ele se levantou da cadeira.

— Vocês são da família de Rafael Sousa Castillo?

O advogado colocou-se à frente deles.

— Sim. Somos nós.

— Prazer. Eu sou o delegado Brandão.

Valdir levantou o queixo e o cumprimentou:

— Foi quem me ligou.

— Isso mesmo.

— Onde está meu neto? — indagou Angelita, olhando para os lados.

— Calma. Está tudo bem. Rafael está bem. Contudo, gostaria de conversar um minuto com vocês.

Ele fez sinal para se sentarem. Angelita, ansiosa, imediatamente se sentou, a fim de controlar as pernas. Valdir permaneceu em pé, duro, estático. Doutor Bastos manifestou-se:

— Pois não, doutor delegado.

— Antes de mais nada, o que sabem sobre o sumiço de Rafael? Quer dizer, quando foi que deram falta dele?

Valdir falou primeiro:

— Geralmente, vamos juntos ao clube. Quer dizer, com certa regularidade. Como ele está namorando, eu não fico no pé dele, entende, delegado? — o homem fez sim com a cabeça e Valdir prosseguiu: — Mas hoje à tarde me preocupei.

— Por que só hoje à tarde?

— Porque ficar um dia sem nos falar até passa, doutor. Mas dois dias é demais. Nunca aconteceu. Estranhei. Liguei, ele não atendeu. Depois tentei falar com a namorada.

— Sofia.

— Isso. Tentei falar com ela, mas o telefone só dava ocupado. Ela sumiu, evaporou. Daí achamos que eles estivessem juntos.

Angelita interveio:

— Ela está com Rafael?

O delegado fez uma negativa.

— Não está. Rafael não para de perguntar por ela. Já tentamos contato com a mãe dela, inclusive. Nada.

— Será que aconteceu algo com Sofia? — questionou Valdir, preocupado.

Brandão coçou o queixo.

— Acredito que não.

Angelita passava os dedos na testa, cabeça baixa, orando para sua santa. O delegado continuava fazendo mais algumas perguntas e Valdir ia respondendo até que doutor Bastos interveio:

— Doutor delegado.

— Sim?

— Viemos aqui para buscar o Rafael.

— Por certo.

— Acabamos de chegar à delegacia.

— Sei.

— Se ele está aqui e bem, por que está nos fazendo essa avalanche de perguntas?

Valdir tentava juntar as peças. A ficha ainda não havia caído. Angelita abriu os olhos e encarou o delegado. Levantou-se de supetão.

— É verdade. Se viemos aqui porque ligaram da delegacia e meu neto está bem... não deveríamos pegar Rafael e ir embora?

O delegado sorriu e chamou:

— Figueira!

— Sim, senhor.

— Pode trazer.

Os três se entreolharam. Dali a alguns instantes o investigador trouxe o rapaz; entrou no recinto, vestindo blusão com capuz. Miraram o jovem de cima a baixo. Quando ele levantou o rosto e jogou o capuz para trás, Valdir deu um passo em falso e Angelita soltou um gritinho, avançando sobre ele:

— Rafael! — e abraçou-o com força.

O rapaz mal a abraçou. Estava meio grogue, um tanto aéreo, fora de si.

Valdir também correu a abraçá-lo.

— Filho, o que aconteceu?

— Não sei, pai. Não sei.

Doutor Bastos fez sinal com o queixo para o delegado, que explicou:

— Caso estranhíssimo. Eu tinha acabado de pegar meu plantão. Ouvimos um barulho lá fora, pneus de carro cantando e esse rapaz sentado na guia da delegacia.

— Ninguém conseguiu ver o carro, a cor, anotar a placa?

— Não, doutor. Nada — o delegado foi sincero. — Era troca de turno, muita gente tinha ido embora. Outros colegas de trabalho ainda não haviam chegado. A delegacia hoje está bem calma, quase não houve ocorrências. Ficamos preocupados com o jovem ali largado. Ele estava meio chapadão. Achamos que tinha algo a ver com droga.

Valdir interrogou:

— Ele foi drogado?

— Parece que só por meio de sedativos.

Valdir olhava para Rafael, de maneira minuciosa. Tentava verificar se havia hematomas, marcas.

— Pensamos em fazer exame de corpo de delito — o delegado aventou a possibilidade.

— Não — protestou Angelita. — Quero meu neto agora! Quero levá-lo para casa.

— Se ele sofreu tentativa de sequestro — era o raciocínio do delegado —, por que o deixariam aqui na porta da delegacia, vivinho, sem um arranhão? Não acham muito estranho?

— Como pode afirmar que foi um sequestro? — perguntou Valdir.

— Por experiência — tornou o delegado.

— Meu filho deve ter saído com amigos e bebido. Alguém ficou com medo do estendido da festa e resolveu largá-lo aqui por segurança.

Depois de assinarem os papéis, deixaram a delegacia e rumaram para casa. Brandão coçou a cabeça e chamou o investigador Figueira.

— E aí?

— Tudo esquisito, Figueira. O rapaz conta para nós que foi sequestrado, levado para um galpão e seria assassinado amanhã. Depois, assim do nada, é deixado vivo aqui na porta da delegacia. Ele nos conta essa história maluca e pede por Deus para não contar para o pai nem para a avó, a fim de não assustá-los. Por que decidiram não matá-lo?

— Porque vão planejar novo sequestro e aumentar o resgate?

— Não. A família agora vai botar segurança na cola do rapaz. Eu conheço essa senhora das revistas. Ela é conhecida. Eu não sei — Brandão passou a mão pelos cabelos. — Estou com a pulga atrás da orelha.

— Acha que aí tem coisa?

— Acho. E acho que tem bastante lã que vai dar para a gente puxar desse novelo.

— O tio desse rapaz não é o Hélio Castillo?

— O próprio. Aquele que está metido com um monte de esquemas fraudulentos de caixa dois de campanhas eleitorais.

— Nunca ninguém conseguiu chegar perto desse cara. Ele é intocável.

— Será? Não sei, não, Figueira. Não sei, não...

Brandão virou a cadeira giratória para a janela, mirou um ponto do horizonte. Esticou o tronco para trás, cruzou os braços entre o pescoço e ficou divagando, enquanto alisava o cavanhaque.

— Algo me diz que esse tio está envolvido com o rápido sumiço desse rapaz. Alguma coisa deu errado. Mas o quê?

Enquanto Brandão alisava o cavanhaque em busca de respostas a várias indagações, Angelita e Valdir voltavam para casa felizes e aliviados. E angustiados. Depois de deixarem doutor Bastos em casa, Angelita considerou:

— É imperioso que contratemos mais seguranças.

— Menos, mãe.

— Não. Nunca mais quero botar os pés em uma delegacia.

Ela falava e olhava para o banco de trás. Rafael, turro pela quantidade de sedativos, ressonava.

— De certa forma, não é má ideia.

— Ligou para Noeli?

— Preciso ligar.

— Tranquilize sua mulher.

— Ex-mulher, mãe — corrigiu Valdir.

— Força do hábito. Desculpe.

Continuaram seguindo o caminho de casa.

Nesse meio tempo, enquanto Valdir ligava para Noeli, e ela vibrava de emoção e contentamento, Helinho espumava ao telefone:

— Como? Ele o quê?

— Tive de fazer — confidenciou o rapaz do outro lado da linha.

— Eu paguei você para executar. Como há mais de vinte anos. Esqueceu como faz?

— Fui coagido. Se fizesse o que o senhor mandou, matava minha família.

— Ora! Você é pago para matar. Não para amarelar.

— Nunca tinham jurado minha família de morte.

— É um contrassenso. Você pode matar, mas não podem encostar o dedo na sua família?

— O quê? Não entendi.

Hélio não tinha condições de discutir moral naquele momento. A veia do pescoço parecia querer ganhar vida e sair correndo, explodir. A garganta secara e a saliva sumira. Ele gritava feito louco:

— Como acreditar que iriam matar sua família?

— Mataram nosso cachorro — o homem choramingou.

Hélio teve vontade de estrangular o homem.

— Isso era sinal de que iriam matar sua família? Francamente!

— Era. Jamais chegaram tão perto da minha casa. Ninguém é cabra-macho assim. E tem mais. Veja isso.

O rapaz enviou três imagens pelo telefone: uma com uma foto de Mara abraçada a Hélio, outra com uma matéria de jornal sobre a morte dela e outra com partes de um relatório.

Hélio gelou. Sentiu o suor escorrer pela testa esticadíssima.

O rapaz, o tal executor, foi categórico:

— Disseram que tem mais.

— Mais o quê? Mais fotos?

— Não. Disse que o próximo a morrer vai ser o senhor.

Hélio engoliu em seco. O rapaz prosseguiu:

— É gente muito mais poderosa. Eu devolvo seu dinheiro. Me obrigaram a deixar o rapaz na porta da delegacia e...

Helinho não quis escutar mais nada. Olhou novamente para o celular e o atirou com tanta força que o aparelho arrebentou-se ao se chocar contra a parede, espalhando peças para vários lados do cômodo.

— Malditos! Mil vezes malditos.

Arrumou-se com incrível rapidez. Enquanto se trocava, mil pensamentos passavam pela mente atormentada:

— De onde pegaram a foto? E aquele relatório? Quem é o desgraçado que está por trás disso?

Ele exagerou no perfume e continuou:

— Eu vou descobrir. E vou matar esse maldito antes que me mate. Vamos ver quem é mais esperto.

Apanhou as chaves sobre a cômoda, desceu as escadas aos pulos. Correu até a garagem, entrou no carro e deu partida.

— Preciso beber e me esbaldar, arrancar esse dia do calendário.

Quando seu carro dobrou a esquina, Valdir embicou o dele na garagem. Por pouco eles não se encontraram.

43

Rafael acordou sentindo a cabeça um pouco pesada. Olhou ao redor, tateou a cama. Demorou para perceber que estava no quarto de hóspedes na casa da avó. Remexeu--se com certa dificuldade, espreguiçou-se e, ao erguer o corpo, viu Angelita sentada à sua frente:

— Vó! Você aqui?

— Fiquei vigiando seu sono — respondeu ela numa voz suave, enquanto afagava a mão dele.

— Nem acredito que estou aqui com você.

Angelita estava com os olhos rasos d'água.

— Sei. Estou tentando manter o controle, entretanto, pensar que você poderia ter sofrido, ou pior...

Ele a silenciou fazendo um sinal com os dedos.

— Não pense bobagens. Já passou.

— Fico aqui matutando.

— Não. Não dê asas à imaginação negativa. O que importa é o agora. Agora, neste momento, estamos aqui, juntinhos. O que poderia acontecer não nos interessa. É fruto da mente doentia do mundo, de ideias negativas condensadas que estão espalhadas por aí — apontou ao redor. — Não vamos entrar nessa onda negativa. Vamos ficar no positivo.

Angelita surpreendeu-se. Da mesma forma como surpreendera-se com a postura de Valdir, na noite anterior, agora estava embasbacada com as palavras de Rafael. Era como se ele fosse outra pessoa. Olhou-o ressabiada. Eram palavras muito diferentes das que ele pronunciava com regularidade.

— Por que está falando desse modo?

— Que modo, vó?

— Dessa maneira. Palavras novas. Frases mais profundas. Nem parece você.

Ele sorriu.

— Fique sossegada. Não estou com nenhum espírito encostado em mim.

Ela fez o sinal da cruz.

— Não brinque com essas coisas. Tenho muito respeito pelos assuntos espirituais. Respeito e medo.

— Não precisa ter medo. Eu não tinha medo, nunca tive muito interesse pelo assunto. Minha mãe até tentou me despertar para a espiritualidade, trouxe-me livros, mas eu nunca dei muita bola. Quando namorei Júlia, o irmão dela, Tales, afirmava que eu tinha muita sensibilidade e que deveria estudar sobre o assunto. Também nunca o levei a sério.

— Acho melhor não se meter com esses assuntos — tornou ela, um pouco tensa.

— Tive uma experiência, no cativeiro, que me fez mudar de ideia.

— Ficou traumatizado. É natural que queira apegar-se a coisas espirituais.

— Não, vó. Não fiquei traumatizado e não quero me apegar a coisas espirituais por conta disso. Talvez por conta do excesso de comprimidos que ingeri, tive uma experiência transcendental, sobrenatural.

Angelita o encarou atenta.

— Sobrenatural? Como? De que maneira?

Rafael remexeu-se na cama e ajeitou-se em uma posição mais confortável. Angelita puxou a poltroninha para mais próximo dele.

— Conte-me.

— Houve um momento em que pensei estar sonhando, mas não estava. Não sei explicar direito. Era como se parte do meu corpo estivesse aqui e outra parte estivesse fora. Eu estava deitado e, ao mesmo tempo, me via em pé.

— Como se estivesse dividido em dois?

— Mais ou menos. Como uma cópia de mim mesmo. O Rafael deitado dormia a sono solto, entupido de barbitúricos. Outro Rafael, que era eu, consciente, em pé, estava um pouco tonto, mas me sentia mais leve. Tentei andar, não consegui. Percebi uma luz se formar ao meu lado e de repente um homem surgiu na minha frente.

Angelita estava curiosíssima.

— Um homem? Você se lembra dele?

— Como se ele estivesse aqui na minha frente. Porque ele era a cópia do vovô Mário.

— Mário? — ela se assustou.

— Ah, quando eu o vi, num primeiro momento, achei aquele rosto familiar. Ele me tranquilizou e me acalmou, dizendo que tudo iria ficar bem. De repente eu disse:

"— Você se parece com o meu avô. Tem um porta-retratos dele no escritório da casa da minha avó. É a sua cara!"

Ele respondeu:

"— Meu nome é Mário. E sou mesmo o homem do porta-retratos. Eu lhe quero muito bem. Mara também gostaria de estar aqui, mas não pôde vir por outros motivos."

Angelita sentiu um arrepio percorrer-lhe o corpo.

— Ele disse que se chamava Mário?

— Disse.

— E falou o nome de Mara?

— Também. É o nome da minha mãe biológica, não é, vó?

— Sim — Angelita respondeu com a voz trêmula.

— Ele estava muito bem-vestido, falava de maneira pausada, me transmitia uma paz sem igual.

— O que mais ele disse?

— Não me recordo direito das palavras, mas foi algo mais ou menos assim:

"— Está na hora de você acordar para a vida, meu amigo. Deus está lhe dando a chance de ver a vida de verdade. Você estagnou-se, parou de seguir seu caminho. E a vida é ação, sem afobação, sem correria, mas tem ritmo, com harmonia, atitude, lucidez, ação integrada. Não tem desequilíbrio e, portanto, não tem sofrimento."

"— Estou num momento de desequilíbrio em minha vida. Veja pelo que estou passando."

"— Está vivendo isso, por ora, porque está vivendo de forma errada. A vida lhe deu recados, trouxe pessoas para estimulá-lo a mudar e progredir no caminho do crescimento e da ação. Seu espírito é forte e quer realizar. Sem realização a alma se fecha e o espírito adoece, morre. A última pessoa com a qual se relacionou estava em sua vida justamente para ajudá-lo a seguir os sensos de sua alma. Você não a ouviu. Ela foi embora, porque não havia mais afinidade entre vocês."

"— Está falando de Júlia."

"— Sim."

"— Conheci outra mulher. Ela vai me ajudar a retomar o caminho."

Rafael ficou pensativo. Fitou um ponto indefinido no quarto. Angelita, que comia as palavras, indagou:

— O que foi? Por que parou de falar?

— Nesta parte da conversa, Mário não disse nada. Ficou calado. Senti que ele não quis dizer nada sobre Sofia. E, lá no meu íntimo, por mais que minha mente quisesse dizer que ela era a mulher da minha vida, o meu peito se fechava. Eu respeitei o momento e aguardei que ele continuasse a conversa.

— Ele continuou?

— Continuou:

"— Deus lhe deu tudo. Ele lhe deu a vida e continua lhe dando tudo até este momento. Os recursos, de certa forma, não somem porque você não os vê ou simplesmente porque os nega. Continuam ali, à sua espera."

"— O que quer me dizer?"

"— Que oportunidades de melhorar a sua vida não acabam jamais, em momento algum. Você precisa se render à realidade da vida, parar de brigar com ela."

"— Estou cansado de brigar e ficar parado. Percebo que cheguei a esse ponto porque tenho que dar novo sentido à minha jornada."

"— Isso mesmo. Você precisa confiar mais nas forças inteligentes da Vida, em Deus, beber dessas forças, porquanto são as forças intuitivas que vão ajudá-lo a renovar-se e ir para a frente. Há pessoas em situações muito piores que a sua, que estão com doenças graves, que não terão tempo de ter esta conversa que estamos tendo. São pessoas que acabaram entrando em situações de difícil mudança. No entanto, tudo passa, nada dura para sempre. E o sofrimento acaba se tornando o remédio para curar as doenças e os desatinos dessas pessoas, que nada mais são do que as ilusões criadas ao longo de uma ou mais vidas."

— Naquele momento, vó, não sei o porquê, mas senti uma emoção muito forte e comecei a chorar. Mário me amparou e tornou, amável:

"— Isso, Rafael. Chore. Bote para fora seus medos, suas angústias e frustrações. Vai ajudá-lo a refletir. Quem sabe agora vai deixar de absorver as ideias de seu pai, dar mais crédito às próprias ideias e perceber que arriscar na vida é sinônimo de crescimento e renovação."

— Eu me senti tão leve, tão acolhido, não queria me desfazer daquele abraço. Logo em seguida, atrás de Mário, surgiu uma índia, linda de morrer.

Angelita levantou o sobrolho:

— Uma índia?!

— É, vó. Uma índia. Ela fez movimentos com as mãos sobre meu corpo, sorriu para mim e me deu um beijo na testa. Depois disse: "Que a Virgem de Cacupê o proteja". Não sei se esse é o nome correto. Nunca ouvi falar numa santa com esse nome.

Angelita não conseguiu segurar o pranto. Atirou-se sobre Rafael e, entre lágrimas e soluções, tornou, emocionada:

— Querido, você esteve com seu avô. Tenho certeza.

— Foi muito real, vó. Era como se ele estivesse ao meu lado.

— E a índia... ela disse o nome da santa, sim. É Caacupê, com dois "as".

— Que santa é essa?

— É a padroeira do meu país.

— Mas a padroeira da Argentina é Nossa Senhora de Luján, não? A senhora me levou lá duas vezes.

— Não, Rafael. Sua avó mentiu. Eu sempre menti.

— Não entendi.

— Não sou argentina.

— Não?

Angelita fez uma negativa com a cabeça, enquanto as lágrimas ainda caíam, insopitáveis.

— Sempre achei que fosse portenha.

— Sou paraguaia. Nossa Senhora de Caacupê é a padroeira do Paraguai. Sou devota dela. Nos momentos difíceis da minha vida, oro pensando nela. Quando você disse que a índia falou o nome da padroeira, meu Deus! Você teve um encontro espiritual.

— Vovó, estou muito feliz! — ele a abraçou com ternura.

Ela se desfez do abraço e se recompôs. Apanhou uma caixa de lenços de papel sobre a mesinha de cabeceira.

— Venho de uma família muito pobre. Não conheci meus pais. Fui criada pela minha avó, em um bairro pobre nos arredores de Assunção, capital do Paraguai. Quando eu era pequena, nos momentos difíceis, íamos rezar e pedir para Nossa Senhora de Caacupê. Nossos pedidos sempre foram atendidos.

Angelita assoou o nariz e prosseguiu:

— Os anos passaram, minha avó morreu e eu fiquei só. Arrumei emprego como babá, depois fui trabalhar em lojas de perfumes, conheci seu avô. Ele estava de passagem em Assunção. Nós nos apaixonamos, eu engravidei e vim com ele para cá. Depois que seu avô fez fortuna, achei que era melhor inventar e dizer que era portenha porque dava mais status. Inventei que era amiga da argentina que foi Miss Universo no ano que conheci seu avô. A história pegou e fiquei conhecida como a amiga da miss. Nunca iriam checar se éramos, de fato, amigas. Eu nunca a conheci, a não ser por revistas. Achava Norma Nolan lindíssima. Depois, no ano seguinte, ela passou a coroa para a Ieda Maria Vargas...

— Para quem, vó?

Angelita voltou dos devaneios e sonhos.

— Deixe para lá. Não adianta me estender nesta história. Hoje vejo que era tudo bobagem, estava presa às convenções sociais, com medo de ser espezinhada.

— Qual é o problema de ser paraguaia?

— Complexo de inferioridade. Eu era jovem, queria me impor, ser admirada, cortejada e invejada na sociedade. Coisas de ego. Agora que tive a sensação de perdê-lo, percebi que nada disso vale a pena. Cansei de representar. Quero ser eu mesma.

Rafael sorriu e apertou a mão de Angelita, de maneira carinhosa.

— Tenho muito orgulho de você, vó.

— Obrigada.

Angelita ajeitou-se na poltroninha, cruzou as pernas e quis saber:

— E depois que a índia o abençoou, o que aconteceu?

— Eles garantiram que tudo ia ficar bem, abraçaram-me e sumiram. Depois, as coisas ficaram misturadas, eu me vi dormindo, meio grogue, e a cena pula para a porta da delegacia.

— Você foi ajudado pelo espírito de seu avô. E por Nossa Senhora de Caacupê. Não tenho dúvida disso.

— Tenho certeza de que houve ajuda espiritual, vó. Quando me vi na delegacia, livre e vivo, sem um arranhão, senti que minha vida estava recomeçando. O Rafael que você conheceu até o dia do assalto era um. Agora sou outro. Quero estudar sobre espiritualidade, conhecer a cultura indígena.

— Cultura indígena?

— É. O sorriso e a docilidade daquela índia me tocaram profundamente. Nunca fiz nada na vida, nunca tive motivação para nada. Percebi que não combino com a vida urbana; viver em grandes cidades não é comigo.

— O que deseja?

— Depois dessa experiência, quero ir para longe, para o mato, viver em contato com a natureza. Adoraria conhecer um povo indígena. Sei lá, talvez me envolver com um trabalho social junto aos índios.

Angelita sentiu o peito expandir-se. Encarou Rafael com firmeza:

— Estou cansada deste mundo fútil, de mentiras, de aparentar o que não sou. Depois dessa experiência pela qual você passou, percebi como somos vulneráveis, percebi como a vida pode nos ser arrancada de um momento para o outro. Até hoje não fiz nada de útil, que me realizasse. Acumulei um patrimônio considerável, mas não me sinto feliz.

— Pode pensar também em algo, vó. Há tantas coisas para fazer e...

Angelita pousou delicadamente os dedos nos lábios do neto.

— Não, Rafael. Eu também já decidi.

— Já?

— Sim. Se você quiser, vou-me embora com você.

— Para longe? No meio do mato?

— Sim.

— Largaria a cidade, o seu mundinho de socialite, os eventos, as amizades...

— Nada disso me fez ou faz feliz. Enquanto você falava em ir para o mato, envolver-se em um projeto com o povo indígena, eu senti meu peito se abrir, senti algo tocar fundo no meu coração. Também quero embarcar nesse projeto. Se você não se opuser, claro.

Rafael abraçou-a, feliz.

— Vou adorar tê-la ao meu lado.

— E quanto à sua atual namorada?

Ele ficou pensativo por um instante.

— Vou ligar para Sofia, pedir para ela vir almoçar conosco. Por mais que goste dela, essa vontade de mudar é muito mais forte que tudo. Inclusive o meu namoro.

Angelita ia replicar algo, no entanto, Valdir entrou no quarto e os viu animados.

— O que eu perdi aqui? — quis saber, num misto de curiosidade e desconfiança.

Angelita desceu para providenciar o desjejum. Rafael, cheio de alegria, contava ao pai o sonho com o avô e o que desejava fazer dali para a frente.

Depois de tudo escutar, também emocionado, Valdir considerou:

— Só discordo de uma coisa.

— O quê, pai?

— Você não é uma cópia minha. Não acredito que meu pai tenha dito isso.

Rafael riu.

— Se pensar direitinho, sou muito parecido com você. Todo mundo fala. Mas não é um comentário negativo. Entenda que eu tenho de andar com as minhas próprias pernas, ser dono das minhas ideias.

— Entendo... — Valdir fez um muxoxo.

Rafael abriu os braços:

— Venha cá, me dê logo um abraço. Você é o melhor pai do mundo!

Valdir o abraçou e, emocionado, pediu:

— Importa-se se eu também for embora com você?

— Desse jeito, vamos partir em caravana e montar a nossa própria tribo!

Os dois caíram na risada e ficaram tecendo planos para o futuro.

No quarto, invisíveis aos olhos dos dois, os espíritos de Mário e Itacira sorriam felizes.

— Ao menos Rafael precisou de um bom chacoalhão para voltar à rota e seguir o caminho tão sonhado — tornou Mário, satisfeito.

— Ele, Angelita e Valdir — completou Itacira. — Seus espíritos têm um grande comprometimento com o povo indígena. Massacraram e foram massacrados. Chegou o momento da paz, da fraternidade, da harmonia, do ajuste de consciências. Vão realizar um trabalho maravilhoso de assistência. Os três vão dar um salto significativo na encarnação.

— Mesmo com essa mudança toda, Valdir saberá a verdade sobre a paternidade de Rafael?

— Depende. Se for para gerar desarmonia e sofrimento, não se faz necessário tal revelação. Se o espírito de Valdir precisar e desejar a verdade para vencer o orgulho e tornar-se mais forte, sim. A vida sempre faz tudo para o melhor, nunca para o pior.

— Vai saber que Hélio está por trás dessa tentativa de sequestro?

— Cada um cria a sua própria realidade. Não julgamos e não condenamos ninguém.

— Sei disso.

— A partir do momento em que você tenta impor a sua realidade aos outros, está interferindo no processo evolutivo, arranhando leis universais. A vida não permite que isso aconteça e põe barreiras.

— Quer dizer...

— Não importa se saberão ou não se Hélio esteve envolvido nesse episódio. Importa a consequência que Hélio vai arcar por ter tramado tudo isso. Você só tem proteção se age de acordo com a lei. Hélio ainda não entende como funciona a vida, de fato. Crê que o mundo deva curvar-se a seus pés, portanto vive na ilusão.

— E a ilusão machuca — completou Mário.

— Exatamente. Contudo, deixemos que Hélio responda por si. Não nos cabe julgá-lo. Temos a nossa vida a seguir.

— Tem razão.

— Mário, você não tem mais nada a ver com essa história. É passado. Tudo aconteceu porque havia um motivo. Nada acontece por acaso.

— Não me culpo por nada. Hoje entendo o que aconteceu. E até sei por que Valdir precisou amar um filho que não é dele.

— Para mostrar que o amor incondicional existe. Para mostrar que o amor é um sentimento poderoso, muito forte. Valdir nem tem consciência de quanto ele e Rafael já se desentenderam no passado. Dificilmente Valdir consentiria receber Rafael como filho.

— E agora amam-se verdadeiramente.

— Por isso, querido, está tudo certo. A reencarnação é uma bênção.

Mário suspirou.

— Estou feliz, Itacira. Será que agora...

Ela sorriu.

— Está bem. Missão cumprida. Quer ir para a tribo como um nativo, não como visitante, certo?

— Creio que agora já mostrei que sou compatível com a energia de lá.

Feche os olhos.

Mário assentiu. Fechou os olhos. Sentiu Itacira — cujo nome significa lâmina afiada — passar seu punhal em volta do corpo dele, sem tocá-lo. Depois de pronunciar frases em guarani, ordenou:

— Pode abrir os olhos.

Mário abriu e olhou-se. Emocionado, abraçou-a e beijou-a nos lábios.

— Obrigado.

Ele estava vestido como um índio: trajes, adereços, cocar. Itacira entregou-lhe uma flecha magnetizada, imensa, e anunciou:

— A partir de agora, você volta a se chamar Viatã, ou flecha rija.

Mário teve o brilho momentâneo de um passado longínquo. A sua fisionomia transformou-se um pouco. Pareceu um homem mais forte, com ar mais taciturno, porém sereno. Suspirou, ergueu a flecha e com a outra mão puxou delicadamente Itacira para cima, sumindo no ar.

44

O comecinho de tarde estava muito quente. Júlia terminou de almoçar na casa dos pais e, ao se despedir, não conseguiu segurar as lágrimas.

— Vou sentir muita saudade — tornou enquanto abraçava Shirley.

— Minha menininha, não fale assim. Desse jeito, também choro.

— Isso não é velório! — exclamou Rodinei. — É dia de festa. Você está viajando para longe, para realizar um sonho!

— É verdade — completou Maicom. — Ô mana, eu estou aqui morrendo de inveja.

Jessica o beliscou.

— Inveja, é? Vai com ela.

Ele a abraçou e fez beicinho.

— Acha que vou deixar minha gatinha e ir para longe? Não troco você por alemã nenhuma.

Jessica lhe deu um tapinha e Júlia o abraçou.

— Vou sentir também muita falta de você, querido.

— Fica sossegada, maninha. A gente se fala pelo computador.

— É sim — rebateu Jessica. — Tem skype, tem videoconferência, tem um montão de programa com câmera. Eu conheço uns e...

Maicom a beliscou:

— Que é isso? Que monte de programa? O que anda vendo na internet?

Ela esperou Júlia se desfazer do abraço para jogar-se sobre ele, toda melosa:

— Ai, amor. É tecnologia. Todo mundo conhece. E tenho de ficar antenada. Quero ser web design. Não posso deixar de estar plugada na internet.

— Sei.

— E também faço muitas pesquisas sobre Espiritismo. Você sabe disso. Não me venha com ciúme! — exclamou, num tom divertido.

— Você é tão novinha e conhece tanto sobre espiritualidade — observou Júlia. — Agradeço as palavras que tanto me consolaram. Adorei conhecer o centro espírita que você frequenta.

— Eu frequento esse centro desde que me conheço por gente — afirmou Jessica. — Não foi nada demais conversar com você sobre o assunto. E sabendo que se interessou... — Jessica apanhou um pacote sobre o murinho ao lado do portão e o entregou. — É para você.

Júlia pegou e sorriu:

— O que é?

— São as obras básicas de Allan Kardec.

— Que graça, Jessica! Obrigada.

— Você se interessou tanto pelos ensinamentos espíritas que achei legal presenteá-la com as obras dele. Espero que tenha tempo de ler alguma coisa em Berlim.

— É claro que vou ter tempo.

— E esse outro livro é presente meu — interveio Maicom.

— Não é aniversário, é uma viagem — rebateu Júlia.

— Fiquei com ciúmes — argumentou ele. — Só a Jessica iria dar presente? Eu também quis lhe dar um.

Júlia abriu o pacotinho e leu: *Entre o amor e a guerra*, de Zibia Gasparetto.

— Um romance! Vou ler no avião.

— Foi indicação da Jessica — ressaltou Maicom.

— É um romance emocionante, tem como pano de fundo a Segunda Guerra Mundial e passagens na Alemanha — completou Jessica. — Por isso achei pertinente presenteá-la com este livro em particular.

Júlia abraçou os dois, comovida.

— Vocês são muito especiais — ajuntou emocionada. — Nunca vou esquecer esse carinho. Muito obrigada.

Rodinei abraçou a filha com carinho e beijou-a no rosto.

— Minha menina, sei que vai para um país distante, com novas perspectivas, com namorado e enteada a tiracolo, e cheia de livros, mas não esquece a gente, não.

— Papai, jamais vou esquecê-los. Só vou me mudar de país. Combinei com o Franz que viremos no Natal.

— Vou esperar. Gosto dele. Pena que não pôde estar aqui hoje.

— Ele está terminando de arrumar as malas, tem de finalizar algumas papeladas da Ingrid.

— A menina quer mesmo terminar o ensino médio na Alemanha? — quis saber Jessica.

— Quer. Não gosta daqui. Ingrid não suporta o calor. Ela é totalmente europeia. Parece que nasceu aqui por acidente.

Despediram-se com cenas, choros. Júlia entrou no carro e, ao dar partida, Maicom fez sinal para ela baixar o vidro.

— Amanhã posso ir com papai buscar o carro?

— Claro que pode. Mas você ainda não completou dezoito anos.

— Eu sei. O Silas do salão vai junto. Não vou dirigir.

— Olha lá, hein?

— Vai mesmo deixar o carro comigo?

— Não vou vendê-lo agora, Maicom. Como você vai completar dezoito anos logo e é muito zeloso, é a pessoa ideal para tomar conta dele.

— É um carrão!

— Você merece.

Ele a beijou e Júlia engatou. Acenaram e ela sumiu na curva.

Quando chegou em casa, consultou o relógio e correu com os preparativos finais. Ajeitou o pacote com os livros de Kardec em uma das malas e colocou o romance na bolsa.

— Bom, não falta muita coisa. As malas estão fechadas. Só falta essa mala de mão e...

Ouviu barulho da porta. Franz chegou com Ingrid. Era uma mocinha bem simpática e se dava bem com Júlia. Achava bom o pai se distrair com a namorada. Assim ela podia ter tempo de sair com as amiguinhas, paquerar os meninos, ir a festas. Típico de adolescente.

— Está pronta, Júlia?

— Estou, Ingrid, quase. Só não vou poder levar a coleção *Os economistas*.

— Depois levamos, amor. Aos poucos — sugeriu Franz.

— Não tem na internet? Precisa dos livros físicos? — perguntou Ingrid, fazendo uma careta.

— Sou fã dos livros — sorriu Júlia. — Quando entrei na faculdade de economia, meu pai me presenteou com essa coleção. Foi até um sebo no centro da cidade, parcelou em três vezes. Você não tem ideia do que esses livros significaram e significam para mim.

Franz a abraçou por trás.

— Sei, amor. Tem o lado afetivo, sentimental.

— Tem, mas também aprendi muito com eles. Até hoje os consulto.

— Agora vai falar só inglês e alemão — observou Ingrid.

— Mais um motivo para eu ter esses livros — avaliou Júlia. — Vai ser uma ótima maneira de manter a leitura na língua nativa.

O interfone tocou e Ingrid atendeu.

— Seu irmão está na portaria.

— Meu Deus! Tales é pontual.

— Não precisavam nos levar ao aeroporto — tornou Franz. — É muito trabalho. Nós três e um montão de malas.

— Ele tem um utilitário, pai — comentou Ingrid. — E o companheiro dele tem outro. Na verdade estamos com dois carrões e dois motoristas.

— Essa menina tem ares de madame — caçoou Franz.

— Vai se acostumando, pai.

— Vou terminar de me arrumar — disse Franz.

— Eu também — tornou Júlia. — Antes, tenho algo para lhe dar.

Ela pegou um envelope e o entregou a Franz.

— O que é isso?

— Prova do meu amor. Para você.

Ele abriu e de dentro tirou uma receita. Fez ar de interrogação.

— Minha mãe me ensinou a fazer um delicioso pudim de leite.

— Está brincando!

— Essa receita aí — apontou — é de família.

Franz abraçou-a e beijou-a várias vezes.

— Você não esqueceu.

— De quê?

— Que adoro pudim de leite.

— Aprendi na hora.

— Por isso vou me casar com você.

Ingrid bateu palmas, com a voz alterada.

— Os pombinhos podem deixar para namorar mais tarde? Tem gente esperando já embaixo!

Os dois se beijaram e correram para terminar de se arrumar.

Franz resolvera aceitar um emprego numa empresa alemã e Ingrid queria estudar em uma escola alemã. Juntaram a fome e a vontade de comer. Estava tudo certo. Júlia desejava mudar de ares e conseguira estágio em uma agência internacional de notícias com filial em Berlim. Havia uma vaga para graduados em economia e com inglês fluente. Júlia resolveu arriscar. E, assim, os três partiram felizes, cheios de sonhos e esperanças por uma vida repleta de realizações.

Depois que os três passaram pelo embarque internacional, Reginaldo pôs a mão sobre o ombro de Tales:

— Que sejam felizes!

— Eles vão ser. Quer dizer, já são.

Tales consultou o relógio. Reginaldo perguntou:

— Mais de três vezes que fica de olho no relógio. Algum problema?

— Queria ir até a casa de saúde. O horário de visita se encerra daqui a pouco.

— Ah! — exclamou Reginaldo. — Quer visitar sua tia.

— Sim.

— Podemos ir amanhã.

— Amanhã você quer ir fazer compras na feirinha de antiguidades do Embu.

— Deixamos para outro domingo.

— Jura?

— Claro. Embu das Artes tem todo fim de semana. Você está preocupado com sua tia Albertina.

— A saúde dela vai de mal a pior. Não sei se ela vai durar muito.

— Não é uma tia distante, irmã da sua mãe?

— É. Nunca tive contato com ela. Tenho uma vaga recordação de vê-la no velório e enterro da minha mãe. Os anos passaram e um dia recebi uma ligação do meu pai. Estavam localizando um parente e chegaram, não me pergunte como, até ele.

— De onde era?

— De um hospital público. Precisavam despachá--la. Dar alta.

— Ela não tinha marido, filhos?

Tales deu uma risadinha irônica.

— Nessa hora parece que a família desaparece. O marido a abandonou há anos e casou-se com outra. Nem sei se está vivo. Meus primos, bom, sei que tinha um primo surfista. Ele morreu num acidente de carro há uns quinze anos. E tenho uma prima que sumiu no mundo. Não sei se está viva ou morta.

— Você não tem obrigação de visitar ou cuidar da sua tia.

— Não tenho mesmo — ponderou Tales. — Há três anos, quando ligaram do hospital, fui buscá-la e a internei na casa de saúde.

— Ela sabe quem você é?

— Não. Quando a internei, o Alzheimer estava num grau altíscimo. Tia Albertina não tem ideia de nada. Às vezes chama pelo filho surfista. Depois apaga, fica muda. Eu vou, pego na mão dela, dou carinho.

— Você não existe, Tales.

Tales sentiu uma emoção estranha. Nunca tivera ligação que fosse com Albertina. Mas sentira compaixão quando a vira naquele estado deplorável no hospital. Sentiu vontade de ajudar. E ajudou.

Seus olhos perderam-se no meio da multidão de passageiros. Reginaldo, sensibilizado, passou o braço pelo ombro dele e comentou:

— Faz tanto tempo que não fazemos uma viagem.

Tales desligou-se da tia e voltou à realidade.

— Tem razão — concordou. — Vendo esse mundo de gente embarcando e desembarcando, dá até vontade. Nunca viajamos juntos.

— Vamos planejar uma viagem tipo lua de mel?

Os olhos de Tales brilharam emocionados.

— Assim, lua de mel? Está propondo alguma coisa?

— Queria alguma coisa mais séria.

— Sei.

Tales, sempre muito dono de si, fortão, decidido, naquele momento sentiu um friozinho na barriga. Reginaldo também era dono de si, decidido...

Reginaldo, de maneira brincalhona, meio afetado, foi direto ao ponto:

— Nós vamos oficializar nossa relação!

— É?

— Sim. E depois viajar. Para o exterior. Você escolhe a data e eu escolho o destino.

— Gostei.

Abraçaram-se felizes. Não perceberam, mas naquele momento suas auras entraram em uma espécie de sintonia total. Era como se houvesse um encaixe, como se entre os dois houvesse a consciência, o entendimento do verdadeiro amor: do amor que liberta, faz sentir-se bem, sentir-se livre, querido, com motivação para acordar, trabalhar, seguir em frente.

45

Leda tentava concentrar-se em suas meditações. Infelizmente, nesta manhã, estava difícil. Por mais que tentasse, sua mente desviava do escopo, e a imagem de Sofia vinha à sua frente, como querendo fixar-se em sua mente.

— Isso nunca aconteceu. Em todo caso, parece-me sinal de que ela está querendo se comunicar comigo — disse para si, enquanto abria os olhos e, respirando fundo, ajeitava-se na poltrona.

O interfone tocou. O porteiro avisou que era Sofia.

— Pode mandar subir.

Leda acomodou-se e sentiu algo estranho. Não era peito oprimido, tampouco sensação desagradável. Era uma energia que ela desconhecia. Esperou a campainha tocar. Atendeu a porta e Sofia a cumprimentou, com polidez:

— Como vai, mamãe?

— Bem. E você?

— Ótima. Antes de dizer que não gosta de ser importunada, peço que me desculpe. Estou sem telefone. Além do mais, vim para me despedir.

Leda surpreendeu-se. Sorriu e a convidou para sentar.

— Obrigada — Sofia agradeceu e sentou-se.

— Vou fazer um chá para nós.

— Não é necessário. Minha visita será curta. Não vou me demorar.

— Por certo.

Leda acomodou-se no sofá e logo sua intuição voltou como de costume.

— Vai partir e não vai mais voltar.

— Isso eu já disse. Não precisa ligar seu canal intuitivo.

— Você esteve envolvida no sequestro de Rafael. E, não sei o porquê, mas também foi quem o libertou.

Sofia engoliu em seco. Fez força para manter a pose.

— Você é bruxa, não sei como descobre as coisas, no entanto, como é a última vez que estamos nos encontrando nesta vida, posso ter uma conversa franca com você.

— Ótimo.

— Eu estive envolvida com o sumiço do Rafael, sim.

— Sequestro — corrigiu Leda.

— Sumiço — rebateu Sofia.

— Dê o nome que quiser, mas esteve envolvida. Eu sempre soube.

— E daí? — Sofia deu de ombros.

— O que aconteceu para você mudar de ideia e deixá-lo são e salvo na porta de uma delegacia?

Sofia mexeu novamente os ombros.

— Eu achava que ia acontecer uma coisa. Depois descobri que iria acontecer outra. Mudei o rumo dos acontecimentos. Deu para entender?

— Você salvou a vida dele.

— Mãe, eu posso ser fria, manipuladora, aproveitadora, imoral, mas não sou assassina. Matar não faz parte da minha natureza. Quando soube que Rafael seria executado, fiz o que pude para reverter a situação. Só isso. Sem heroísmo. Foi por convicção. Quis ajudá-lo.

— Você é uma boa pessoa.

Sofia não respondeu.

— Tem uma essência boa. Poderia usar a manipulação de outra forma, em benefício de todos, sem prejudicar as pessoas. Você tem alto poder de sedução, Sofia. As pessoas se deixam levar facilmente por suas palavras. Tem um carisma nato. Poderia liderar um grupo com facilidade, para o bem ou para o mal. Nunca pensou em fazer parte de um grupo, de uma organização, e procurar confortar corações com essa alta dose de energia manipuladora que concentra?

— Não. Não sinto essa vontade. Prefiro continuar sendo do meu jeito, levando a vida da minha maneira.

— Você faz o seu destino.

— Está me rogando praga?

— De forma alguma.

— Só porque não sigo os códigos de moral socialmente aceitos, deverei pagar por alguma coisa?

— Não é isso. Mas a partir do momento que você cria condições para que alguém se prejudique...

Sofia não deixou Leda terminar de falar:

— Eu não crio condições para nada. Crio condições para mim. Cada um não é responsável por tudo o que atrai na vida?

— Sim.

— Você vive afirmando isso. Portanto, se uma pessoa cai na minha rede de manipulação, é porque ela atraiu isso na vida dela.

— Seu raciocínio é brilhante, devo confessar.

— Não me venha jogar a responsabilidade dos fracassos do outro sobre mim. Ninguém mandou a pessoa, o indivíduo se meter comigo. Se tomou na cabeça por ter se envolvido comigo, é porque eu sou mais forte, e ele, portanto, mais fraco. Não sou responsável pela desgraça de ninguém. Sou responsável pela minha, mas não pela dos outros. Assumo minha desgraça, meus erros e fracassos, mas não assumo os erros de ninguém. Cada um que carregue a sua cruz.

— Você tem uma maneira bem peculiar de enxergar a vida.

— Seja a maneira certa ou errada, eu me garanto. Sou forte e só sei viver assim. Não deseje que eu seja de outro jeito. Não sei ser. E, de mais a mais, se você é ligada à ciência da mente, tem como preceito básico não julgar.

— Não a estou julgando.

— Então deixe-me viver do meu jeito.

Leda procurou mudar o tom da conversa:

— Rafael está entristecido. Você deixou um bilhete de despedida. Poderia ter ligado.

— Não senti vontade.

— Você salvou a vida dele.

— Ele não sabe. Só você, porque é bruxa — Sofia riu.

— Ele merece uma conversa, não acha?

— Não. E antes que venha me entupir com outras perguntas, tenho algo a lhe entregar.

Sofia retirou da bolsa um envelope pardo, envelhecido, e o entregou para Leda.

— O que é isso?

— Quando eu for embora, você abre. Vai entender por que vim ao Brasil, me envolvi com Rafael e o salvei.

Leda segurou o envelope e Sofia prosseguiu:

— Sei que me arrisquei. Poderia ter dado tudo errado, mas eu não penso no "se". Eu bolei o plano e quis tirar vantagem dos dois lados. Consegui.

Leda não entendeu patavinas. A intuição, naquele momento, deu pane. Só conseguiu articular:

— Você vai sumir assim, do nada?

— Vou. Aqui é minha penúltima parada. Tenho mais um local para ir. Depois, vou direto para o aeroporto.

— Vai para os Estados Unidos?

— Não. Para a Europa.

Leda levantou a sobrancelha.

— Europa? Que interessante!

— Também acho. Espero passar uma longa temporada lá.

Sofia levantou-se e, sem abraçar ou beijar Leda, concluiu:

— Adeus, mamãe. Espero que você fique bem. Cuide-se.

Antes de Leda dizer alguma coisa, Sofia virou-se, abriu e fechou a porta da sala, sem fazer cena. Saiu calma, tranquila.

Leda voltou até a poltrona, acomodou-se e refletiu sobre a conversa que travara havia pouco.

— Cada um é único. Não posso me impressionar com as palavras de Sofia. Não me comparo com nada nem com ninguém. Tudo está bem no meu mundo.

Em seguida fez uma mentalização de equilíbrio e bem-estar para si mesma e para Sofia.

— Fique bem, aonde quer que vá.

Abriu o envelope e, conforme lia e via o conteúdo, os olhos pareciam querer saltar das órbitas. Aqueles documentos que Sofia lhe entregara mudavam o rumo dos acontecimentos. E, também, a vida de algumas pessoas. Leda ficou estarrecida e precisou de um bom tempo e muita, mas muita meditação e pensamentos reconfortantes para voltar ao normal.

Mara colhia algumas flores no jardinzinho de casa quando Celina aproximou-se.

— Acabei de chegar de uma palestra tão interessante.

— Interessante e revigorante — completou Mara. — Está com outra aparência. A apatia desapareceu.

— Por completo. Agora tomei real consciência de que eu sou responsável por tudo o que acontece na minha vida. Tudo. De bom e de ruim.

— Aprendeu a não mais culpar os outros, o mundo, a família, a sociedade, os pais, o marido...

Celina ficou meio encabulada.

— Sim. Nossa, como é fácil culpar os outros por toda a nossa dor, frustração e fracasso. É tão cômodo. Você culpa o outro e não faz nada para melhorar. Fica parado no rancor, na mágoa, no vitimismo.

— Ah! — Mara exclamou. — Foi assistir à palestra *Pare de sofrer*, com o Silveira Sampaio.

— Essa mesma. Fiquei impressionadíssima. Além do mais, ele tem domínio de palco, tem humor e trata assuntos muito sérios com extrema leveza. Ele toca nossa alma.

— Silveira é um espírito muito lúcido, alegre, inteligente e generoso. De vez em quando desce até nosso posto para dar uma palestra. É raro vir. A cada um, dois anos, ele aparece. A agenda desse homem é lotadíssima.

— Queria ver de novo. Ele falou muitas coisas que me marcaram profundamente.

— Se quiser, pode pedir ao Esperidião para levá-la à sala de vídeos. Lá ficam registrados todos os encontros, palestras e aulas que são dadas aqui no posto.

— É mesmo? — indagou Celina, surpresa.

— É. E essa palestra do Silveira Sampaio é baseada em um livro dele de muito sucesso, também intitulado *Pare de sofrer*. Se quiser, posso lhe arrumar um exemplar e deixar lá no quarto para você ler.

— Adoraria.

— Está bem.

— Por que só agora me dou conta de tantas coisas interessantes que temos aqui neste posto de tratamento? Faz anos que estou aqui e achava que só havia o grupo de oração.

— Porque sua mente estava presa nas ilusões, Celina. Você não aceitava a realidade, preferia ficar alimentando a mentira. Era cômodo a mente acreditar que você tinha morrido havia pouco tempo, quando, na verdade, tinha desencarnado havia bem mais de vinte anos.

— É. Relutei em aceitar. É a maneira como morri. Ainda me dá uns calafrios de vez em quando.

— Sabe que mês que vem vai ter uma palestra do nosso querido Georges?

— Soube.

— Também não é a todo instante que ele vem aqui dar o ar da graça.

— Sei disso. Hoje, depois que terminou a do Silveira, fui informada. Corri para me inscrever. Acho que fui a primeira — Celina riu, bem-humorada.

— E o Georges discursa muito bem sobre o tema suicídio. Ele trabalha com uma equipe especializada em socorrer pessoas que se matam. Você foi acolhida por trabalhadores coordenados pelo Georges.

Celina sentiu um estremecimento. De gratidão.

— Eu vou a essa palestra. Eu vou!

Falou com tanta convicção que Mara abraçou-a, feliz.

— Isso mesmo, Celina. Está na hora de encarar e vencer seus medos!

46

Sofia pediu para o táxi parar em frente a um prédio comercial numa avenida movimentada.

— Pode parar que vou descer.

— Aqui não posso parar. É avenida.

— Pode entrar no estacionamento do prédio. Eu pago.

— Sim, senhora.

O motorista embicou o carro.

— Não vou demorar mais de quinze minutos.

Ele anuiu com a cabeça.

Sofia desceu, elegantíssima em um conjunto Chanel preto, sapatos pretos, bolsa preta, adereços pretos. E manteve no rosto os óculos imensos, também pretos.

— Adoro esta cor. Realça minha pele alva — disse para si, enquanto atraía olhares masculinos.

Passou pela recepção, subiu até o andar do escritório de Hélio. A secretária a atendeu e dali a um minuto foi levada à sala do homem. Mal fechou a porta e Helinho soltava ódio pelas ventas:

— Desgraçada! Enganou-me.

— Eu?!

— Ainda por cima me faz uma pergunta dessas? — ele não conseguia abrir mais a boca porque a pele esticada não permitia.

Ela riu com escárnio, enquanto tirava os óculos.

— O que foi? O silicone atingiu seu cérebro?

— Não foi esse o combinado.

— Sou manipuladora, sou terrível, destruo a vida das pessoas que tentam me sacanear, mas não sou assassina. Não entregaria seu irmão para os bandidos.

Helinho quase teve uma síncope.

— O quê?! Nunca quis prejudicar o Valdir

— Não se faça de idiota.

— Valdir é um bolha. Ele é café pequeno.

— Cale a boca — Sofia foi ríspida. — Estou falando do seu irmãozinho, o Rafael.

Helinho precisou se segurar na mesa para não cair. Esparramou-se na cadeira. Começou a gaguejar e teve de fechar as pernas para não urinar, tamanho nervosismo.

Sofia gargalhou:

— Adoraria ver a real expressão no seu rosto, mas o excesso de botox não permite. Eu sou bem ordinária, bem baixa. Acha que nos conhecemos por acaso?

— Não estou entendendo — gaguejou, enquanto piscava os olhos duas vezes.

— Se eu tivesse papel e caneta, desenharia. Mas estou sem os apetrechos e sem tempo. Vou ser a mais clara possível, ok? — ele fez sim com a cabeça e Sofia prosseguiu, irônica e debochada: — Era uma vez, muitos anos atrás...

— Seja direta, sem deboche.

— Bom, seu paizinho, doutor Mário Castillo, era amigo do meu pai. Certa vez, meu pai veio ao Brasil para uma viagem, rápida, de negócios. Lá em casa, achamos tudo muito estranho, mas era só questão de dois, três dias. Os anos passaram e, pouco antes de morrer, meu pai me entregou um envelope e disse:

"— Sofia, muito tempo atrás, meu amigo Mário me entregou este envelope com pedaços de unha, fios de cabelo com bulbo e uma carta-testamento com firma reconhecida e com testemunhas, além de uma carta, também autenticada, onde afirma ser pai do menino que está sendo criado como seu neto. Ele se envolveu com uma moça, teve um caso rápido com ela, e o filho dele, Hélio, sabe de tudo. Pode procurá-lo para ajudá-la no reconhecimento da paternidade. Mário quer que esse documento seja entregue nas mãos do rapaz quando este completar vinte e quatro anos de idade, o que não deve demorar para acontecer."

Claro que esta conversa entre Rubens e Sofia jamais existiu. O diálogo foi bem diferente:

"— Guarde este envelope."

"— Por quê?"

"— Caso eu morra, quero que vá com ele ao Brasil e procure a pessoa cujo endereço está anotado aí. Não o abra. Está lacrado. Conto com sua discrição."

A pessoa em questão era Angelita. Sofia achou que poderia lucrar com a história depois que abriu o envelope e viu o conteúdo. O pai ficou possesso, houve a briga...

Enfim, voltando à cena atual, uma espuma branca formava-se nos dois cantos dos lábios de Hélio.

— Não acredito em nada disso! — protestou, piscando novamente os olhos.

Ela fez que não escutou e prosseguiu:

— Quando papai morreu, coloquei meu plano em ação. Iria atrás da família do rapaz, mas tentaria lucrar com essa grande descoberta. Pensei na avó, nos pais adotivos, e vi que são pessoas corretas, éticas. Daí cheguei até você. Contratei detetive, mas detetive casca-grossa, sujo mesmo, desses que compram pessoas para conseguir tudo o que o cliente quer. Sabe esse tipo de detetive que desonra a profissão? Pois é. Tive de me deitar com um desses. O bom é que ele valeu bastante a pena, tinha pegada, como se diz aqui neste país de quinta.

— Não...

— Calma, querido — Sofia estava no domínio da situação. — O detetive me deu toda a sua vida. Coincidentemente, esse detetive já trabalhou para você, mais de vinte anos atrás.

Um frio horrível descia e subia no estômago de Helinho. Sentiu enjoo. Sofia continuava, sorridente:

— Descobri que você não valia, e não vale, nada. E daí pensei: por que não tirar uma casquinha do homem plastificado? Vai ser bem divertido. Aproximei-me de você naquela quase manhã no bar e fui fazendo sua cabeça para sequestrar seu irmãozinho. Só para faturar uns bons trocos. E ainda ganhei umas pedrinhas preciosas que já estão aqui — passou a mão no ventre.

— Você não teve coragem de engolir. Como vai fazer para...

— Bobinho. Depois que chegar ao hotel cinco estrelas, eu peço uma peneira de prata. Fica sossegado.

Hélio fez uma cara de nojo. E rebateu:

— Você não tem como...

— Como provar a paternidade?

— É.

— Tenho. Os documentos com os restinhos do seu papai já estão em boas mãos. Além do mais, não há necessidade de coleta de material para teste de paternidade entre membros da mesma família. A própria genética dos irmãos vai confirmar que Rafael é filho de Mário.

— Até aí tudo bem. Mas o resto você não tem como..

Sofia fez um gesto com o dedo indicador.

— Nã... não. Hélio Gomez Castillo. Eu sou profissa. Americana quando dá para ser pistoleira tem que ser no estilo Bonnie e Clyde, tem que arrasar. Eu fiz direitinho a lição de casa. Tudo o que você combinou sobre o sequestro foi gravado. Aproveitei o embalo e fiz um dossiê imenso sobre sua vida, sobre seus podres, sobre a origem da sua riqueza, sobre tudo de ruim que você faz. O detetive seduzido acabou me passando umas coisinhas sobre uma determinada morte nebulosa ocorrida em 1992.

Helinho gelou. Suou frio.

— Não tem nada a ver.

— Tem muito a ver — Sofia sorriu, maliciosa. E depois os olhos brilharam, rancorosos. — Você mandou matar a mãe do seu meio-irmão porque ela fez um dossiê cem vezes menor do que o meu. Mandou apagar a Mara.

Hélio não ouvia aquele nome havia anos. Sentiu enjoo e apoiou-se novamente sobre a mesa dobrando o estômago para não vomitar. Sofia prosseguiu:

— Consegui localizar uma amiga que dividia apartamento com Mara na época do crime. O nome dela é Dóris. Hoje é uma senhora de respeito, evangélica, pastora de uma igreja. Ela e o marido. Tem cinco filhos. Bonitinhos todos eles. Por meio dela cheguei a uns caras e consegui resgatar o dossiê da Mara.

— Não pode provar nada.

— Posso. Tem um pessoal em Brasília que odeia você. Estão loucos para tirar você, definitivamente, do esquema — ela gargalhou. — Foram muito, mas muito gentis em me ajudar. Não sabe como tem gente generosa lá no Planalto — rebateu, num tom cheio de ironia.

Helinho não sabia o que dizer. Pensou rápido e disparou:

— Não posso ser acusado por esse crime e, se for, o crime já prescreveu. Já se passaram mais de vinte anos — asseverou, num tom eufórico.

— Eu sei, benzinho. Só estou lhe dizendo que, se um arranhão aparecer assim, do nada, no meu corpo, se baterem no meu carro, se eu levar um tiro acidental, qualquer coisa que seja para tentarem me apagar...

— O que tem?

— Todo esse material foi devidamente copiado e entregue a duas pessoinhas de confiança. O original está guardado em um cofre de segurança máxima de um banco, em algum país do globo terrestre.

— Você não tem prova nenhuma — desafiou ele, com desdém e em tom provocativo. — Está blefando.

Sofia aproximou-se com ar triunfante. Olhou-o com cara de deboche:

— Tome esse pen drive. Coloque no seu computador. Fiz uma seleção dos melhores momentos.

Hélio pegou o minúsculo dispositivo. Sua mão suava frio e tremia um pouco. Ele encaixou no computador e logo abriu o arquivo. O que viu o deixou aterrado. Sofia falava a verdade.

— Você é demoníaca. É uma serpente que me deu o bote.

— Eu sou manipuladora, aproveitadora e sedutora. Tiro proveito da situação para o meu bel-prazer. Já você, bom... Você é o cão da morte. É o ser mais desprezível que pode haver na face da Terra. Você é quem deveria ser eliminado, morto.

— Sou poderoso. Se me matarem, muita gente cai comigo.

— O seu fim não está longe.

Hélio tentou arregalar o olho, mas já estava artificialmente arregalado.

— Está me ameaçando?

— De forma alguma. Você já me deu as pedrinhas preciosas que valem milhões — ela voltou a alisar o ventre —, passou meus milhões para a conta que indiquei no banco suíço. Estou com a vida feita, graças a você.

— Então por que diz que meu fim não está longe? Vinha me chantagear por conta do dossiê? Não sou homem de ser chantageado.

— E eu não sou mulher de chantagear — rebateu ela, séria. — Quando sair desta sala, nunca mais quero vê-lo, nem ter contato com você nesta ou em outra vida, se houver. Sou mulher de palavra. O dossiê é só para eu garantir a minha vida, porque homem que manda matar a cunhada e o próprio irmão é capaz de qualquer barbaridade.

Hélio grunhiu algo indecifrável. Talvez um palavrão, contudo os lábios com excesso de preenchimento não permitiram o pleno entendimento. Sofia deu de ombros e prosseguiu, calma e fria:

— Pelo dossiê, descobri que recentemente você fez uma imensa aplicação de silicone no peito. Nunca foi fã de malhação. Achou que o silicone iria deixá-lo peitudo para o resto da vida.

— E o que você tem a ver com isso? — exasperou-se.

— Nada. Eu não tenho nada a ver com isso. Só que o tal detetive descobriu que você encheu seu peito de silicone industrial. Seu amigo Edmundo, dono da clínica que você frequenta, está contrabandeando esse produto. Paga uma ninharia e cobra uma fortuna dos clientes. Tem gente que já ficou bem deformada e gente que bateu as botas. Não vai demorar para esse silicone se deslocar e se espalhar pelo corpo e fazer estragos. Já estou prevendo a trombose, a gangrena, os efeitos nocivos desse silicone misturado à quantidade absurda de hidrogel que aplicou recentemente para levantar as nádegas e engrossar as coxas. Você vai morrer logo, querendo ou não.

Hélio sentiu o sangue sumir. Queria falar, mas a garganta secou. Sentou-se na cadeira. Sofia, com ar irônico, despediu-se:

— Cuidado ao se sentar. O hidrogel é praticamente impossível de ser removido.

Ele se levantou feito uma mola.

E, antes de rodar nos calcanhares, finalizou:

— Vou direto para o aeroporto. Meu voo de primeira classe para Zurique sai no meio da tarde. Beijo no coração.

Sofia recolocou os óculos escuros, ajeitou a bolsa e se foi. E nunca mais voltaria. E nunca mais veria Helinho na vida. Partiu tranquilamente naquela tarde rumo a sua nova vida. Agora era uma mulher rica. Era golpista por vocação. Nascera assim. Difícil mudar. A decisão de ajudar Rafael e libertá-lo do cativeiro fez com que amigos do invisível pudessem se aproximar e inspirar-lhe bons pensamentos.

Itacira foi um dos espíritos que se afeiçoaram a ela.

— Danada essa garota! — comentou com Mário, agora já com a aparência do índio Viatã. Eles sorriram enquanto se certificavam da entrada de Sofia no avião, garantindo que nenhum capanga de Helinho, encarnado ou desencarnado, aparecesse de surpresa.

— Ela tem meios duvidosos de conseguir as coisas, mas salvou meu filho.

— Ela fez o que tinha de fazer — salientou Itacira. — Fez o melhor dela. Cada um dá o melhor de si. Você a está julgando pelos olhos do mundo, se ela está agindo de acordo com a moral, de acordo com os bons costumes, de acordo com o certo e o errado.

— Tem razão — concordou Mário.

— A vida, meu caro, não funciona dessa forma. Tudo é funcional. Se fosse na base do certo e errado, Deus seria um ser cruel e injusto. Imagine uma catástrofe natural, um deslizamento de terra que mata centenas de pessoas, ou um terremoto que soterra e mata um monte de crianças. Se olhar com as lentes do mundo, vai achar que Deus é desumano, terrível, que a vida é cruel.

— É verdade.

— A vida é funcional. As coisas acontecem porque têm de acontecer. E precisamos aprender a lidar com a situação. Em situações tristes assim, aprendemos a ser solidários, caridosos. A catástrofe nos dá outra ideia de função na vida. Sofia faz as coisas da maneira dela. Um dia vai despertar para outros valores, vai sair da hipnose da manipulação e ver que tem tanta força para realizar por si que não precisa manipular. Vai aprendendo.

— E agora tem a sua amizade...

— É. Tem a minha amizade — anuiu Itacira. — Quem sabe, de vez em quando, eu apareço, assopro umas ideias e ela não as abraça? Sofia é esperta, não se vê como coitada. Acredita que pode muita coisa. É só uma questão de fazer alguns ajustes. Ninguém se perde no reino de Deus.

— Você é incrível! — observou Mário, abraçando-a. — Obrigado por tudo.

— Agora vamos, meu guerreiro. Está quase na hora de nosso ritual.

Os dois se deram as mãos e sumiram, deixando no ar um delicado aroma de mato fresco.

Sofia sentiu o aroma e olhou para os lados.

— Cheiro estranho para uma cabine de primeira classe.

E voltou a bebericar seu uísque. Logo o aroma a fez se recordar da época em que passava as férias com os pais, no interior do Colorado. Lembrou-se de Rubens e sentiu saudades. Ergueu o copo de uísque e fez um brinde à memória do pai.

47

Celina não cabia em si, tamanho contentamento. A notícia não poderia ser melhor.

— Poderei passar uma temporada? Sem fugir?

— Sim — riu Mara. — Sem fugir.

Ela abraçou-a feliz da vida.

— Tudo isso devo a você, inclusive a minha melhora.

— Não. É mérito seu. Usou seu arbítrio, a arma mais poderosa do espírito: o poder de escolha. Você escolheu mudar, para melhor.

— Aprendi, estou aprendendo — confessou Celina. — Ainda é difícil, mas estou caminhando.

— Todos nós estamos, Celina.

— Nena já sabe que vou?

— Ela virá até aqui buscá-la. Mês que vem.

Celina sentiu um friozinho na barriga.

— Estou alegre, mas ao mesmo tempo...

— O que foi? Por que esse semblante triste?

— Estou com um medinho.

— Não — Mara pousou a sua mão sobre a dela. — É só uma mudança de cidade. Logo você vai poder voltar.

— Tem certeza?

— Só um estágio, muito embora você goste bastante da Nena.

— Sim. Tenho um carinho especial por ela. É diferente do carinho que sinto por você.

— Como se tivessem laços mais fortes? — quis saber Mara.

— É. Acho que é.

— Um dia, talvez, você obtenha mais respostas, não?

Celina ficou pensativa por instantes, remexeu-se no banco e indagou:

— Soube que as coisas se ajeitaram lá com seu menino.

— Parece que a verdade veio à tona.

— Você não teve seu filho com o pai que o cria, é isso?

— Não. O pai verdadeiro dele é o pai do pai.

Celina levantou a sobrancelha.

— Hã?

— Vou lhe contar a minha história, rapidinho, porque muita coisa você já sabe. Só vou esclarecer alguns pontos, para você entender o porquê de alguns acontecimentos, de alguns comportamentos e atitudes...

— Sou toda ouvidos!

— Tudo começou numa tarde quando fui me encontrar com Valdir. Ele se atrasou por algum motivo. Hélio estava no clube com Angelita. Uma das empregadas me conduziu até a sala de estar. Eu estava curiosa, queria conhecer mais de perto detalhes da vida da família. Naturalmente fui caminhando até chegar ao escritório. E vi o Mário.

— Você já o conhecia.

— Sim, claro. Mas naquela tarde, quando nossos olhos se encontraram, senti algo diferente. Deu um friozinho na barriga, eu tentei disfarçar, contudo percebi que ele também sentiu algo diferente.

— Você saiu do escritório?

— Tentei — Mara foi sincera. — Mário levantou-se da escrivaninha, veio até mim e, ao me tocar, sentimos um choque. Nem falamos nada. Ali mesmo nos beijamos. Ele trancou a porta do escritório e nos amamos ali mesmo.

— Nossa, correram um risco imenso!

— Pois é. Depois da loucura é que medimos o risco. Mas na hora não pensamos em nada. Entregamo-nos àquela paixão louca. E começamos a nos encontrar escondidos, depois em motéis. Na noite daquela festa, houve um descontrole de nós dois porque havíamos bebido. Resolvemos arriscar e nos escondemos no quarto de Hélio. Fomos flagrados, Mário teve de confessar e daí começou uma grande chantagem.

— O filho chantageando o pai?

— Sim. Mário era obrigado a desviar dinheiro para uma conta de Hélio. Esse era o acordo. Ou então Hélio abriria a boca e contaria sobre o nosso caso para Angelita e Valdir. Quando engravidei, Hélio foi mais sórdido. Exigiu que Mário passasse bens para ele em troca de assumir a paternidade da criança.

— E você quis ter o bebê.

— Sim. Achei que Mário fosse se separar. Não sei, estava louca por ele. Pensei em contar tudo para Valdir. De repente, o inesperado aconteceu.

— O quê?

— Mário teve um ataque fulminante e morreu. Fiquei desesperada. Pensei até em tirar a criança. Foi aí que, sem vontade mais de viver, entreguei-me para as drogas.

— Por isso ninguém entendia o porquê de você ter se viciado.

— É. Eu fui fraca. Quis me viciar para não enfrentar a verdade. Queria Mário. Não amava Valdir. E tinha de aturar Hélio.

— Deve ter sido um período difícil.

— Foi. Até que resolvi, por conta e risco, montar um dossiê com tudo o que sabia sobre os esquemas escusos de Hélio. Comecei a juntar papéis, documentos. Quando Rafael nasceu, eu me recusei a vê-lo porque me fazia lembrar de Mário. Eu precisava esquecer aquela paixão e me dedicar a juntar os documentos que incriminassem Hélio.

— Por quê? Se você amava Mário e havia se casado com Valdir, por que montar um dossiê devastador sobre a vida de Hélio?

— Hélio havia se aproveitado da gravidez, tinha arrancado rios de dinheiro do pai. Eu pedia ajuda, tentava me consolar e ele me evitava. Fiquei revoltadíssima. As drogas começavam a afetar meu raciocínio. Minha família não me dava apoio. Meu pai tinha vergonha de me ajudar porque eu podia colocar em risco a boa imagem dele na Câmara dos Vereadores. Meu irmão estava se lixando para mim. Valdir já tinha se amarrado em Noeli. Confesso que precisava descontar minha raiva em alguém. Sobrou para o Helinho.

— Mesmo sabendo que correria risco de morte.

— Sim. Eu andava muito drogada. Não ligava direito as ideias, a droga entorpecia o raciocínio. Daí tomei uma decisão.

— Qual foi?

— Chamei Noeli para conversar. Acho que meu espírito pressentia a morte. Então eu contei tudo para ela.

— Noeli sabe que Rafael é filho de Mário?

— Sabe. Eu pedi para ela, naquela noite, que, caso fosse torturada, respondesse que Rafael era filho de Hélio. Jamais de Mário.

— Ela concordou?

— Sim. Até porque me pediu permissão para falar do assunto com uma prima dela. Eu concordei, desde que revelasse que Hélio era pai de Rafael. E Noeli cumpriu o nosso trato.

— Ela tem sido digna por manter há tantos anos uma verdade tão forte, que pode transformar radicalmente a vida de Rafael, Valdir e Angelita.

— Sim, por isso tenho muito apreço por Noeli. Antes de ela me visitar, Helinho apareceu, pediu para eu ficar calma e que mais tarde uma amiga iria aparecer com um presente. Em seguida, Angelita foi tentar me convencer a sumir da vida deles. Eu prometi que iria desaparecer, que era uma questão de tempo. Ela me ameaçou com uma arma...

— Jura?

— Juro. Foi só encenação. Angelita estava mais preocupada com algum escândalo naquela época. Tinha toda razão. Ela foi embora. Na sequência, Noeli chegou, conversamos, daí Noeli saiu atarantada de casa. Helinho me ligou. Disse que queria ter uma conversa, selar a paz. Falou que a amiga em comum estava perto de casa e com o presente. Caí no conto da droga fácil.

— Foi então que você o encontrou...

— Não. Ele disse que essa amiga iria conversar comigo e me entregar um presentão, me dar um pouco mais de droga, das boas. E logo tudo iria se resolver. Eu estava bem alta naquela noite. Tinha bebido litros de vodca com Noeli. Lembro-me de que conversei com minha amiga Dóris, desci, ainda me atrapalhei no caminho. Vi a amiga, entrei no carro, fiquei louca com aquele monte de pó na minha frente e apaguei. Depois, quando acordei, vi o rosto de Esperidião sorrindo para mim.

— Não sentiu sua morte?

— Nada. Não me recordo de nada.

— E nunca quis saber de Mário?

— No começo até cheguei a pensar nele. Afinal, os dois estavam mortos!

As duas riram. Mara prosseguiu:

— Depois da desintoxicação e quando fiquei mais lúcida, percebi que não sentia nada, que não havia sentimento verdadeiro que me ligasse ao Mário. Fora uma paixão louca, mais nada.

— Como sabe que não foi um sentimento verdadeiro? — indagou Celina, curiosa.

— Porque hoje eu sei o que é gostar de alguém. Não digo amar, porque ainda não sei o que é amar. Estou no caminho, aprendendo. Mas sei o que é gostar...

Celina a cutucou de leve.

— Eu bem que sabia!

— O quê?

— Você está gostando do Esperidião.

— Sim.

— Ele já sabe?

— Já desconfiava, mas agora estou constatando — interpôs-se ele, aparecendo de súbito, surpreendendo as duas.

Mara levou a mão ao coração.

— Oi.

Celina levantou-se.

— Estou sobrando. Vou dar uma volta. Mais tarde volto. Licença.

Celina saiu. Esperidião aproximou-se, tocando a mão de Mara.

— Estava esperando por esse momento.

— De conversarmos?

— É. Eu também tenho sentido que estou gostando de você.

— Faz um tempo que percebi. Antes nutria uma boa amizade. Hoje quero mais que uma simples amizade.

— Será que nos conhecemos de outros tempos?

— Por quê?

— Não sei. Curiosidade, talvez — tornou Mara, dando de ombros.

— Isso importa? É mais importante do sentimento que temos um pelo outro?

— O sentimento é mais forte.

Ele abaixou o rosto e beijaram-se. Depois abraçaram-se. Ele declarou, emocionado:

— Eu também nutria uma amizade. Fazia muito tempo que não namorava.

— Está me pedindo em namoro?

— Namorar é bom. Cada um levando sua vida, fazendo o seu trabalho, seus cursos e, quando tiver tempo, podemos nos encontrar e namorar.

— Adoraria — Mara respondeu e encostou a cabeça no peito dele.

— Quer mudar de quarto? Ou melhor, de casa?

— Viver com você?

— Vamos fazer uma experiência?

— E Celina? Não quero deixá-la só. Agora que ela está tão bem!

— Recebi um comunicado hoje cedo — comentou Esperidião, sorridente.

— O quê?

— Celina vai ter permissão para ir morar com Nena. Em definitivo.

— Está brincando! Não vai ser só um estágio?

— Não. Ela atingiu um nível energético compatível para viver naquela cidade astral.

— Vai voltar para a casa dela.

— Ela ainda não se recorda. Vai demorar muito para Celina ter uma lembrancinha que seja do passado.

— Fico tão feliz por ela. Depois de tantos anos. Ela merece uma nova chance.

— Todos nós merecemos.

— Posso contar a novidade a ela?

— Qual novidade? — interrogou, brincalhão. — A nossa ou a dela?

— As duas, pode ser?

— Pode.

— Vamos atrás de Celina.

— Ela deve estar indo na direção do bosque.

Beijaram-se mais uma vez e, de braços dados, saíram felizes à procura de Celina para lhe dar as boas notícias.

48

Mãe é mãe, diz o ditado. Angelita estava desconfiada de que Helinho tivesse se metido em nova enrascada. E das feias. Daquelas bem cabeludas. Seu instinto estava afiadíssimo.

Desde que Rafael fora para a casa dela, Helinho hospedara-se em um hotel. Ela sabia que havia certa estranheza entre tio e sobrinho, mas achava aquilo o cúmulo.

— Tem algo de podre no ar. Eu vou descobrir.

Fez uma oração para a sua santa de devoção e serenou. Naquele momento precisava dar um suporte ao neto. Rafael estava inconsolável com o bilhete deixado por Sofia.

— Assim, vó? Foi embora do nada?

— Fazer o quê, meu querido? Ela quis assim.

Angelita vibrava por dentro. Não gostara de Sofia. Não aprovava a relação dos dois e achava que, mais cedo ou mais tarde, o rapaz iria sofrer grande decepção.

— Melhor agora do que lá na frente — acrescentou, enquanto alisava a fronte do rapaz.

— Vivemos um lance legal. Eu fui praticamente sequestrado. Poderia ter me visitado, dar uma palavra...

— Tudo passa, meu querido. Tudo passa. Amanhã você encontrará uma moça que vai, de fato, tocar esse coração.

Rafael fechou-se em copas. Estava mais maduro, passara por uma experiência traumática, mas seu coração estava dolorido. O relacionamento com Júlia fora por água abaixo. Sofia parecia ser a mulher ideal e sumira, sem deixar rastros. Os pais, não muito longe de completar bodas de prata, também se separavam. Era muita decepção.

— Acho que na minha família não há chances para o amor. Meus pais se separaram. Devo ter algo deles.

— Não diga bobagens! — protestou Angelita. — Seus pais se separaram porque perceberam que não se amavam mais.

— E precisaram levar mais de vinte anos para perceber isso?

— Antes tarde do que nunca. Nenhuma relação dura para sempre, Rafael. Essa é a realidade da vida. Sei que adoraria que seu pai e sua mãe fossem "felizes para sempre". Não acontece com a maioria dos casais. É só um tiquinho de gente — Angelita quase juntou o polegar e o indicador — que fica junto por um bom tempo.

— As pessoas não sabem amar.

— Acredito que não.

Rafael parou e arregalou os olhos.

— Diz isso assim, com essa naturalidade?

— Sim. Porque é a verdade. Não sabemos ainda amar. Estamos aprendendo.

— Você não amava o vovô com toda a sua força?

Angelita fez uma mesura com a cabeça.

— Não. Apaixonei-me por ele, mas depois nosso casamento ficou no convencional. Nos últimos anos, se você quer saber, quase não tínhamos intimidades.

Rafael moveu a cabeça negativamente.

— Não precisa me contar esses detalhes.

— Você é um homem. Precisa saber a verdade das coisas. A vida não é esse conto de fadas que você colocou na cabeça. Está assistindo a muitos filmes românticos no cinema, no computador...

— É. Acho melhor parar de vê-los.

— Não. Pode continuar a assistir aos filmes que quiser. Eu também adoro. Mas é bom separar o imaginário da realidade e encarar os fatos da vida como eles são. Viver o que dá para viver, sem expectativas.

— Por isso é que desejo ir embora o mais rápido possível. Não aguento mais viver nesta cidade.

— Fugir não vai adiantar.

— Não quero fugir, vó. Mas meu mundo não é este. Eu sou do mato. Assumo isso.

— Mais alguns preparativos e vamos embora.

— Corra. Quero ir embora logo.

— Está bem.

Angelita deixou o quarto. Rafael esparramou-se na cama. Apanhou o telefone e ligou para Sofia. Ocupado.

— Ela deve ter jogado o chip no lixo. Telefone pré-pago. Sumiu da minha vida.

Jogou o aparelho sobre a mesinha de cabeceira. Iria assistir a um filme sobre a vida dos irmãos Villas-Bôas, mas decidiu ler um livro sobre cultura indígena. Deixou-se entreter pelo assunto e, aos poucos, Sofia foi-se esvaindo de sua mente.

Leda recebeu Noeli com um abraço, um chá de camomila e uma pergunta que não queria calar:

— Por que nunca me contou nada?

— Porque morria de medo.

— Você me confidenciou que, ao sair do apartamento de Mara naquela noite, ficou chocada ao saber que Hélio era o pai de Rafael.

— Foi o que Mara pediu para eu dizer, até sob tortura, caso minha língua desse nos dentes. Como sou sua prima e amiga, não conseguiria deixar de falar.

— Com toda a minha intuição, nunca iria supor o que Mário fez.

— Não sabia que ele e Rubens eram conhecidos.

— Conheceram-se antes de Rubens ser exilado. A polícia estava investigando Mário, acreditando que ele estivesse financiando grupos terroristas. Rubens correu até Mário, alertou-o. Mário ficou grato, deu-lhe dinheiro. Esse dinheiro nos ajudou quando fomos para o Chile e depois, quando nos mudamos para os Estados Unidos.

— Você nunca me contou.

— Rubens pediu sigilo. Era um segredo dele. Eu respeitei.

— Então Mário deve ter pedido ajuda a Rubens.

— Sim. Embora distantes, criaram um vínculo de gratidão e cumplicidade. Tenho certeza de que Mário não hesitou quando pensou em uma pessoa de confiança que pudesse guardar as evidências da paternidade de Rafael.

— Todos esses anos... — Noeli estava boquiaberta.
— E entregou tudo para Sofia. Ela foi corajosa. Enfrentou o Helinho.

— Sofia é muito forte, não se curva a ninguém. Hélio é café pequeno para ela.

— Helinho não é flor que se cheire. Tenho medo de que ele tente algo contra sua filha.

— Não vai tentar. O que tenho em mãos destruiria a vida dele.

— Mas colocaria você também em risco.

— Negativo — Leda meneou a cabeça. — Sofia deixou uma cópia com outra pessoa. E diz que outra cópia está guardada em um cofre, num banco suíço.

— Quem é esta pessoa?

— Ela não me disse. Só comentou, por alto, que saberíamos, que é de nosso conhecimento.

— Quem será?

— Não sei, o que Sofia faz desafia minha intuição. Melhor voltar para nossas coisas.

— Tem razão. Estou me preparando para conversar com Valdir.

— Acho bom.

— Ontem estive com Rafael. Ele quer se mudar para o interior de Mato Grosso.

— Tive uma visão. Ele e Angelita. Farão um belo trabalho. Rafael finalmente encontrou sua vocação.

Noeli emocionou-se.

— Pensei que meu filho fosse se perder.

— Ninguém se perde neste mundo, querida. Rafael só precisou de um susto. Está tudo bem.

— Só temo pela reação de Valdir.

— Não queira agora controlar a reação do outro, Noeli. Você escolheu guardar esse segredo por todo esse tempo. Agora ele tem o direito de escolher como vai reagir. Deixe de ser controladora. As pessoas não vão reagir conforme as suas expectativas. Pare de se iludir.

— Está certa. Estou sendo vaidosa. É muita pretensão querer que ele aja como eu idealizo.

— Isso mesmo. Menos.

— Você tem toda razão.

— Vamos tomar um chá. E fazer nosso exercício de positivação da mente.

— Claro!

Serviram-se do chá e continuaram conversando amenidades.

Naquele mesmo momento, a campainha tocava na casa de Angelita. O empregado atendeu, apanhou o envelope e subiu. Bateu no quarto e o entregou a Angelita.

Ela estava terminando de se arrumar para sair. Iria fazer umas compras, passear um pouco no shopping, despedir-se das vitrines, das compras, da cidade grande.

Apanhou o envelope, balançou-o. Fez barulho. Abriu e dele retirou um monte de papéis e um pen drive. Havia uma carta, escrita a mão. Nela, Sofia explicava tudo. Quer dizer, do modo dela. Contava sobre a paternidade de Rafael, sobre os documentos deixados por Mário, a morte de Mara, os podres de Hélio, e finalizava indicando que, no dispositivo, havia a gravação dela com Helinho no escritório, onde ele afirmava ter mandado sequestrar Rafael.

Angelita não teve um ataque histérico. Não gritou. As lágrimas desceram, sim. Rolaram fortes, grossas, incontroláveis. Eram lágrimas de decepção por traição, de dor, muita dor. Era como se as ilusões fossem arrancadas com extrema violência, e ela, finalmente, enxergava sua vida como era de fato.

E pior: enxergava Helinho como ele realmente era. Não era mais o príncipe encantado da mamãe. Não era o filhinho lindo de morrer que ela adorava e bajulava. Não era mais o preferido. Era um canalha, um homem frio, capaz de articular planos sórdidos, capaz de ter mandado matar Mara e de orquestrar a morte do próprio sobrinho, quer dizer, do próprio irmão.

Não iria mais sair. Resolveu deitar-se. Precisava desligar-se do mundo. Lembrou-se de sua santa, de sua avó. Apanhou dois comprimidos na cômoda ao lado da cama, ingeriu-os sem água e abraçou o travesseiro. Adormeceu. Logo caiu num sono pesado.

49

Alguns meses se passaram. O choque foi grande, mas Rafael absorveu a verdade de maneira tranquila.

— Você sempre vai ser meu pai — asseverou, enquanto abraçava Valdir.

— Sei disso — ele respondeu, tentando ocultar uma lágrima. — Você é meu filho do coração.

— Não. Sou seu filho. Ponto. Você me criou, me alimentou, me amou, me transmitiu valores. Foi você quem me levou na escola pela primeira vez. Foi com você que dei o primeiro chute de bola. Você me ensinou a andar de bicicleta. É meu modelo, meu referencial de caráter, de virilidade, de tudo.

Valdir não conseguiu conter o pranto. Abraçou-se a Rafael e, entre soluços, admitiu:

— Não sei o que seria da minha vida sem você.

Ficaram abraçados por um tempo. Depois que a emoção passou, Valdir perguntou, curioso:

— Por que não quis fazer o teste de DNA?

— Simples. Se for constatado que sou seu irmão, vamos dividir a herança da vovó em três partes; perante à lei seremos três filhos de Mário a herdar o patrimônio, quer dizer, o patrimônio que sobrou, porque o Helinho surrupiou quase tudo.

Valdir mordeu o lábio com força.

— Desgraçado!

— Não ligue, pai. Ele fez de tudo para tirar da gente. Vamos ter tudo de volta. Ele vai morrer antes de nós. Somos herdeiros diretos!

— Acha mesmo?

— Sim. Helinho é tão pobre de espírito que está se acabando a cada dia que passa. Está se afundando em plásticas, bebidas, ganância. Ganância mata.

Valdir fez que ia dizer algo, e Rafael, para não prolongar o assunto, tornou:

— Se eu permanecer seu filho, herdarei o que vovó deixou em testamento para mim. Não teremos de mexer com documentos.

— Angelita, na realidade, também não é sua avó.

— Continuará sendo, pai. Não vou mudar nada, tampouco meus documentos. Vou morrer sendo seu filho. Na minha certidão de nascimento, assim como na de óbito, meu pai sempre será Valdir Gomez Castillo.

Valdir emocionou-se novamente. Pigarreou quando observou:

— Seu "tio" pode botar a boca no trombone.

Rafael riu com escárnio.

— Aquele patife não tem o que fazer. Vovó foi categórica. Se Helinho abrir a boca, ela tem documentos que o colocarão na cadeia por duzentos anos.

— Ele contrataria bons advogados. Sairia logo.

— Tem pavor de prisão.

— Ele vai fugir do país.

Rafael deu de ombros.

— Por mim, ele que se lixe. É um verme. A lei dos homens não poderá fazer nada para que ele responda pela morte de minha mãe biológica. Quero distância desse monstro.

— Tem razão.

— Quero viver aqui neste mato — Rafael mirou o horizonte. — Não acha que junto aos índios estamos aprendendo que não precisamos de tanto? Viu como podemos viver com mais simplicidade do que imaginávamos?

— Sem contar que eles têm uma cultura riquíssima — ajuntou Valdir. — Sabia que eles não sabem o que significa medo?

— É. Índio cresce sem saber o que é medo. O medo é coisa de homem branco.

Os dois sorriram e avistaram Angelita ao longe, sentada na varanda do casarão da fazenda que haviam adquirido recentemente.

— Melhor ir lá conversar com ela, pai.

— Nunca fomos muito íntimos. Ela sempre preferiu o Helinho.

— A situação é outra. Esqueça a competição, o passado, as preferências. Vá conversar como um amigo.

Valdir entendeu o recado. Deu um leve tapa no ombro de Rafael e caminhou até a varanda. Sentou-se ao lado de Angelita.

— Como está?

— Bem — respondeu ela, sem muito entusiasmo.

— Recomeçar não é fácil — ela nada disse, Valdir prosseguiu: — Confesso que me senti muito mal quando soube que Rafael não era meu filho legítimo. Sabe, mãe, eu me senti traído, decepcionado, desapontado. Foi como se eu estivesse vivendo num mundo de ilusões, num mundinho idealizado, distante da realidade. Não foi fácil ter de passar por cima do orgulho.

Angelita só ouvia. Ela sentira exatamente o mesmo quando abrira o envelope e se deparara com todas aquelas novidades estarrecedoras que viraram sua vida do avesso. E começou a refletir. Ela sempre pensou que Rafael fosse filho de Helinho e sempre escondeu o fato de Valdir. Ela também o enganara por anos. E agora via Valdir na sua frente, sem mágoas, aceitando Rafael como filho e dando uma chance de reconciliação a ela. Seu filho não podia ser seu preferido, mas era digno. Angelita sentiu orgulho, contudo, procurou ocultá-lo.

Valdir prosseguiu:

— Culpei você porque não me dava atenção; culpei Noeli porque ela não atendia às minhas expectativas no casamento. Eu sempre esperei que os outros dessem atenção para mim. Depois de todas essas revelações, percebo que eu nunca me dei o devido valor, nunca me dei atenção. Se eu não me dou atenção, por que os outros vão olhar para mim?

Ela o encarou.

— Eu lhe dei atenção. Amei-o à minha maneira.

— Hoje sei disso. Sei que fez o melhor que pôde. Cada um dá o melhor de si.

Angelita deixou uma lágrima escapulir.

— Ainda dói saber que fui traída.

— Papai foi leviano.

— Não. Não tenho raiva de seu pai. Mário nos deu um lindo presente — ela apontou para Rafael, ao longe.

— A minha decepção é com seu irmão. Criei muitas expectativas acerca de Helinho. Agora que aceitei a realidade, cansei. Eu quero me livrar dessa raiva.

Valdir pegou na mão dela e convidou:

— Gostaria de fazer um exercício?

— Um exercício?

— É. Aprendi com Noeli. Quando soube da verdade, tive vontade de matar Helinho e fiquei com raiva da senhora também.

Angelita engoliu em seco.

— Já lhe pedi perdão. Estava cega pela vaidade.

— Calma, mãe. Não quero massacrá-la. Compreendo também que você fez o melhor que pôde. O que quero lhe mostrar é como Noeli e Leda me ajudaram sobremaneira. Fiz o exercício e me livrei da raiva. Ou melhor, transformei essa emoção negativa, revertendo-a em força positiva para mim.

— Gostaria.

Valdir postou-se na frente de Angelita.

— Feche os olhos. Respire fundo. Coloque as mãos sobre os joelhos, sentindo seu corpo.

Angelita fez e ele prosseguiu:

— Agora, imagine essa raiva na sua frente em forma de uma pessoa. Como é essa raiva? Como ela se apresenta?

Com os olhos fechados, Angelita respondeu:

— Uma velha. Feia e desdentada.

— Sei. Encare essa velha. Ela está de frente para você? De lado? Conversa com você?

— Está na minha frente. Diz que está comigo porque quer me proteger.

— Proteger de quê?

— Dos perigos do mundo. Ela tem raiva de que eu seja passada para trás. Fica muito nervosa quando alguém apronta comigo.

— Certo. Olhe para ela e diga, com firmeza: você esteve comigo todos esses anos porque eu não acreditava na minha própria força. Agora que tomei consciência do meu poder, eu não preciso mais de você. Quero que você devolva para mim, neste momento, toda a força que eu lhe dei ao longo dos anos.

Angelita repetiu e Valdir sugeriu:

— Agora respire fundo e sugue todo o ar que você consiga. Encha seus pulmões e imagine que a mulher está perdendo força conforme você traz esse ar para dentro de você.

Ela foi inspirando, enchendo os pulmões de ar com força.

— Agora solte o ar e diga: você não precisa mais ficar comigo. Eu a liberto. Eu tomo conta de mim. Ninguém precisa mais estar ao meu lado. Eu sou dona de mim. Eu me basto.

Angelita proferiu as palavras.

— E agora? — indagou Valdir.

— A mulher murchou, derreteu.

— Pode abrir seus olhos.

Angelita abriu.

— Como se sente?

— Nossa! Parece que meu peito se expandiu. Estou me sentindo maior, mais forte.

Ele sorriu.

— Você recuperou a sua força.

— Estou até com fome. Esse exercício abriu meu apetite. Vamos lanchar?

— Vamos, mãe.

Angelita levantou e estendeu o braço para Valdir. Os dois estavam felizes. E em paz. Muita paz.

Epílogo

Certo dia, numa linda manhã de sol, Mara e Esperidião decoravam o novo lar. Solicitaram autorização para os superiores e tinham acabado de se mudar para uma nova casinha. Só deles. Esperidião arrumava o interior da residência e Mara ajeitava o jardinzinho. Estavam muito felizes.

Inês veio cumprimentá-los.

— Espero que sejam muito felizes aqui.

— Seremos, Inês. Pode apostar.

— Pelos seus olhos brilhantes, a felicidade já chegou — observou a mulher.

— Sim — concordou Mara, contente.

— Vim cumprimentá-la e agradecer.

— Ora, Inês. Você já me agradeceu. Tamires tem se recuperado bem. Está no grupo de resgate, não?

— Estagiando. Ainda tem umas recaídas.

— É normal. Está se adaptando. Logo estará mais firme, mais lúcida. Depois que estiver mais bem preparada, poderá trabalhar mais horas e, quem sabe, um dia, ir para outros lugares?

— Pode ser — Inês falava de maneira desconcertada.

— O que foi? Por que está com essa cara?

— É que houve um resgate, quer dizer, uma tentativa de resgate que foi malsucedida.

— E?

— De certa forma, tem a ver com você.

— Comigo?

— É — confirmou Inês, constrangida.

— Alguém que eu conheça? — Inês assentiu.

— Quem?

— Hélio Gomez Castillo.

Mara surpreendeu-se. Respirou fundo, dominou as emoções e perguntou:

— O que aconteceu?

— Pelo que sei, Helinho, como era conhecido, teve um destempero com a família e decidiu ir embora do país. No exterior, meteu-se em procedimentos estéticos os mais diversos a fim de mudar a aparência. Parece que tinha medo de ser reconhecido, ou ser pego pela polícia. Dizem que estava com mania de perseguição. Em uma das cirurgias teve um choque anafilático. Demorou um tempo para morrer, da mesma forma como ocorreu com Tamires.

— Sei.

— Tamires prontificou-se a ajudá-lo a se desligar do corpo e partir em definitivo. Depois de cortados os laços, Helinho não acreditou que estava, digamos, morto. Teve um chilique.

Mara balançou a cabeça.

— Imagino a cena.

— Pois bem. Foi um show. Debateu-se, brigou com os socorristas, exigiu explicações, teve um acesso. Tamires bem que tentou dialogar, mas foi inútil.

— Ele sumiu?

— Sumiu. Não fazemos ideia de onde ele esteja.

— E o que você quer?

— Não tem como você e Esperidião tentarem localizá-lo?

— Não. Não é assim que funciona, Inês.

— Não?

Mara meneou a cabeça.

— Hélio escolheu seu caminho. Não podemos interferir. Cada um está onde se põe.

— Foi o que o instrutor de Tamires explicou a ela.

— Pois bem, veio aqui escutar a mesma coisa. Acho que também está na hora de parar de dar tanta atenção aos outros e escutar mais a sua voz interior.

— Só queria ajudar. Gosto de ajudar.

— Antes precisa ajudar a si mesma. Parou para ver o que a incomoda?

— Por que pergunta?

— Eu só vejo você preocupada com Tamires, como se ela fosse ainda sua filha.

— E não é?

— Não. A sua função de mãe ocorreu enquanto estavam encarnadas. Agora são colegas, dois espíritos que dividiram uma experiência reencarnatória como mãe e filha. No entanto, não são mais mãe e filha.

Inês sabia que aquilo era verdade, mas não queria aceitar.

— E você — continuou Mara — se preocupa muito com os outros. É sinal de que está fugindo de si mesma.

— Não é isso.

— Inês, você morreu de desgosto. Deixou de viver no dia que seu marido a trocou por outra e se foi. Você nunca o perdoou e nunca se perdoou. Desde esse longínquo dia, acha-se menos, sente-se desvalorizada porque foi trocada por outra mulher.

Inês começou a tremer.

— Não quero que fique chateada. Só quero que encare a verdade. Você tem tanta coisa boa para fazer, Inês.

— Não sei o que dizer. Nunca pensei nisso. Nunca quis pensar em nada.

— Chegou a hora. Vamos marcar um dia para conversar sobre o assunto? Eu a ajudo a vencer esse bloqueio com alguns exercícios.

Inês a abraçou.

— Você é uma grande amiga.

— Gosto de você, Inês.

— Preciso ir.

— Dê um beijo em Tamires.

Nem deu tempo de Mara pensar a respeito de Hélio. Esperidião saiu pela porta da frente e a beijou.

— Vi que teremos um trabalho a fazer com Inês.

— Hum, hum. Inês precisa de ajuda.

— Falando em ajuda, olhe quem está chegando — ele apontou.

Celina aproximou-se. Estava radiante. Bem diferente. Os cabelos compridos, sedosos e castanhos, estavam soltos, balançavam no ar e lhe conferiam um ar jovial. Usava um vestido florido, estilo tomara que caia e calçava sandálias. Parecia ter saído de um festival hippie ou algo do gênero. Usava brincos, colares e pulseiras. E usava maquiagem! Estava linda.

Ela abanava graciosamente um leque e, quando os cumprimentou, anunciou, sorridente, olhos brilhantes:

— Finalmente chegou o grande dia!

— Nena vem buscá-la? — indagou Mara.

— Vem. Não vejo a hora.

— Vou lhe confessar algo — segredou Esperidião.

— O que é?

— Você foi uma grande feiticeira.

— Eu?! Imagina — ela deu um tapinha no braço dele.

— Foi. Você fazia parte de um grande bando de feiticeiras, liderado por Nena. Isso ocorreu muitos e muitos anos lá atrás. Um dia você se apaixonou por um feiticeiro. Viviam felizes. A Inquisição na Europa estava no auge, queimando bruxos e hereges. Vocês foram presos. Para fugir da fogueira, seu companheiro jurou que você era uma feiticeira legítima, e ele, um pobre-diabo, usado por você para servi-la. Ele se livrou da fogueira; você não. Depois dessa encarnação, seu espírito fechou-se em copas. Ficou apático, medroso, desconfiado. E algumas vidas já se passaram desde então.

— Eu não me lembro de nada disso — avaliou Celina. — É como se você estivesse falando de outra pessoa.

— Juro que estou falando de você — assegurou Esperidião.

— Feiticeira, sei.

— Foi por essa razão que Nena, ao reencontrá-la, juntou os pulsos naquele ritual de magia.

— Que ritual?

— Não lembra quando você fugiu? Quando você se encontrou com ela, Nena não cortou o seu pulso e o dela e juntou o sangue das duas?

Celina espremeu os olhos e levou a mão à boca.

— Foi mesmo! Eu me lembro. Ela falou que era magia.

— Pois então.

— E também disse que eu tinha um serviço para fazer.

— O serviço já foi feito.

— Foi?

— Sim. Nena queria que você ficasse bem. Por conta própria. Esse era o serviço.

— Estou ótima. E fiz tudo sozinha! — exclamou Celina.

— Coisa de feiticeira.

— Não dizem que a gente se lembra das outras vidas? — questionou Celina, ainda não muito convencida.

— Não é bem assim. Acha que morre e pronto? A memória espiritual se abre e você consegue acionar todas as vivências passadas? Nem eu consigo chegar a tanto.

— É preciso muito treino — observou Mara. — E também o passado não tem importância. O que importa é o que somos, não o que fomos.

— E — interveio Esperidião — sua mente ficou muito perturbada por conta da sua última morte, digamos assim. Ficou muito tempo se atormentando, culpando-se. Agora é que você começa, aos poucos, a ter um pouco de equilíbrio emocional. Primeiro o bem-estar, depois vem o resto.

— Essa é a mais pura verdade — concordou Celina. — Primeiro vem o bem-estar.

Ela fechou os olhos e eles notaram algo diferente. Quando Celina os abriu, estavam diferentes. Eram vivos, brilhantes. O semblante dela espargia uma luminosidade vibrante. Mara e Esperidião foram tocados por uma profunda emoção. Celina sorriu e falou, modulação de voz serena, porém cheia de vida:

— Queria tanto dizer às pessoas que, por pior que esteja a vida, tudo tem jeito. Gostaria de me dirigir a uma pessoa desesperada, descontente da vida e dizer a ela que no fim tudo se acerta. A vida é mágica e sempre arruma uma maneira de nos ajudar. Matar-se não é uma boa solução. Se fosse, Deus não nos concederia o poder de escolha, porque se matar anularia esse poder.

— Tem razão, Celina — ajuntou Mara, emocionada.
— Você está inspirada.

— Estou, porque ninguém nunca está só. Há sempre um centro de apoio à vida para ligar, um amigo para procurar, um bom filme para assistir, um bar para encher a cara e chorar as mágoas, um livro para ler, uma roda de samba para se divertir, uma caminhada em um parque, um trabalho voluntário, uma visita a um parente necessitado e até mesmo o perdão a si mesmo. Porque todos nós temos o direito de errar. O erro é garantia certa de que, mais cedo ou mais tarde, vamos chegar ao sucesso.

Celina suspirou. Continuava emanando aquela luz. E prosseguiu:

— Portanto, se você pensa em se atirar da ponte ou do alto de uma janela, reflita. Se conhece alguém com essa tendência, vá lá e lhe dê um abraço apertado. Às vezes, o que precisamos, ou o que alguém próximo da gente mais precisa, é de um abraço, uma palavra amiga, um beijinho no rosto, um ombro amigo ou apenas um sorriso.

Esperidião, sempre sereno, acabou por deixar uma lágrima escapulir.

— Celina, você está nos emocionando. Nunca ouvimos palavras tão bonitas e tão tocantes.

— Eu sei, meu amigo Esperidião. É porque estou falando tudo isso do fundo da minha alma. Aprendi, finalmente, que o mais importante é saber que, apesar dos pesares, acertando ou errando, todos nós sempre estaremos caminhando rumo à felicidade, conquistando cada um, à sua maneira, o seu tão desejado lugar ao sol.

Celina respirou fundo, olhou para o alto, fechou os olhos e agradeceu. Depois, encarando os amigos, abanou graciosamente seu leque e com um sorriso imenso concluiu:

— É bom demais viver! Sabe por que estou feliz? Porque deixei-me encantar pela vida, contaminar-me de vida! Que coisa boa é se deixar encantar com a vida, parar de reclamar, de brigar, de pecar, de lutar e ficar assim, quietinha, sentindo o encantamento da vida em mim...

Os três se abraçaram emocionadíssimos e uma luz cristalina os envolveu. Celina compreendeu, depois de um árduo caminho, que a vida é uma dádiva e também uma linda e maravilhosa surpresa.

Fim

Romances

Editora Vida & Consciência

Zibia Gasparetto

pelo espírito Lucius

A verdade de cada um
(nova edição)

A vida sabe o que faz

Entre o amor e a guerra

Esmeralda *(nova edição)*

Espinhos do tempo

Laços eternos

Nada é por acaso

Ninguém é de ninguém ✓

O advogado de Deus

O amanhã a Deus pertence ✓

O amor venceu

O encontro inesperado

O fio do destino

O matuto

O morro das ilusões

O poder da escolha

Onde está Teresa?

Pelas portas do coração
(nova edição)

Quando a vida escolhe

Quando chega a hora

Quando é preciso voltar

Se abrindo pra vida

Sem medo de viver

Só o amor consegue ✓

Somos todos inocentes

Tudo tem seu preço

Tudo valeu a pena

Um amor de verdade

Vencendo o passado

Marcelo Cezar
pelo espírito Marco Aurélio

A última chance
A vida sempre vence
Ela só queria casar...
Medo de amar
Nada é como parece
Nunca estamos sós
O amor é para os fortes
O preço da paz

O próximo passo
O que importa é o amor
Para sempre comigo
Só Deus sabe
Treze almas
Um sopro de ternura
Você faz o amanhã

Mônica de Castro
pelo espírito Leonel

A atriz
Apesar de tudo...
Até que a vida os separe
Com o amor não se brinca
De frente com a verdade
Desejo – Até onde ele pode te levar?
De todo o meu ser
Gêmeas
Giselle – A amante do inquisidor
Greta *(nova edição)*
Impulsos do coração

Jurema das matas
Lembranças que o vento traz
O preço de ser diferente
Segredos da alma
Sentindo na própria pele
Só por amor
Uma história de ontem
Virando o jogo